Petits Classiques

LAROUSSE

Collection fondée par Félix Guirand,
Agrégé des Lettres

La Guerre des boutons

Louis
Pergaud

D1235116

Roman

Édition présentée,
annotée et commentée
par Évelyne AMON,
certifiée de lettres modernes

Direction de la collection : Carine GIRAC-MARINIER

Direction éditoriale : Jacques FLORENT

Édition : Marie-Hélène CHRISTENSEN

Lecture-correction : service lecture-correction LAROUSSE

Recherche iconographique : Valérie PERRIN, Agnès CALVO

Direction artistique : Uli MEINDL

Couverture et maquette intérieure : Serge CORTESI, Sophie RIVOIRE,
Uli MEINDL

Responsable de fabrication : Marlène DELBEKEN

SOMMAIRE

Avant d'aborder l'œuvre

19 La Guerre des boutons

Louis Pergaud

271 Avez-vous bien lu ?

Pour approfondir

AVANT D'ABORDER
L'ŒUVRE

Fiche d'identité de l'auteur

Louis Pergaud

Nom : Louis Pergaud.

Naissance : le 22 janvier 1882, à Belmont, village de Franche-Comté.

Famille : originaire du Doubs (Franche-Comté, à la frontière suisse). Père instituteur de campagne, mère fille de fermiers.

Enfance : campagnarde et libre. Élève brillant. Obtient son certificat d'études à l'âge de douze ans (1894). Reçu premier sur quatre-vingt-cinq candidats, avec félicitations du jury. Devient pensionnaire dans un internat de Besançon où l'administration lui reproche son indiscipline.

Début de carrière et de vie adulte : en 1901, instituteur à Durnes (village du Doubs). En 1904, publication de *L'Aube* (recueil de poèmes). En 1905, inspection défavorable : « insuffisance sur tous les points ». Nommé à Landresse. Mal à l'aise dans l'enseignement. En 1907, quitte tout pour se consacrer à la littérature. Emploi à la Compagnie générale des eaux. 1908 : publication de *L'Herbe d'avril* (recueil de poèmes).

Premiers succès : en 1910, reçoit le prestigieux prix Goncourt pour ses histoires de bêtes *De Goupil à Margot*. Très apprécié du grand public. Publie une suite en 1911 : *La Revanche du corbeau*. Emploi à la préfecture de la Seine. 1912 : publie *La Guerre des boutons*, puis en 1913 le *Roman de Miraut, chien de chasse*. L'inspiration rustique et la liberté d'expression deviennent les signes distinctifs de l'écrivain Louis Pergaud.

Le spectre de la guerre : en 1914, commence *Lebrac bûcheron* (roman). 1er août : mobilisation générale. 3 août : départ de Louis Pergaud au front. Tient un carnet de guerre. Écrit de nombreuses lettres. Projette un roman sur le thème de la guerre : *La Tranchée*.

Mort : dans la nuit du 7 au 8 avril 1915, Louis Pergaud, 33 ans, est porté disparu.

Pour ou contre Louis Pergaud ?

Pour

Pierre GAMARRA :

« Avec un bon demi-siècle d'avance, il exprime des notions et des préoccupations qui sont celles des pédagogues les plus avertis de notre temps. »

Préface à l'édition complète de Louis Pergaud, Club Diderot, 1970.

François CARADEC :

« Louis Pergaud nous a donné le roman épique de l'enfance paysanne. »

Histoire de la littérature enfantine, Albin Michel, 1977.

Michel-Pierre SCHMITT :

« Cet homme de terroir, passionné d'histoire naturelle, a su saisir la réalité de la vie des rustiques – enfants et animaux –, en liberté dans leur milieu naturel. »

Dictionnaire des littératures françaises, Bordas, 1984.

Jean-Marie GAUTHIER, Roger MOUKALOU :

« Il veut non seulement donner témoignage de sa propre enfance mais rendre hommage à cette langue qu'il affectionne et qu'il a reçue de ses parents. »

De La Guerre des boutons *à* Harry Potter, Mardaga Éditions, 2007.

Contre

Pierre SOUDAY :

« Mais pourquoi M. Louis Pergaud n'a-t-il pas fait quelques-uns de ses petits héros capables de dire tout bêtement "merci !" au lieu du mot de Cambronne et d'Ubu ? »

Le Temps, 7 novembre 1912.

Repères chronologiques

Vie et œuvre de Louis Pergaud

1882
Naissance de Louis Pergaud (22 janvier), à Belmont (village de Franche-Comté).

1894
Pergaud est reçu premier au certificat d'études.

1898
Entre à l'École normale de Besançon.

1900
Décès de son père (20 février) et de sa mère (21 mars). Rencontre le poète Léon Deubel.

1901
Instituteur à Durnes (Doubs).

1902
Devance l'appel et part au régiment.

1903
Mariage avec une institutrice, Marthe Caffot.

1904
L'Aube (poèmes).

1905
Instituteur à Landresse (village très catholique).
Très mauvais rapport d'inspection.

1906
Pétition contre Pergaud, instituteur républicain.

1907
Déménage à Paris.
Emploi à la Compagnie générale des eaux.

1908
L'Herbe d'avril (poèmes).

1909
Instituteur auxiliaire.

Événements politiques et culturels

1870
Guerre franco-allemande.

1871
Défaite française. Chute de l'Empire. Commune de Paris. Début de la IIIe République.

1882
Jules Verne, *L'École des Robinsons*.
École obligatoire de 6 à 13 ans.

1884
Lois sur les libertés syndicales.

1886
Jules Vallès, *L'Insurgé*.
École gratuite et programmes laïques.

1889
Exposition universelle à Paris (tour Eiffel).

1890
Premier vol en aéroplane.

1894
Jules Renard, *Poil de Carotte*.
Début de l'affaire Dreyfus.
Dreyfus condamné.

1895
Invention du cinématographe par les frères Lumière.

1897
Edmond Rostand, *Cyrano de Bergerac*.

1898
J'accuse de Zola (affaire Dreyfus).

1900
Exposition universelle à Paris.
Deuxième condamnation de Dreyfus.

1902
Mort d'Émile Zola.

Vie et œuvre de Louis Pergaud	Événements politiques et culturels

1910
Épouse Delphine Duboz.
De Goupil à Margot (histoires de bêtes) : prix Goncourt.

1911
La Revanche du corbeau (nouvelles histoires de bêtes).
Abandonne définitivement l'enseignement.
Emploi à la préfecture de la Seine.

1912
Le Miracle de saint Hubert (nouvelle).
La Guerre des boutons, roman de ma douzième année.

1913
Préface de *Régner* (recueil de poèmes de Léon Deubel, son meilleur ami, dont le suicide est récent).
Le Roman de Miraut, chien de chasse.

1914
Conférence sur *Les Petits Gars des champs* (éclairage sur *La Guerre des boutons*).
Lebrac bûcheron (roman commencé).
Les Rustiques (recueil de nouvelles en préparation).
Départ pour la guerre (Verdun, le 3 août).
Tient un carnet de guerre ; envoie de nombreuses lettres.
Projette un roman : *La Tranchée*.

1915
Louis Pergaud est porté disparu sur le front (Marchéville) dans la nuit du 7 au 8 avril.

1904
Colette, *Dialogues de bêtes*.
Léon Frapié, *La Maternelle*.
Révision du procès Dreyfus.

1905
Loi de séparation de l'Église et de l'État.

1906
Réhabilitation de Dreyfus.

1910
Colette, *La Vagabonde*.
Edmond Rostand, création de *Chanteclerc*.

1913
Alain-Fournier, *Le Grand Meaulnes*.
Marcel Proust, *Du côté de chez Swann*.

1914
Première Guerre mondiale.
Assassinat de Jaurès.
Mobilisation générale en France (1er août).

1915-1916
Romain Rolland, *Au-dessus de la mêlée*.
Victoire française à Verdun.

1918
Mort du poète Guillaume Apollinaire.
Mort d'Edmond Rostand.
Victoire des Alliés. Armistice (11 novembre).

Fiche d'identité de l'œuvre

La Guerre des boutons

Auteur : Louis Pergaud (30 ans).

Genre : roman.

Forme : prose. Termes régionaux, argot, mots inventés ou déformés.

Structure : 3 parties (I, 8 ; II, 8 ; III,10).

Principaux personnages :
- La bande des Longevernes : le chef Lebrac, hardi et brave ; Marie Tintin, sa petite amie ; ses lieutenants le gros Camus (fin grimpeur, amoureux d'Octavie - la Tavie - sa petite amie) ; Tintin, le trésorier (frère de Marie) ; La Crique, bon élève, intelligent ; Grangibus, frère aîné de P'tit Gibus ; Boulot ; Gambette ; Bacaillé, traître, handicapé...
- La bande des Velrans : le chef, l'Aztec des Gués ; son général Touegueule et ses soldats Migue la Lune, Tatti...
- Les adultes : le père Simon, instituteur, autoritaire ; Bédouin (Zéphirin), garde champêtre, alcoolique ; le père Lebrac, violent.

Sujet :

Deux bandes d'enfants, les Longevernes et les Velrans, qui habitent deux villages voisins de Franche-Comté, se détestent. L'insulte des Velrans (« couilles molles ») provoque la « guerre des boutons » sous la forme d' impitoyables bagarres où l'on prive les vaincus de leurs boutons, agrafes et lacets. Victoires, défaites et vengeances alternent. Les Longevernes accumulent un trésor de guerre camouflé dans un lieu sûr : leur cabane, inaugurée lors d'une fête mémorable. Mais Bacaillé indique la cachette à l'ennemi, qui détruit tout et s'empare du trésor. Le traître, châtié, se vengera : il révélera aux adultes tous les secrets des Longevernes. La sanction sera terrible : les enfants seront battus, menacés et enfermés. Plus tard, ils retrouveront leur trésor. Les plus fidèles se déclareront prêts à suivre Lebrac dans ses futures aventures.

Pour ou contre
La Guerre des boutons ?

Pour

Louis PERGAUD :

« C'est plein de vie et de bonne santé, c'est donc moral à mon sens, et, comme dirait Lebrac, j'emm… ceux qui ne seront pas contents. »

Louis Pergaud, lettre du 20 août 1912 à Edmond Rocher.

Gustave LANSON :

« Il y a des qualités de premier ordre : un mouvement endiablé, des tableaux vraiment homériques de batailles entre gamins des deux villages voisins, une très fine connaissance des enfants, de leur vie individuelle et collective. »

Le Matin, 6 janvier 1913.

Henri FROSSARD :

« Un récit sans faille et si simplement architecturé, chaque événement en appelant tout logiquement un autre. »

Louis Pergaud, Éd. L'Amitié par le Livre, Labergement, 1982.

Contre

Pierre SOUDAYN :

« Ces villages de Franche-Comté, où les enfants ne s'expriment qu'avec des mots scatologiques et des termes d'apaches sans jamais l'ombre d'une tendresse, d'une naïveté, d'une expression naturellement puérile, ces villages existent-il ? »

Le Temps, 7 novembre 1912.

11

Pour mieux lire l'œuvre

❖ Au temps de Louis Pergaud

L'école primaire obligatoire

Au XIXᵉ siècle, l'enseignement primaire en France est principalement assuré par l'Église catholique jusqu'aux lois de 1881-1882 qui rendent l'instruction primaire obligatoire pour les garçons et les filles âgés de 6 à 13 ans. Afin de former une jeunesse républicaine libérée de l'influence du clergé, Jules Ferry, ministre de l'Instruction publique (Éducation nationale, aujourd'hui), établit à cette date l'école publique gratuite et laïque. Dans les programmes, l'instruction religieuse est remplacée par l'instruction morale et civique.

Dans *La Guerre des boutons*, l'école de Longeverne où enseigne monsieur Simon, l'instituteur, est représentative des petites écoles de campagne dans lesquelles l'enseignant tente de conduire les enfants de paysans au certificat d'études pour en faire des citoyens de la République française. Les scènes de classe du roman peignent avec beaucoup d'exactitude l'école de l'époque : le père Simon est l'instituteur type qui croit en sa mission de pédagogue, menaces et punitions à l'appui.

Une France de paysans

Louis Pergaud connaît bien la campagne française : il a passé son enfance dans le département du Doubs (région de Franche-Comté voisine de la Suisse), et il a enseigné dans des petits villages, notamment à Landresse (1905-1907), qui deviendra le Longeverne de *La Guerre des boutons*.

En majorité rurale, la population française de l'époque a une vie difficile, comme en témoigne le roman ; les paysans sont extrêmement pauvres et les dépenses doivent être calculées au centime près : acheter des boutons représente une grosse dépense ; perdre un pantalon ou une chemise est, aux yeux des familles, une faute grave qui mérite punition. Pour ce qui est de la nourriture, on mange peu et mal : on s'explique alors le bonheur des enfants le jour de leur festin dans la cabane ! Quant au confort et à l'hygiène, ils sont inexistants. On vit au milieu des bêtes ; des tas de fumier sont posés le long des rues de Longeverne...

La France divisée mais la patrie unie

Depuis la loi de séparation de l'Église et de l'État (9 décembre 1905), les tensions sont vives entre catholiques et laïcs, entre conservateurs et républicains. Cependant, tout le monde se montre uni autour d'une cause commune : la haine des Prussiens (les Allemands). Car la France, vaincue en 1870, a dû céder l'Alsace et la Lorraine à son ennemie de toujours : la Prusse (l'Allemagne). Depuis, elle ne pense qu'à une chose : se venger ! Et, dans tout le pays, on déteste les « Alboches » ; on est patriote toutes générations confondues comme l'attestent ces paroles de Lebrac : « Est-ce que vous ne pouvez pas faire un petit sacrifice à la Patrie ? Seriez-vous des traîtres par hasard ? »

La Guerre des boutons : un projet autobiographique

Louis Pergaud trouve le sujet de *La Guerre des boutons* durant l'été 1910 : c'est le cordonnier de Landresse, village où il enseigne, qui l'inspire en lui racontant « les batailles que, au temps de sa lointaine enfance écoulée à Besançon, se livraient dans les fossés des anciennes fortifications de Vauban, les jeunes garnements de la ville, les Bousbots de Battant et les Jeannots de Rivotte. »[1]

Des souvenirs personnels se greffent à ces récits : « Je connais assez bien les enfants de la campagne, j'ai vécu là-bas jusqu'à l'âge de vingt-cinq ans, j'y ai été élevé et j'ai fait moi-même l'école aux galopins des villages ; j'ai donc pu voir mes héros par les deux bouts de la lorgnette, ou, si vous voulez, je me suis trouvé tour à tour par la force des choses des deux côtés de la barricade[2]. » Louis Pergaud confirme ses intentions autobiographiques dans la préface de son livre : « J'ai voulu restituer un instant de ma vie d'enfant, de notre vie enthousiaste et brutale de vigoureux sauvageons dans ce qu'elle eut de franc et d'héroïque. » Enfin, le sous-titre du livre « roman de ma douzième année » fait allusion à l'année scolaire 1893-1894, la dernière que

1. Eugène Chatot, notes et souvenirs sur *La Guerre des boutons.*
2. Louis Pergaud, conférence sur *Les Petits Gars des champs,* 18 février 1914.

Pour mieux lire l'œuvre

l'auteur enfant a passée en toute liberté dans le village de Guyans-Vennes avant de partir à l'École normale de Besançon où il fut interne.

Un livre heureux

Par opposition à sa vie d'instituteur qu'il juge décevante (« je t'avoue que le métier ne me sourit guère[1] » ; « La pédagogie que j'ai pratiquée après l'avoir subie est sans doute une fort belle science, mais je n'en connais guère de plus vaine, de plus creuse et de plus inutile[2] »), c'est dans le bonheur que Louis Pergaud, après avoir quitté définitivement l'enseignement (1911), rédige son roman : « Je travaille avec frénésie à mon roman de gosses et me refourre, si j'ose dire, avec enthousiasme dans ma peau de onze ans[3]. » Bonheur réaffirmé dans la préface : « J'ai conçu ce livre dans la joie, je l'ai écrit avec volupté. » Louis Pergaud s'épanouit dans l'écriture. En 1910, le prestigieux prix Goncourt couronne sa première publication, *De Goupil à Margot*, un recueil de huit « histoires de bêtes » écrites à la gloire de la nature et des animaux. En 1911 sort *La Revanche du corbeau,* son deuxième recueil de nouvelles sur le thème animal, puis, en 1913, *Le Roman de Miraut, chien de chasse.* L'inspiration « rustique » de Pergaud plaît au grand public. Qu'en sera-t-il de *La Guerre des boutons*, roman où Pergaud évoque l'enfance « libérée des hypocrisies de la famille et de l'école[4] » ?

Un pied-de-nez aux « vieilles barbes du roman enfantin »[5]

Dans cette œuvre irrespectueuse, Louis Pergaud fait un pied-de-nez aux « vieilles barbes du roman enfantin » dont il déteste le conformisme vertueux. Prenant le contre-pied de la tradition, il met en scène des galopins à l'injure facile, des petits vauriens sympathiques, qui, exception faite de La Crique, n'aiment pas l'école. Ses héros, le

---

1. Lettre à Eugène Chatot, 9 juin 1901.
2. Louis Pergaud, conférence sur *Les Petits Gars des champs,* 18 février 1914.
3. Lettre de Louis Pergaud à Rachilde (la femme de son éditeur), 26 juillet 1911.
4. Louis Pergaud, préface à *La Guerre des boutons.*
5. Louis Pergaud, conférence sur *Les Petits Gars des champs,* 18 février 1914.

grand Lebrac en tête, sont des gamins incontrôlables qui jouent à la guerre avec une incroyable liberté, au mépris de tous les interdits. Dans ce roman rebelle, Pergaud conteste, par la voix de ses jeunes héros, tous les pouvoirs en place : l'école, la famille, l'Église, l'administration. Revendiquant sa parenté avec François Rabelais, « ce grand et vrai génie français[1] » du XVIᵉ siècle à qui on doit tant d'audaces de vocabulaire, Pergaud inscrit *La Guerre des boutons* dans la lignée de *Pantagruel* et de *Gargantua*, épopées héroïco-comiques pleines de joie. Son roman est « un livre gaulois, épique et rabelaisien » destiné à faire rire sans arrière-pensées. Pour ce faire, l'écrivain utilise toutes les gammes du vocabulaire français : argot, régionalismes, mots techniques, mots inventés, mots déformés. Et, surtout, il privilégie « l'expression crue » : « C'est plein de vie et de bonne santé, c'est donc moral à mon sens, et, comme dirait Lebrac, j'emm... ceux qui ne seront pas contents[2]. » Certains critiques, sensibles à l'allégresse du récit et à la liberté de la langue, célébreront cette épopée de l'enfance comme un chef-d'œuvre indiscutable. D'autres reprocheront à Pergaud l'effronterie de ses personnages et la vulgarité de l'expression. Mais tout le monde s'entendra sur l'originalité du roman.

✒ L'essentiel

C'est dans la France du début du XXᵉ siècle que s'inscrit l'action de *La Guerre des boutons*. Une France où l'école publique impose la laïcité, une France rurale, pauvre et sans confort qui oublie ses rancœurs autour d'une cause commune : le patriotisme et la haine de l'ennemi allemand. Écrit dans la joie, le roman de Louis Pergaud contient de nombreux éléments autobiographiques. Sa liberté de langage, son effronterie volontaire, sa démesure épique en font une œuvre unique et originale.

---

1. Louis Pergaud, préface à *La Guerre des boutons*.
2. Lettre de Louis Pergaud à son ami Edmond Rocher, le 18 août 1912.

Pour mieux lire l'œuvre

✤ L'œuvre aujourd'hui

Une plongée dans l'enfance

La fin du XIXe siècle et le début du XXe siècle voient s'épanouir toute une littérature consacrée à l'enfance et à la jeunesse. On en retient aujourd'hui quelques titres essentiels : *Le Petit Chose* (Alphonse Daudet, 1868), *L'Enfant* (Jules Vallès, 1879), *Poil de Carotte* (Jules Renard, 1894), *Le Grand Meaulnes* (Alain-Fournier, 1913). Dans cette liste, *La Guerre des boutons* fait figure de classique incontournable. Comme tous ces romans, l'œuvre de Louis Pergaud évoque l'enfance et l'adolescence, avec ses thèmes éternels : l'amitié, la construction de soi, l'autorité des parents, l'école, l'amour, la désobéissance... Et chacun, enfant ou adulte, y retrouve aujourd'hui, avec bonheur, une part de lui-même. Cependant, le roman de Pergaud, plus que les autres, intéresse notre sensibilité moderne parce qu'il met en scène, non des destins individuels mais des comportements de groupe. Le jeune lecteur contemporain qui évolue souvent à l'intérieur d'une « tribu » – sa communauté d'amis – retrouve dans le fonctionnement des armées de Longeverne et de Velrans des modèles qui lui sont familiers.

Un documentaire sur la France d'autrefois

La Guerre des boutons apporte un témoignage passionnant sur la société française au début du XXe siècle : tout y est si différent d'aujourd'hui ! Les enfants sont alors entièrement soumis à l'autorité de leurs parents comme le montre la vie quotidienne des garçons de Longeverne. À la campagne, les châtiments corporels sont monnaie courante : l'écolier en faute est frappé à coups de trique, à coups de pied, à coups de poing ; on le prive aisément de repas. Les fillettes comme la Marie ou la Tavie sont étroitement surveillées : à une époque où la mixité n'existe pas, il leur est interdit de fréquenter les garçons. Si les filles cousent et aident leur mère aux travaux du ménage et à la cuisine, les garçons, quand ils n'assistent pas leurs parents à la ferme, n'ont aucun loisir. La guerre, on le comprend, leur tient lieu de sport et d'activité ! À travers tous ces détails révélateurs, le jeune lecteur acquiert une connaissance précieuse du passé ; il peut comparer avec profit son univers à celui des enfants d'autrefois.

Un livre très drôle

La Guerre des boutons continue de faire rire : la puissance comique de cette « saine épopée » n'a pas faibli au cours des années. Comment expliquer cette persistance ? D'abord par le naturel des personnages. Car les enfants de Longeverne et de Velrans sont d'une spontanéité désarmante : rien d'artificiel dans leurs actions ni dans leurs paroles ; ils vivent et ils parlent sans aucun tabou. Tant de naturel donne lieu à des scènes et à des dialogues désopilants : ruses et débrouillardises dans les batailles, provocations polissonnes, chapelets de gros mots au moment des attaques, corps-à-corps intrépides, mise à nu des vaincus, sans parler des vengeances scatologiques[1] qui stimulent chez le lecteur le rire de la farce bouffonne. Et que dire du garde-champêtre, personnage burlesque dont l'ivresse publique est mise en scène sous une forme si cocasse, ou du père Simon, ce pédagogue bourru et rêveur qui se laisse si facilement berner par ses élèves ?

✍ *L'essentiel*

Inscrit dans la lignée des livres d'enfance qui se multiplient au début du XXe siècle, *La Guerre des boutons* est un classique de la littérature jeunesse. Le roman met en scène des groupes et, par là même, présente un monde familier au jeune lecteur contemporain habitué à fonctionner à l'intérieur d'une « tribu ». Documentaire sur la France d'autrefois, et récit désopilant, ce roman instruit et fait rire.

---

1. **Scatologiques :** grossières ; où il est question d'excréments.

La Guerre des boutons

Roman de ma douzième année

Louis
Pergaud

Roman (1912)

À mon ami Edmond Rocher

Cy n'entrez pas, hypocrites, bigotz,
Vieulx matagots, marmiteux borsouflez...[1]
François Rabelais.

[1]Ici, n'entrez pas, hypocrites, bigots,
vieux matagots, marmiteux boursouflés...

Préface

TEL QUI s'esjouit à lire Rabelais, ce grand et vrai génie français, accueillera, je crois, avec plaisir, ce livre qui, malgré son titre, ne s'adresse ni aux petits enfants, ni aux jeunes pucelles.

Foin des pudeurs (toutes verbales) d'un temps châtré qui, sous leur hypocrite manteau, ne fleurent trop souvent que la névrose et le poison ! Et foin aussi des *purs latins* : je suis un Celte.

C'est pourquoi j'ai voulu faire un livre sain, qui fût à la fois gaulois, épique et rabelaisien, un livre où coulât la sève, la vie, l'enthousiasme, et ce rire, ce grand rire joyeux qui devait secouer les tripes de nos pères : beuveurs très illustres ou goutteux très précieux.

Aussi n'ai-je point craint l'expression crue, à condition qu'elle fût savoureuse, ni le geste leste, pourvu qu'il fût épique.

J'ai voulu restituer un instant de ma vie d'enfant, de notre vie enthousiaste et brutale de vigoureux sauvageons dans ce qu'elle eut de franc et d'héroïque, c'est-à-dire libérée des hypocrisies de la famille et de l'école.

On conçoit qu'il eût été impossible, pour un tel sujet, de s'en tenir au seul vocabulaire de Racine.

Le souci de la sincérité serait mon prétexte, si je voulais me faire pardonner les mots hardis et les expressions violemment colorées de mes héros. Mais personne n'est obligé de me lire. Et après cette préface et l'épigraphe de Rabelais adornant la couverture, je ne reconnais à nul caïman, laïque ou religieux, en mal de morales plus ou moins dégoûtantes, le droit de se plaindre.

Au demeurant, et c'est ma meilleure excuse, j'ai conçu ce livre dans la joie, je l'ai écrit avec volupté, il a amusé quelques amis et fait rire mon éditeur[1] : j'ai le droit d'espérer qu'il plaira aux « hommes de bonne volonté » selon l'évangile de Jésus et pour ce qui est du reste, comme dit Lebrac, un de mes héros, je m'en fous.

L. P.

---

1. **Au demeurant [...] éditeur :** ceci par anticipation (note de Louis Pergaud).

Livre I
La Guerre

1
La déclaration de guerre

*Quant à la guerre... il est plaisant à considérer par combien
de vaines occasions elle est agitée et par combien légères
occasions éteinte : toute l'Asie se perdit et se consomma en guerre
pour le maquerelage de Paris.*
Montaigne (*Essais*, livre II, ch. 12).

– ATTENDS-MOI, Grangibus ! héla Boulot, ses livres et ses cahiers
sous le bras.
– Grouille-toi, alors, j'ai pas le temps de cotainer[1], moi !
– Y a du neuf ?
5 – Ça se pourrait !
– Quoi ?
– Viens toujours !
Et Boulot ayant rejoint les deux Gibus, ses camarades de classe,
tous trois continuèrent à marcher côte à côte dans la direction
10 de la maison commune[2]. C'était un matin d'octobre. Un ciel tour-
menté de gros nuages gris limitait l'horizon aux collines prochaines
et rendait la campagne mélancolique. Les pruniers étaient nus, les
pommiers étaient jaunes, les feuilles de noyer tombaient en une
sorte de vol plané, large et lent d'abord, qui s'accentuait d'un seul
15 coup comme un plongeon d'épervier, dès que l'angle de chute
devenait moins obtus[3]. L'air était humide et tiède. Des ondes de

---

1. **Cotainer :** muser et bavarder inutilement – se dit surtout en parlant des commères
(note de Louis Pergaud).
2. **Maison commune :** bâtiment qui fait office d'école et de mairie.
3. **Obtus :** se dit d'un angle dont la mesure est supérieure à 90 degrés.

vent couraient par intervalles. Le ronflement monotone des batteuses[1] donnait sa note sourde qui se prolongeait de temps à autre,
quand la gerbe était dévorée, en une plainte lugubre comme un
20 sanglot désespéré d'agonie ou un vagissement[2] douloureux.

L'été venait de finir et l'automne naissait.

Il pouvait être huit heures du matin. Le soleil rôdait triste derrière les nues[3], et de l'angoisse, une angoisse imprécise et vague,
pesait sur le village et sur la campagne.

25 Les travaux des champs étaient achevés et, un à un ou par petits
groupes, depuis deux ou trois semaines, on voyait revenir à l'école
les petits bergers à la peau tannée[4], bronzée de soleil, aux cheveux drus[5] coupés ras à la tondeuse (la même qui servait pour les
bœufs), aux pantalons de droguet[6] ou de mouliné[7] rapiécés, sur-
30 chargés de pattins[8] aux genoux et au fond, mais propres, aux blouses
de grisette[9] neuves, raides, qui, en déteignant, leur faisaient, les
premiers jours, les mains noires comme des pattes de crapauds,
disaient-ils.

Ce jour-là, ils traînaient le long des chemins et leurs pas semblaient
35 alourdis de toute la mélancolie du temps, de la saison et du paysage.

Quelques-uns cependant, les grands, étaient déjà dans la cour de
l'école et discutaient avec animation. Le père Simon, le maître, sa
calotte[10] en arrière et ses lunettes sur le front, dominant les yeux,
était installé devant la porte qui donnait sur la rue. Il surveillait
40 l'entrée, gourmandait[11] les traînards, et, au fur et à mesure de leur
arrivée, les petits garçons, soulevant leur casquette, passaient
devant lui, traversaient le couloir et se répandaient dans la cour.

---

1. **Batteuses** : machines qui servent à battre le blé pour en extraire le grain.
2. **Vagissement** : cri faible.
3. **Nues** : nuages.
4. **Tannée** : rappelant la couleur du cuir ; hâlée.
5. **Drus** : épais.
6. **Droguet** : étoffe de laine bon marché.
7. **Mouliné** : grosse toile très solide tissée avec du fil torsadé.
8. **Pattins** : morceaux de tissus qui servent à rapiécer les pantalons. Ils sont cousus pour cacher les trous.
9. **Grisette** : étoffe commune de teinte grise.
10. **Calotte** : bonnet couvrant le sommet du crâne.
11. **Gourmandait** : réprimandait, disputait.

Les deux Gibus du Vernois et Boulot, qui les avait rejoints en cours de route, n'avaient pas l'air d'être imprégnés de cette mélan-
45 colie douce qui rendait traînassants les pas de leurs camarades.

Ils avaient au moins cinq minutes d'avance sur les autres jours, et le père Simon, en les voyant arriver, tira précipitamment sa montre qu'il porta ensuite à son oreille pour s'assurer qu'elle marchait bien et qu'il n'avait point laissé passer l'heure réglementaire.

50 Les trois compaings[1] entrèrent vite, l'air préoccupé, et immédiatement gagnèrent, derrière les cabinets, le carré en retrait abrité par la maison du père Gugu (Auguste), le voisin, où ils retrouvèrent la plupart des grands qui les y avaient précédés.

Il y avait là Lebrac, le chef, qu'on appelait encore le grand Braque ; son premier lieutenant Camu, ou Camus, le fin grimpeur
55 ainsi nommé parce qu'il n'avait pas son pareil pour dénicher les bouvreuils[2] et que, là-bas, les bouvreuils s'appellent des camus ; il y avait Gambette de sur la Côte dont le père, républicain de vieille souche[3], fils lui-même de quarante-huitard[4], avait défendu Gambetta[5] aux heures pénibles ; il y avait La Crique, qui savait
60 tout, et Tintin, et Guignard le bigle[6], qui se tournait de côté pour vous voir de face, et Tétas ou Tétard, au crâne massif, bref les plus forts du village, qui discutaient une affaire sérieuse.

L'arrivée des deux Gibus et de Boulot n'interrompit pas la discussion ; les nouveaux venus étaient apparemment au courant de l'affaire,
65 une vieille affaire à coup sûr, et ils se mêlèrent immédiatement à la conversation en apportant des faits et des arguments capitaux.

On se tut.

L'aîné des Gibus, qu'on appelait par contraction Grangibus pour le distinguer du P'tit Gibus ou Tigibus son cadet, parla ainsi :
70 – Voilà ! Quand nous sommes arrivés, mon frère et moi, au contour[7] des Menelots, les Velrans[8] se sont dressés tout d'un coup

---

1. **Compaings :** copains.
2. **Bouvreuils :** variété d'oiseaux.
3. **Républicain de vieille souche :** favorable à la république depuis plusieurs générations.
4. **Quarante-huitard :** révolutionnaire de 1848, partisan de la république.
5. **Gambetta :** homme politique français (1838-1882), défenseur des idéaux républicains de liberté et de laïcité.
6. **Bigle :** qui louche.
7. **Au contour :** à la limite.
8. **Les Velrans :** les enfants du village voisin, ennemis des Longevernes.

près de la marnière[1] à Jean-Baptiste. Ils se sont mis à gueuler comme des veaux, à nous foutre des pierres et à nous montrer des triques[2]. Ils nous ont traités de cons, d'andouilles, de voleurs, de cochons, de
75 pourris, de crevés, de merdeux, de couilles molles, de...

— De couilles molles, reprit Lebrac, le front plissé, et qu'est-ce que tu leur z'y as redit là-dessus ?

— Là-dessus on « s'a ensauvé », mon frère et moi, puisque nous n'étions pas en nombre, tandis qu'eusses[3], ils étaient au moins
80 tienze[4] et qu'ils nous auraient sûrement foutu la pile[5].

— Ils vous ont traités de couilles molles ! scanda[6] le gros Camus, visiblement choqué, blessé et furieux de cette appellation qui les atteignait tous, car les deux Gibus, c'était sûr, n'avaient été atta-qués et insultés que parce qu'ils appartenaient à la commune et à
85 l'école de Longeverne[7].

— Voilà, reprit Grangibus, je vous dis maintenant, moi, que si nous ne sommes pas des andouilles, des jean-foutres[8] et des lâches, on leur z'y fera voir si on en est des couilles molles.

— D'abord, qu'est-ce que c'est t'y que ça, des couilles molles ? fit
90 Tintin.

La Crique réfléchissait.

— Couille molle !... Des couilles, on sait bien ce que c'est, par-dine[9], puisque tout le monde en a, même le Miraut de Lisée, et qu'elles ressemblent à des marrons sans bogue[10], mais couille
95 molle !... couille molle !...

— Sûrement que ça veut dire qu'on est des pas-grand-chose, coupa Tigibus, puisque hier soir, en rigolant avec Narcisse, not' meunier, je l'ai appelé couille molle comme ça, pour voir, et mon

---

1. **Marnière :** carrière d'où on extrait une roche tendre appelée « marne ».
2. **Triques :** gros bâtons qui servent d'appui pendant la marche, et qui peuvent être utilisés pour frapper, pour assommer.
3. **Eusses :** eux.
4. **Tienze :** quinze (note de Louis Pergaud).
5. **Foutu la pile :** battus, vaincus (après avoir été accablés de coups).
6. **Scanda :** du verbe « scander », ponctuer fortement les syllabes des mots.
7. **Longeverne :** village voisin de Velrans.
8. **Jean-foutres :** incapables, bons à rien.
9. **Pardine :** pardi.
10. **Bogue :** enveloppe piquante de la châtaigne.

père, que j'avais pas vu et qui passait justement, sans rien me dire, m'a foutu aussitôt une bonne paire de claques. Alors...

L'argument était péremptoire[1] et chacun le sentit.

– Alors, bon Dieu ! il n'y a pas à rebeuiller[2] plus longtemps, il n'y a qu'à se venger, na ! conclut Lebrac.

– C'est t'y vot' idée, vous autres ?

– Foutez le camp de là, hein, les chie-en-lit[3], fit Boulot aux petits qui s'approchaient pour écouter.

Ils approuvèrent le grand Lebrac à l'« inanimité »[4], comme on disait. À ce moment le père Simon apparut dans l'encadrement de la porte pour frapper dans ses mains et donner ainsi le signal de l'entrée en classe. Tous, dès qu'ils le virent, se précipitèrent avec impétuosité vers les cabinets, car on remettait toujours à la dernière minute le soin de vaquer[5] aux besoins hygiéniques réglementaires et naturels.

Et les conspirateurs se mirent en rang silencieusement, l'air indifférent, comme si rien ne s'était passé et qu'ils n'eussent pris, l'instant d'avant, une grande et terrible décision.

Cela ne marcha pas très bien en classe, ce matin-là, et le maître dut crier fort pour contraindre ses élèves à l'attention. Non qu'ils fissent du potin, mais ils semblaient tous perdus dans un nuage et restaient absolument réfractaires[6] à saisir l'intérêt que peut avoir pour de jeunes Français républicains l'historique du système métrique.

La définition du mètre, en particulier, leur paraissait horriblement compliquée : « Dix millionième partie du quart, de la moitié... du... ah, merde ! » pensait le grand Lebrac.

Et se penchant vers son voisin et ami Tintin, il lui glissa confidentiellement :

– Eurêquart !

---

1. **Péremptoire :** décisif ; qui ne peut être discuté.
2. **Rebeuiller :** de « beuiller », voir ou bayer, regarder avec un étonnement niais (note de Louis Pergaud).
3. **Les chie-en-lit :** les « chie au lit » (désigne les enfants plus jeunes).
4. **À l'« inanimité » :** prononciation irrégulière et enfantine de l'expression « à l'unanimité ».
5. **Vaquer :** accomplir, se consacrer à.
6. **Réfractaires :** rebelles, insoumis.

La Guerre des boutons

Le grand Lebrac voulait sans doute dire : Eurêka ![1] Il avait vaguement entendu parler d'Archimède[2], qui s'était battu au temps jadis
130 avec des lentilles. La Crique lui avait laborieusement expliqué qu'il
ne s'agissait pas de légumes, car Lebrac à la rigueur comprenait
bien qu'on pût se battre avec des pois qu'on lance dans un fer de
porte-plume creux[3], mais pas avec des lentilles.

– Et puis, disait-il, ça ne vaut pas les trognons de pommes ni les
135 croûtes de pain.

La Crique lui avait dit que c'était un savant célèbre qui faisait
des problèmes sur des capotes de cabriolet[4], et ce dernier trait
l'avait pénétré d'admiration pour un bougre[5] pareil, lui qui était
aussi réfractaire[6] aux beautés de la mathématique qu'aux règles de
140 l'orthographe.

D'autres qualités que celles-là l'avaient, depuis un an, désigné
comme chef incontesté des Longevernes. Têtu comme une mule,
malin comme un singe, vif comme un lièvre, il n'avait surtout pas
son pareil pour casser un carreau à vingt pas, quel que fût le mode
145 de projection du caillou : à la main, à la fronde à ficelle[7], au bâton
refendu, à la fronde à lastique[8] ; il était dans les corps-à-corps un
adversaire terrible ; il avait déjà joué des tours pendables[9] au curé,

---

1. **Eurêka !** : « J'ai trouvé ! » Phrase prononcée par le savant grec Archimède (IIIe siècle
av. J.-C.) après avoir découvert que « tout corps plongé dans un fluide subit une
poussée verticale, dirigée de bas en haut, égale au poids du fluide déplacé ».

2. **Archimède** : Lebrac confond le savant grec Archimède avec Archimède, un astro-
nome qui utilisait des lentilles optiques et un autre Archimède, qui défendit la ville
de Syracuse avec des projectiles lancés à toute vitesse sur les ennemis à l'aide de
puissantes machines de guerre.

3. **Un fer de porte-plume creux** : les enfants de l'époque écrivaient avec des porte-
plumes en fer ou en bois creux. La plume était trempée dans un petit encrier. Le
jeu consistait à envoyer des petits pois sur les copains en soufflant dans le porte-
plume.

4. **Cabriolet** : voiture légère et rapide munie d'une capote mobile, le plus souvent
montée sur deux roues et tirée par un seul cheval.

5. **Bougre** : type (familier).

6. **Réfractaire** : rebelle, ennemi de.

7. **Fronde à ficelle** : lance-pierre.

8. **Lastique** : élastique (note de Louis Pergaud).

9. **Tours pendables** : mauvais tours, méchantes farces.

au maître d'école et au garde champêtre ; il fabriquait des kisses[1]
merveilleuses avec des branches de sureau grosses comme sa
150 cuisse, des kisses qui vous giclaient l'eau à quinze pas, mon ami,
voui ! parfaitement ! et des topes[2] qui pétaient comme des pis-
tolets et qu'on ne retrouvait plus les balles d'étoupe[3]. Aux billes,
c'était lui qui avait le plus de pouce[4] ; il savait pointer[5] et rouletter[6]
comme pas un ; quand on jouait au pot[7], il vous « foutait les znogs
155 sur les onçottes[8] » à vous faire pleurer, et avec ça, sans morgue[9]
aucune ni affectation[10], il redonnait de temps à autre à ses partenaires
malheureux quelques-unes des billes qu'il leur avait gagnées, ce
qui lui valait une réputation de grande générosité.

À l'interjection de son chef et camarade, Tintin joignit les oreilles
160 ou plutôt les fit bouger comme un chat qui médite un sale coup et
devint rouge d'émotion.

« Ah ! ah ! pensa-t-il. Ça y est ! J'en étais bien sûr que ce sacré
Lebrac trouverait le joint[11] pour leur z'y faire ! »

Et il demeura noyé dans un rêve, perdu dans des mondes de
165 suppositions, insensible aux travaux de Delambre, de Méchain[12],

---

1. **Kisses** : ou « gicle » ; seringue faite avec une branche de sureau (note de Louis
Pergaud).
2. **Topes** : espèce de pistolet en sureau (note de Louis Pergaud).
3. **Étoupes** : fibre textile grossière.
4. **Le plus de pouce** : pour jouer, on serre la bille entre le pouce et le majeur avant
de la lancer.
5. **Pointer** : le pouce, placé derrière l'index, se détend pour projeter la bille à la distance requise. La main reste immobile et l'articulation du pouce est au sol.
6. **Rouletter** : sur la bille posée à terre, on détend d'un coup brusque le doigt replié
contre le pouce (c'est le « coup roulé »).
7. **Jouait au pot** : pour ce jeu il faut dessiner des petits cercles puis gagner le maxi-
mum de points en envoyant sa bille dans plusieurs pots. Les joueurs sont derrière
la ligne de départ tracée au sol. Ils envoient leur bille en la tirant dans un des pots,
chacun leur tour. Quand une bille arrive dans un pot, le joueur marque 10 points.
On peut viser les billes des adversaires pour les empêcher d'aller dans un pot.
8. **Foutait les znogs sur les onçottes** : les znogs sont les coups de pouce sur l'index
pour lancer la bille et les onçottes sont les ongles (patois local).
9. **Morgue** : arrogance.
10. **Affectation** : prétention.
11. **Le joint** : le moyen de résoudre l'affaire.
12. **Delambre, Méchain** : célèbres astronomes français du XVIIIe siècle.

de Machinchouette ou d'autres ; aux mesures prises sous diverses latitudes, longitudes ou altitudes… Ah ! oui, que ça lui était bien égal et qu'il s'en foutait !

Mais qu'est-ce qu'ils allaient prendre, les Velrans !

170 Ce que fut le devoir d'application qui suivit cette première leçon, on l'apprendra plus tard ; qu'il suffise de savoir que les gaillards avaient tous une méthode personnelle pour rouvrir, sans qu'il y parût, le livre fermé par ordre supérieur et se mettre à couvert contre les défaillances de mémoire. N'empêche que le père Simon 175 était dans une belle rage le lundi suivant. Mais n'anticipons pas.

Quand onze heures sonnèrent à la tour du vieux clocher paroissial, ils attendirent impatiemment le signal de sortie, car tous étaient déjà prévenus on ne sait comment, par infiltration, par radiation[1] ou d'une tout autre manière, que Lebrac avait trouvé 180 quelque chose.

Il y eut comme d'habitude quelques bonnes bousculades dans le couloir, des bérets échangés, des sabots perdus, des coups de poing sournois, mais l'intervention magistrale[2] fit tout rentrer dans l'ordre et la sortie s'opéra quand même normalement.

185 Sitôt que le maître fut rentré dans sa boîte, les camarades fondirent tous sur Lebrac comme une volée de moineaux sur un crottin frais.

Il y avait là, avec les soldats ordinaires et le menu fretin[3], les dix principaux guerriers de Longeverne avides de se repaître de[4] la parole du chef.

190 Lebrac exposa son plan, qui était simple et hardi ; ensuite il demanda quels seraient les ceusses qui l'accompagneraient le soir venu.

Tous briguèrent[5] cet honneur ; mais quatre suffisaient et on décida que Camus, La Crique, Tintin et Grangibus seraient de l'expédition : Gambette, habitant sur la Côte, ne pouvait s'attarder 195 si longtemps, Guignard n'y voyait pas très clair la nuit et Boulot n'était pas tout à fait aussi leste[6] que les quatre autres.

---

1. **Radiation :** émission et propagation d'énergie dans l'espace ou dans la matière sous forme d'ondes électromagnétiques.
2. **Magistrale :** du maître.
3. **Menu fretin :** gens de peu d'importance.
4. **Se repaître de :** se nourrir de.
5. **Briguèrent :** du verbe « briguer », désirer ardemment, convoiter.
6. **Leste :** agile, rapide.

Là-dessus on se sépara.

Au soir, sur le coup de l'Angélus[1], les cinq guerriers se retrouvèrent.

– As-tu la craie ? fit Lebrac à La Crique, qui s'était chargé, vu sa position près du tableau, d'en subtiliser deux ou trois morceaux dans la boîte du père Simon.

La Crique avait bien fait les choses ; il en avait chipé cinq bouts, de grands bouts ; il en garda un pour lui et en remit un autre à chacun de ses frères d'armes. De cette façon, s'il arrivait à l'un d'eux de perdre en route son morceau, les autres pourraient facilement y remédier.

– Alorsse, filons ! fit Camus.

Par la grande rue du village d'abord, puis par le traje[2] des Cheminées rejoignant au Gros Tilleul la route de Velrans, ce fut un instant une sabotée[3] sonore dans la nuit. Les cinq gars marchaient à toute allure à l'ennemi.

– Il y en a pour une petite demi-heure à pied, avait dit Lebrac, on peut donc y aller dedans un quart d'heure et être rentré bien avant la fin de la veillée.

La galopade se perdit dans le noir et dans le silence ; pendant la moitié du trajet la petite troupe n'abandonna pas le chemin ferré où l'on pouvait courir, mais dès qu'elle fut en territoire ennemi, les cinq conspirateurs prirent les bas-côtés et marchèrent sur les banquettes[4] que leur vieil ami le père Bréda, le cantonnier, entretenait, disaient les mauvaises langues, chaque fois qu'il lui tombait un œil. Quand ils furent tout près de Velrans, que les lumières devinrent plus nettes derrière les vitres et les aboiements des chiens plus menaçants, ils firent halte.

– Ôtons nos sabots, conseilla Lebrac, et cachons-les derrière ce mur.

Les quatre guerriers et le chef se déchaussèrent et mirent leurs bas dans leurs chaussures ; puis ils s'assurèrent qu'ils n'avaient pas perdu leur morceau de craie et, l'un derrière l'autre, le chef en tête, la pupille dilatée, l'oreille tendue, le nez frémissant, ils s'engagèrent

---

1. **Angélus :** prière récitée trois fois par jour et annoncée par la cloche de l'église.
2. **Traje :** sentier, raccourci (note de Louis Pergaud).
3. **Sabotée :** bruits de sabots.
4. **Banquettes :** bandes d'herbe se situant entre une route et un fossé.

sur le sentier de la guerre pour gagner le plus directement possible
l'église du village ennemi, but de leur entreprise nocturne.

Attentifs au moindre bruit, s'aplatissant au fond des fossés, se
collant aux murs ou se noyant dans l'obscurité des haies, ils se
glissaient, ils s'avançaient comme des ombres, craignant seulement l'apparition insolite d'une lanterne portée par un indigène se
rendant à la veillée ou la présence d'un voyageur attardé menant
boire son carcan[1]. Mais rien ne les ennuya que l'aboi du chien de
Jean des Gués, un salopiot qui gueulait continuellement.

Enfin ils parvinrent sur la place du moutier[2] et ils s'avancèrent
sous les cloches. Tout était désert et silencieux. Le chef resta seul
pendant que les quatre autres revenaient en arrière pour faire le
guet. Alors prenant son bout de craie au fond de sa profonde[3],
haussé sur ses orteils aussi haut que possible, Lebrac inscrivit sur
le lourd panneau de chêne culotté[4] et noirci qui fermait le saint
lieu, cette inscription lapidaire[5] qui devait faire scandale le lendemain, à l'heure de la messe, beaucoup plus par sa crudité héroïque
et provocante que par son orthographe fantaisiste :

Tou lé Velrant çon dé paigne ku[6] !

Et quand il se fut, pour ainsi dire, collé les quinquets[7] sur le bois
pour voir « si ça avait bien marqué », il revint près des quatre complices aux écoutes et, à voix basse et joyeusement, leur dit :

– Filons !

Carrément, cette fois, ils s'engagèrent de front sur le milieu du
chemin et repartirent, sans faire de bruit inutile, à l'endroit où ils
avaient abandonné leurs sabots et leurs bas. Mais sitôt rechaussés,
dédaigneux tout à fait d'inutiles précautions, frappant le sol à pleins
sabots, ils regagnèrent Longeverne et leurs domiciles respectifs en
attendant avec confiance l'effet de leur déclaration de guerre.

---

1. **Carcan** : animal (vache, cheval...) équipé d'un carcan, sorte de collier de bois qui
l'empêche de passer à travers les haies.
2. **Moutier** : église (note de Louis Pergaud).
3. **Profonde** : poche (argot).
4. **Culotté** : patiné par l'usage.
5. **Lapidaire** : brève.
6. **Paigne ku** : peigne cul. Insulte pour « moins que rien », « nul ».
7. **Quinquets** : yeux.

2
Tension diplomatique

*Les ambassadeurs des deux puissances ont échangé des vues
au sujet de la question du Maroc.*
Les journaux (été 1911).

QUAND le « *second* » eut sonné au clocher du village, une demi-heure avant le dernier coup de cloche annonçant la messe du dimanche, le grand Lebrac, vêtu de sa veste de drap taillée dans la vieille anglaise[1] de son grand-père, culotté d'un pantalon de droguet[2] neuf, chaussé de brodequins[3] ternis par une épaisse couche de graisse et coiffé d'une casquette à poil[4], le grand Lebrac, dis-je, vint s'appuyer contre le mur du lavoir communal[5] et attendit ses troupes pour les mettre au courant de la situation et les informer du plein succès de l'entreprise.

Là-bas, devant la porte de Fricot l'aubergiste, quelques hommes, le brûle-gueule[6] aux dents, se préparaient à aller « piquer une larme[7] » avant d'entrer à l'église.

Camus arriva bientôt avec son pantalon limé aux jarrets[8] et sa cravate rouge comme une gorge de bouvreuil : ils se sourirent ;
puis vinrent les deux Gibus, l'air flaireur ; puis Gambette, qui n'était pas encore au courant, et Guignard et Boulot. La Crique, Guerreuillas, Bombé, Tétas et tout le contingent au grand complet des combattants de Longeverne, en tout une quarantaine.

---

1. **Vieille anglaise :** vieille veste de coupe anglaise, resserrée à la taille et près du corps.
2. **Droguet :** étoffe de laine bon marché.
3. **Brodequins :** grosses chaussures montantes.
4. **À poil :** en feutre ou en velours.
5. **Lavoir communal :** bassin en pierre qu'on trouvait dans chaque village et où, autrefois, on lavait le linge.
6. **Brûle-gueule :** pipe très courte.
7. **Piquer une larme :** boire la goutte (note de Louis Pergaud) ; la goutte est un alcool très puissant.
8. **Limé aux jarrets :** usé au niveau de la partie postérieure du genou, là où la jambe se fléchit.

La Guerre des boutons

Les cinq héros de la veille recommencèrent au moins dix fois
20 chacun le récit de leur expédition, et, la bouche humide et les
yeux brillants, les camarades buvaient leurs paroles, mimaient les
gestes et applaudissaient à chaque coup frénétiquement.

Ensuite de quoi Lebrac résuma la situation en ces termes :

– Comme ça ils verront si on en est des couilles molles ! Alors,
25 sûrement, cette après-midi ils viendront se rétrainer[1] par les buissons de la Saute, histoire de chercher rogne[2], et on y sera tous
pour les recevoir un peu. Faudra prendre tous les lance-pierres et
toutes les frondes. Pas besoin de s'embarrasser des triques, on veut
pas se colleter[3]. Avec les habits du dimanche il faut faire attention
30 et ne pas trop se salir, parce que, on se ferait beigner[4], en rentrant.
Seulement on leur dira deux mots.

Le troisième coup de cloche (le dernier) sonnant à toute volée,
les mit en branle[5] et les ramena lentement à leur place accoutumée
dans les petits bancs de la chapelle de saint Joseph, symétrique à
35 celle de la Vierge, où s'installaient les gamines.

– Foutre ! fit Camus en arrivant sous les cloches ; et moi que je
dois servir la messe aujord'hui, j'vas me faire engueuler par le noir[6] !

Et sans prendre le temps de plonger sa main dans le grand bénitier de pierre où les camarades gavouillaient[7] en passant, il traversa
40 la nef en filant tel un zèbre pour aller endosser son surplis[8] de thuriféraire[9] ou d'acolyte[10].

Quand, à l'*Asperges me*[11], il passa entre les bancs, portant
son baquet d'eau bénite où le curé faisait trempette avec son

---

1. **Se rétrainer :** traîner encore par là.
2. **Chercher rogne :** chercher noise, chercher des problèmes.
3. **Se colleter :** se battre.
4. **Beigner :** gifler.
5. **Les mit en branle :** les mit en mouvement.
6. **Le noir :** le curé ; appelé ainsi car il portait une soutane noire (irrespectueux).
7. **Gavouillaient :** agitaient l'eau avec la main pour faire des remous, des glouglous (note de Louis Pergaud).
8. **Surplis :** vêtement blanc, souvent plissé, à manches amples et qui descend à mi-jambes, porté par-dessus les autres vêtements par les enfants de chœur.
9. **Thuriféraire :** porteur d'encensoir.
10. **Acolyte :** qui assiste le prêtre pendant la célébration de la messe.
11. *L'Asperges me :* « Tu m'asperges d'eau bénite » (ouverture de la messe).

goupillon[1], il ne put s'empêcher de jeter un coup d'œil sur ses
45 frères d'armes.

Il vit Lebrac montrant à Boulot une image que lui avait donnée
la sœur de Tintin, une fleur de tulipe ou de géranium, à moins que
ce ne fût une pensée, soulignée du mot « souvenir » et il clignait de
l'œil d'un air donjuanesque[2].

50 Alors Camus songea lui aussi à la Tavie, sa bonne amie[3], à qui il
avait offert dernièrement un pain d'épices, de deux sous s'il vous
plaît, qu'il avait acheté à la foire de Vercel[4], un joli pain d'épices
en cœur, saupoudré de bonbonnets rouges, bleus et jaunes, orné
d'une devise qui lui avait semblé tout à fait très bien :

55   *Je mets mon cœur à vos genoux,*
            Acceptez-le, il est à vous !

Il la chercha de l'œil dans les rangs des petites filles et vit qu'elle
le regardait. La gravité de son office lui interdisait le sourire, mais
il eut un choc au cœur et, légèrement rougissant, se redressa, le
60 bidon d'eau bénite à son poignet raidi.

Ce mouvement n'échappa point à La Crique, qui confia à Tintin :
– Ergarde donc Camus s'il se rebraque[5] ! On voit bien que la
Tavie le reluque[6].

Et Camus en lui-même pensait : « Maintenant que c'est l'école,
65 on va se revoir plus souvent ! »

Oui… mais la guerre était déclarée !

À la sortie de l'office de vêpres[7], le grand Lebrac réunit toutes ses
troupes et parla en chef :

– Allez mettre vos blousons, prenez un chanteau[8] de pain et rap-
70 pliquez au bas de la Saute à la carrière à Pepiot.

---

1. **Goupillon :** petit bâton de métal garni de poils ou d'une boule de métal creuse et
   percée de trous. On s'en sert pour asperger d'eau bénite.
2. **Don juanesque :** de Don Juan, célèbre séducteur.
3. **Bonne amie :** petite amie.
4. **Vercel :** la capitale du pain d'épice, à l'époque.
5. **Se rebraque :** se redresse, porte le corps en arrière (note de Louis Pergaud).
6. **La Tavie le reluque :** Octavie le regarde.
7. **L'office de vêpres :** messe qui se déroule en fin d'après-midi.
8. **Chanteau :** quignon, morceau de pain.

La Guerre des boutons

Ils s'écampillèrent[1] comme une volée de moineaux et, cinq minutes après, l'un courant derrière l'autre, le quignon de pain aux dents, se rejoignirent à l'endroit désigné par le général.

– Faudra pas dépasser le tournant du chemin, recommanda Lebrac, conscient de son rôle et soucieux de sa troupe.

– Alors tu crois qu'ils vont venir ?

– Autrement, ça serait rien foireux[2] de leur part. Et il ajouta pour expliquer son ordre :

– Il y en a qui sont lestes, vous savez, les culs lourds : t'entends, Boulot ! hein ! s'agit pas de se faire chiper[3]. Prenez des godons[4] dedans vos poches ; à ceusses qu'ont des frondes à lastique[5] donnez-y les beaux cailloux et attention de pas les perdre. On va monter jusqu'au Gros Buisson.

Le communal de la Saute, qui s'étend du bois du Teuré au nord-est au bois de Velrans au sud-ouest, est un grand rectangle en remblais[6], long de quinze cents mètres environ et large de huit cents. Les lisières des deux forêts sont les deux petits côtés du rectangle ; un mur de pierre doublé d'une haie protégée elle-même par un épais rempart de buissons le borne en bas vers les champs de la fin ; au-dessus, la limite assez indécise est marquée par des carrières abandonnées, perdues dans une bande de bois non classée, avec des massifs de noisetiers et de coudriers formant un épais taillis que l'on ne coupe jamais. D'ailleurs, tout le communal est couvert de buissons, de massifs, de bosquets, d'arbres isolés ou groupés qui font de ce terrain un idéal champ de bataille.

Un chemin ferré venant du village de Longeverne gravit lentement en semi-diagonale le rectangle, puis, à cinquante mètres de la lisière du bois de Velrans, fait un contour aigu pour permettre aux voitures chargées d'atteindre sans trop de peine le sommet du crêtot[7].

---

1. **S'écampillèrent :** s'éparpillèrent (patois comtois).
2. **Rien foireux :** plutôt lâche, poltron.
3. **Se faire chiper :** se faire avoir.
4. **Godons :** cailloux (note de Louis Pergaud).
5. **Lastique :** élastique.
6. **En remblais :** constitué de terres rapportées, pour combler un creux.
7. **Crêtot :** petite crête.

100   Un grand massif avec des chênes, des épines, des prunelliers, des noisetiers, des coudriers, emplit la boucle du contour : on l'appelle le Gros Buisson.

    Des carrières à ciel ouvert exploitées par Pepiot le bancal, Laugu du Moulin, qui s'intitulent « enterpreneurs[1] » après boire, et quel-
105 quefois par Abel le Rat, bordent le chemin vers le bas.

    Pour les gosses, elles constituent uniquement d'excellents et iné-puisables magasins d'approvisionnement.

    C'était sur ce terrain fatal, à égale distance des deux villages, que, depuis des années et des années, les générations de Longeverne et
110 de Velrans s'étaient copieusement rossées, fustigées et lapidées, car tous les automnes et tous les hivers ça recommençait.

    Les Longevernes[2] s'avançaient habituellement jusqu'au contour, gardant la boucle du chemin, bien que l'autre côté appartînt encore à leur commune et le bois de Velrans aussi, mais comme ce
115 bois était tout près du village ennemi, il servait aux adversaires de camp retranché, de champ de retraite et d'abri sûr en cas de pour-suite, ce qui faisait rager Lebrac :

    – On a toujours l'air d'être envahi, nom de D... !

    Or, il n'y avait pas cinq minutes qu'on avait fini son pain, que
120 Camus le grimpeur, posté en vigie[3] dans les branches du grand chêne, signalait des remuements suspects à la lisière ennemie.

    – Quand je vous le disais ! constata Lebrac. Calez-vous, hein ! qu'ils croient que je suis tout seul ! Je m'en vas les houksser[4] ! kss ! kss ! attrape ! et si des fois ils se lançaient pour me prendre... hop !
125   Et Lebrac, sortant de son couvert d'épines, la conversation diplo-matique suivante s'engagea dans les formes habituelles :

    (Que le lecteur ici ou la lectrice veuille bien me permettre une incidente[5] et un conseil. Le souci de la vérité historique m'oblige à

---

1. **Enterpreneurs :** entrepreneurs.
2. **Les Longevernes :** on désigne souvent les habitants d'un pays par le nom de leur village ou du hameau qu'ils habitent ; quelquefois on ajoute un diminutif en « ot », qui se veut toujours injurieux (note de Louis Pergaud).
3. **Vigie :** guetteur.
4. **Houksser :** exciter contre quelqu'un, se dit surtout des chiens (note de Louis Pergaud).
5. **Incidente :** remarque secondaire insérée dans une phrase.

employer un langage qui n'est pas précisément celui des cours ni
130 des salons. Je n'éprouve aucune honte ni aucun scrupule à le restituer, l'exemple de Rabelais[1], mon maître, m'y autorisant. Toutefois,
MM. Fallières[2] ou Bérenger[3] ne pouvant être comparés à François
Ier, ni moi à mon illustre modèle, les temps d'ailleurs étant changés,
je conseille aux oreilles délicates et aux âmes sensibles de sauter
135 cinq ou six pages. Et j'en reviens à Lebrac :)

– Montre-toi donc, hé grand fendu, cudot[4], feignant, pourri ! Si
t'es pas un lâche, montre-la ta sale gueule de peigne-cul ! va !

– Hé grand' crevure, approche un peu, toi aussi, pour voir ! répliqua l'ennemi.

140 – C'est l'Aztec des Gués, fit Camus, mais je vois encore
Touegueule, et Bancal et Tatti et Migue la Lune : ils sont une chiée[5].

Ce petit renseignement entendu, le grand Lebrac continua :

– C'est toi hein, merdeux ! qu'as traité les Longevernes de
couilles molles. Je te l'ai t'y fait voir moi, si on en est des couilles
145 molles ! I gn'a fallu tous vos pantets[6] pour effacer ce que j'ai marqué à la porte de vot' église ! C'est pas des foireux comme vous
qu'en auraient osé faire autant.

– Approche donc un peu pisque t'es si malin, grand gueulard,
t'as que la gueule… et les gigues[7] pour t'ensauver !

150 – Fais seulement la moitié du chemin, hé ! pattier[8] ! C'est pas
passe que ton père tâtait les couilles des vaches[9] sur les champs de
foire que t'es devenu riche !

---

1. **Rabelais** : écrivain du XVIe siècle, connu pour son emploi d'une langue savoureuse
   et très libre (grossièretés, insultes, etc.). Louis Pergaud le reconnaît comme son
   « maître ».
2. **Fallières** : Clément Armand Fallières (1841-1931), homme d'État français, président
   de la République en 1906.
3. **Bérenger** : il peut s'agir de Charles-Maxime Bérenger, général français (1829-1913)
   ou de René Bérenger, homme politique français (1830-1915).
4. **Cudot** : qui exécute des projets mal conçus (patois).
5. **Une chiée** : un grand nombre.
6. **Pantets** : pans de chemise (note de Louis Pergaud).
7. **Gigues** : jambes (note de Louis Pergaud).
8. **Pattier** : marchand de « pattes », c'est-à-dire de chiffons, de guenilles (note de Louis
   Pergaud).
9. **Les couilles des vaches** : authentique (note de Louis Pergaud).

– Et toi donc ! ton bacul[1] où que vous restez est tout crevi[2] d'hypothèques[3] !

155 – Hypothèque toi-même, traîne-besache[4] ! Quand c'est t'y que tu vas reprendre le fusil de toile[5] de ton grand-père pour aller assommer les portes[6] à coups de Pater[7] ?

– C'est pas chez nous comme à Longeverne, où que les poules crèvent de faim en pleine moisson.

160 – Tant qu'à Velrans c'est les poux qui crèvent sur vos caboches[8], mais on ne sait pas si c'est de faim ou de poison.

> *Velri*[9]
> *Pourri*
> *Traîne la murie*
165 > *À vau les vies*[10]

– Ouhe !... ouhe !... ouhe !... fit derrière son chef le chœur des guerriers Longevernes incapable de se dissimuler et de contenir plus longtemps son enthousiasme et sa colère.

L'Aztec des Gués riposta :

170 > *Longeverne*
> *Pique merde,*
> *Tâte merde,*
> *Montés sur quatre pieux*
> *Les diabl' te tir' à eux !*

175 Et le chœur des Velrans applaudit à son tour frénétiquement le général par des « Euh ! euh ! » prolongés et euphoniques[11].

---

1. **Bacul :** habitat provisoire du charbonnier, cabane.
2. **Crevi :** couvert (note de Louis Pergaud).
3. **Hypothèques :** dettes.
4. **Besache :** besace (note de Louis Pergaud).
5. **Fusil de toile :** 1. Filet pour la chasse. 2. Tout ce qui sert à prendre, à recevoir (besace).
6. **Assommer les portes :** frapper très fort aux portes.
7. **À coups de Pater :** en disant des prières. L'insulte s'adresse à la famille de l'adversaire.
8. **Caboches :** têtes.
9. *Velri :* habitants de Velrans.
10. **Vies :** voies, chemins (note de Louis Pergaud).
11. **Euphoniques :** dont la prononciation est facile et l'audition agréable.

La Guerre des boutons

Des bordées[1] d'insultes furent jetées de part et d'autre en rafales et en trombes ; puis les deux chefs, également surexcités, après s'être lancé les injures classiques et modernes : « Enfonceurs de portes ouvertes ! », « Étrangleurs de chats par la queue[2] ! », etc., etc., revenant au mode antique, se flanquèrent à la face avec toute la déloyauté coutumière les accusations les plus abracadabrantes et les plus ignobles de leur répertoire :

– Hé ! t'en souviens-tu quand ta mère p... dans le rata[3] pour te faire de la sauce !

– Et toi, quand elle demandait les sacs[4] au châtreur de taureaux pour te les faire bouffer en salade !

– Rappelle-toi donc le jour où ton père disait qu'il aurait plus d'avantage à élever un veau qu'un peut[5] merle comme toi !

– Et toi ? quand ta mère disait qu'elle aimerait mieux faire téter une vache que ta sœur, passe que ça serait au moins pas une putain qu'elle élèverait !

– Ma sœur, ripostait l'autre qui n'en avait pas, elle bat le beurre, quand elle battra la m... tu viendras lécher le bâton ; ou bien : elle est pavée d'ardoises pour que les petits crapauds comme toi n'y puissent pas grimper !

– Attention, prévint Camus, v'là le Touegueule qui lance des pierres avec sa fronde.

Un caillou, en effet, siffla en l'air au-dessus des têtes, auquel des ricanements répondirent, et des grêles de projectiles rayèrent bientôt le ciel de part et d'autre, cependant que le flot écumeux et sans cesse grossissant d'injures salaces[6] continuait de fluctuer[7] du Gros Buisson à la lisière, le répertoire des uns comme des autres étant aussi abondant que richement choisi.

---

1. **Bordées :** grosses quantités.
2. **Étrangleurs de chats par la queue ! :** de mon temps, on ne parlait pas encore de roulure de capote ni d'échappée de bidet. On a fait des progrès depuis (note de Louis Pergaud).
3. **Rata :** ragoût.
4. **Sacs :** testicules.
5. **Peut :** vilain (note de Louis Pergaud).
6. **Salaces :** obscènes, qui parlent de sujets sexuels.
7. **Fluctuer :** aller d'un côté à l'autre.

Mais c'était dimanche : les deux partis étaient vêtus de leurs beaux affûtiaux[1] et nul, pas plus les chefs que les soldats, ne se souciait d'en compromettre l'ordonnance dans des corps-à-corps dangereux.

Aussi toute la lutte se borna-t-elle ce jour-là à cet échange de vues, si l'on peut dire, et à ce duel d'artillerie qui ne fit d'ailleurs aucune victime sérieuse, pas plus d'un côté que de l'autre.

Quand le premier coup de la prière sonna à l'église de Velrans, l'Aztec des Gués donna à son armée le signal du retour, non sans avoir lancé aux ennemis, avec une dernière injure et un dernier caillou, cette suprême provocation :

– C'est demain qu'on vous y retrouvera, les couilles molles de Longeverne !

– Tu fous le camp ! hé lâche ! railla Lebrac ; attends un peu, oui, attends à demain, tu verras ce qu'on vous passera, tas de peigne-culs !

Et une dernière bordée de cailloux salua la rentrée des Velrans dans la tranchée du milieu qu'ils suivaient pour le retour.

Les Longevernes, dont l'horloge communale retardait ou dont l'heure de la prière était peut-être reculée, profitèrent de la disparition des ennemis et prirent pour le lendemain leurs dispositions de combat.

Tintin eut une idée de génie.

– Il faudra, dit-il, se caler cinq ou six dans ce buisson-là, avant qu'ils n'arrivent, et ne bouger ni pieds ni pattes, et le premier qui passera pas trop loin lui tomber sus le râb'e[2] et s'ensauver avec.

Le chef d'embuscade, immédiatement approuvé, choisit parmi les plus lestes les cinq qui l'accompagneraient, pendant que les autres mèneraient l'attaque de front, et tous rentrèrent au village, l'âme bouillonnante d'ardeur guerrière et assoiffée de représailles.

---

1. **Affûtiaux :** vêtements.
2. **Sus le râb'e :** dessus.

3
Une grande journée

Vae victis ![1]
Un vieux chef gaulois aux Romains.

CE LUNDI MATIN, en classe, cela tourna mal, plus mal encore que le samedi.

Camus, sommé[2] par le père Simon de répéter en leçon d'instruction civique ce qu'on lui avait seriné[3] l'avant-veille sur « le citoyen », s'attira des invectives[4] dépourvues d'aménité[5].

Rien ne voulait sortir de ses lèvres, toute sa face exprimait un travail de gésine[6] intellectuelle horriblement douloureux : il lui semblait que son cerveau était muré.

« Citoyen ! citoyen ! pensaient les autres, moins ahuris, qu'est-ce que ça peut bien être que cette saloperie-là ? »

– Moi, m'sieu ! fit La Crique en faisant claquer son index et son médius contre son pouce.

– Non, pas vous !

Et s'adressant à Camus, debout, la tête branlante, les yeux éperdus :

– Alors, vous ne savez pas ce que c'est qu'un citoyen ?

– !…

– Je vais vous coller à tous une heure de retenue pour ce soir !

Des frissons froids coururent le long des échines[7].

– Enfin, vous ! êtes-vous citoyen ? fit le maître d'école qui voulait absolument avoir une réponse.

– Oui, m'sieu ! répondit Camus, se souvenant qu'il avait assisté avec son père à une réunion électorale où m'sieu le marquis, le

---

1. *Vae victis ! :* Malheur aux vaincus ! (latin).
2. **Sommé :** contraint à (l'instituteur donne l'ordre de répéter la leçon).
3. **Seriné :** répété.
4. **Invectives :** injures.
5. **Aménité :** gentillesse, amabilité.
6. **Gésine :** accouchement.
7. **Échines :** colonnes vertébrales.

député, devait offrir un verre à ses électeurs et leur serrer la main,
25 même qu'il avait dit au père Camus : « C'est votre fils ce citoyen-
là ? Il a l'air intelligent ! »

– Vous êtes citoyen, vous ! ragea l'autre, cramoisi[1] de colère,
eh bien ! oui, il est joli le citoyen ! vous m'en faites un propre de
citoyen !

30 – Non, m'sieu, reprit Camus qui, après tout, ne tenait pas à ce
titre.

– Alors pourquoi n'êtes-vous pas citoyen ?

– !...

– Dis-y, marmonna entre ses dents La Crique agacé, que c'est
35 parce que t'as pas encore de poil au c...

– Qu'est-ce que vous dites, La Crique ?

– Je... je dis... que... que...

– Que quoi ?

– Que c'est parce qu'il est trop jeune !

40 – Ah ! eh bien ! maintenant, y êtes-vous ?

On y était. La réponse de La Crique fit l'effet d'une rosée bien-
faisante sur le champ desséché de leur mémoire ; des lambeaux
de phrases, des morceaux de qualité, des débris de citoyen, se réa-
justèrent, se replâtrèrent petit à petit, et Camus lui-même, moins
45 ahuri, toute sa personne remerciant véhémentement La Crique le
sauveur, contribua à recamper[2] « le citoyen » ! Enfin, c'était toujours ça de passé.

Mais quand on en vint à la correction du devoir de système
métrique, cela ne fut pas drôle du tout. Préoccupés comme ils
50 l'étaient l'avant-veille, ils avaient oublié, en copiant, de changer
des mots et de faire le nombre de fautes d'orthographe qui cor-
respondait à peu près à leur force respective en la matière, force
mathématiquement dosée par des dictées bihebdomadaires[3]. Par
contre, ils avaient sauté des mots, mis des majuscules où il n'en
55 fallait pas et ponctué en dépit de tout sens. La copie de Lebrac
surtout était lamentable et se ressentait visiblement de ses graves
soucis de chef.

---

1. **Cramoisi :** très rouge.
2. **Recamper :** rétablir.
3. **Bihebdomadaires :** qui ont lieu deux fois par semaine.

Aussi fut-ce lui qui fut amené au tableau par le père Simon, cramoisi de colère, les yeux luisant derrière ses lunettes comme des prunelles de chat dans la nuit.

Comme tous ses camarades d'ailleurs, Lebrac était convaincu[1] d'avoir copié : évidemment, ça ne faisait de doute pour personne, inutile de répliquer ; mais on voulait savoir au moins s'il avait su tirer quelque fruit de cet exercice banni[2] en principe des méthodes de la pédagogie moderne.

– Qu'est-ce que le mètre, Lebrac ?

– !...

– Qu'est-ce que le système métrique ?

– !...

– Comment a-t-on obtenu la longueur du mètre ?

– Euh !...

Trop éloigné de La Crique, Lebrac, les oreilles à l'affût, le front effroyablement plissé, suait sang et eau pour se rappeler quelque vague notion ayant trait à la matière.

Enfin, il se remémora vaguement, très vaguement, deux noms propres cités : Delambre et La Condamine, mesureurs célèbres de morceaux de méridien. Malheureusement, dans son esprit, Delambre s'associait aux pipes en écume qui flambaient derrière la vitrine de Léon le buraliste. Aussi, hasarda-t-il, avec tout le doute qui convenait en si grave occurrence[3] :

– C'est, c'est, Lécume et Lecon... Lecon !

– Hein ! qui ! quoi donc ! fit le père Simon au paroxysme de[4] la colère. Voilà que vous insultez les savants maintenant ! Vous en avez un de toupet, par exemple, et un joli répertoire, ma foi ! Mes compliments, mon ami. Et vous savez, ajouta-t-il pour assommer le malheureux, vous savez que votre père m'a recommandé de vous soigner ! Il paraît que vous n'en fichez pas la secousse[5] à la

---

1. **Convaincu :** accusé.
2. **Banni :** interdit.
3. **Occurrence :** circonstance.
4. **Au paroxysme de :** au plus haut point de.
5. **Vous n'en fichez pas la secousse :** vous ne faites rien.

maison ; toujours sur les quat' chemins à faire le galvaudeux[1], la gouape[2], le voyou, au lieu de songer à vous décrasser le cerveau.

90 « Eh bien, mon ami ! si vous ne me répétez pas à onze heures tout ce que nous allons redire pour vous et pour vos camarades qui ne valent guère mieux que vous, je vous préviens, moi, que pour commencer, je vous foutrai en retenue[3] de quatre à six tous les soirs, jusqu'à ce que ça marche ! Voilà ! »

95 Le tonnerre de Zeus[4], tombant sur l'assemblée, n'eût pas provoqué stupeur plus profonde. Tous restaient écrasés par cette épouvantable menace.

Aussi Lebrac et les autres, du plus grand au plus petit, écoutèrent-ils ce jour-là avec une attention concentrée les paroles du maître

100 exposant rageusement les abus des anciens systèmes de poids et mesures et la nécessité d'un système unique. Et s'ils n'approuvèrent point en leur for intérieur la mesure du méridien de Dunkerque à Barcelone, s'ils se réjouirent des ennuis de Delambre et des emm... bêtements de Méchain, ils en retinrent avec soin les incidents et

105 péripéties pour leur gouverne[5] personnelle et leur sauvetage immédiat ; mais Camus et Lebrac et Tintin et La Crique même, partisan du « Progrès », et tous les autres, se jurèrent bien, nom de Dieu, qu'en souvenir de cette terrible frousse ils préféreraient toujours mesurer par pieds et par pouces[6], comme avaient fait leurs pères et grands-

110 pères, qui ne s'en étaient pas portés plus mal (la belle blague !) plutôt que d'employer ce sacré système de bourrique qui avait failli les faire passer pour couillons aux yeux de leurs ennemis.

L'après-midi fut plus calme. Ils avaient retenu l'histoire des Gaulois qui étaient de grands batailleurs et qu'ils admiraient fort.

115 Aussi ni Lebrac, ni Camus, ni personne ne fut gardé à quatre heures, chacun, et le chef en particulier, ayant fait de remarquables efforts pour contenter cette vieille andouille de père Simon.

---

1. **Galvaudeux :** vaurien, paresseux.
2. **Gouape :** voyou, bon à rien.
3. **En retenue :** en « colle ».
4. **Zeus :** dieu suprême des Grecs dans l'Antiquité. Il règne sur le Ciel et manie la foudre.
5. **Gouverne :** règle de conduite.
6. **Par pieds et par pouces :** cet ancien système de mesure a été remplacé par le système métrique adopté en avril 1795, sous la Révolution.

La Guerre des boutons

Cette fois, on allait voir.

Tintin avec ses cinq guerriers, qui avaient eu, à midi, la sage
précaution de mettre leur goûter dans leurs poches, prirent les
devants[1] pendant que les autres allaient quérir[2] leur morceau de
pain, et quand, devant les ennemis apparaissant, retentit le cri de
guerre de Longeverne : « À cul les Velrans ! » ils étaient déjà habilement et confortablement dissimulés, prêts à toutes les péripéties
du combat corps à corps.

Tous avaient les poches bourrées de cailloux ; quelques-uns
même en avaient rempli leur casquette ou leur mouchoir ; les
frondeurs vérifiaient les nœuds de leur arme avec précaution ; la
plupart des grands étaient armés de triques d'épines ou de lances
de coudre[3] avec des nœuds polis à la flamme et des pointes dur-
cies ; certaines s'enjolivaient de naïfs dessins obtenus en faisant
sauter l'écorce : les anneaux verts et les anneaux blancs alternaient
formant des bigarrures de zèbre ou des tatouages de nègre : c'était
solide et beau, disait Boulot, dont le goût n'était peut-être pas si
affiné que la pointe de sa lance.

Dès que les avant-gardes eurent pris contact par des bordées
réciproques d'injures et un échange convenable de moellons[4], les
gros des deux troupes s'affrontèrent.

À cinquante mètres à peine l'un de l'autre, disséminés en
tirailleurs[5], se dissimulant parfois derrière les buissons, sautant à
gauche, sautant à droite pour se garer des projectiles, les adversaires en présence se défiaient, s'injuriaient, s'invitaient à s'approcher, se traitaient de lâches et de froussards, puis se criblaient de
cailloux, pour recommencer encore.

Mais il n'y avait guère d'ensemble ; tantôt c'étaient les Velrans
qui avaient le dessus, et tout d'un coup les Longevernes, par une
pointe hardie, reprenaient l'avantage, les triques au vent ; mais ils
s'arrêtaient bientôt devant une pluie de pierres.

---

1. **Prirent les devants :** s'engagèrent les premiers.
2. **Quérir :** chercher.
3. **Coudre :** espèce d'arbre au bois très dur.
4. **Moellons :** pierres de grosseur intermédiaire entre le caillou et le bloc.
5. **Tirailleurs :** soldats en ordre dispersé qui font feu à volonté contre l'ennemi.

Un Velrans avait reçu pourtant un caillou à la cheville et avait
150 regagné le bois en clochant ; du côté de Longeverne, Camus,
perché sur son chêne d'où il maniait la fronde avec une dextérité
de singe, n'avait pu éviter le godon[1] d'un Velrans, de Touegueule,
croyait-il, qui lui avait choqué le crâne et l'avait tout ensaigné[2].

Il avait même dû descendre et demander un mouchoir pour
155 bander sa blessure, mais rien de précis ne se dessinait. Pourtant,
Grangibus tenait absolument à utiliser l'embuscade de Tintin et à en
chauffer[3] un, disait-il. C'est pourquoi, ayant communiqué son idée à
Lebrac, il fit semblant de se faufiler seul du côté du buisson occupé
par Tintin, pour assaillir de flanc les ennemis. Mais il s'arrangea du
160 mieux qu'il put pour être vu de quelques guerriers de Velrans, tout
en ayant l'air de ne pas remarquer leur manœuvre. Il se mit donc
à ramper et à marcher à quatre pattes du côté du haut et il ricana
sous cape quand il aperçut Migue la Lune et deux autres Velrans se
concertant pour l'assaillir, sûrs de leur force collective contre un isolé.
165 Il avança donc imprudemment, tandis que les trois autres se
rasaient de son côté.

Lebrac, à ce moment, poussait une attaque vigoureuse pour
occuper le gros de la troupe ennemie et Tintin, qui voyait tout de
son buisson, prépara ses hommes à l'action :
170 – Ça va viendre, mes vieux, attention !

Grangibus était à six pas de leur retraite du côté de Velrans
quand les trois ennemis, surgissant tout à coup d'entre les buissons, se jetèrent furieusement à sa poursuite. Tout comme s'il était
surpris de cette attaque, le Longeverne fit volte-face et battit en
175 retraite, mais assez lentement pour laisser les autres gagner du terrain et leur faire croire qu'ils allaient le pincer[4]. Il repassa aussitôt
devant le buisson de Tintin, serré de près par Migue la Lune et ses
deux acolytes[5]. Alors Tintin, donnant le signal de l'attaque, bondit
à son tour avec ses cinq guerriers, coupant la retraite aux Velrans
180 et poussant des cris épouvantables.

---

1. **Godon :** fruit rouge de l'églantier qui sert ici de projectile.
2. **Ensaigné :** mis en sang.
3. **Chauffer :** arrêter, battre (argot).
4. **Pincer :** attraper.
5. **Acolytes :** complices.

– Tous sur Migue la Lune ! avait-il dit.

Ah ! cela ne fit pas un pli. Les trois ennemis, paralysés de frayeur à ce coup de théâtre inattendu, s'arrêtèrent net, puis crochèrent[1] vivement pour regagner leur camp et deux s'échappèrent en effet comme l'avait prévu Tintin. Mais Migue la Lune fut happé par six paires de griffes et enlevé, emporté comme un paquet dans le camp de Longeverne, parmi les acclamations et les hurlements de guerre des vainqueurs. Ce fut un désarroi dans l'armée de Velrans, qui battit en retraite sur le bois, tandis que les Longevernes, entourant leur prisonnier, beuglaient haut leur victoire. Migue la Lune, entouré d'une quadruple[2] haie de gardiens, se débattait à peine, écrasé sous l'aventure.

– Ah ! mon ami, on s'a fait choper, fit le grand Lebrac, sinistre ; eh bien, attends un peu pour voir !

– Euh ! euh ! euh ! ne me faites point de mal, bégaya Migue la Lune.

– Oui, mon p'tit, pour que tu nous traites encore de pourris et de couilles molles !

– C'est pas moi ! Oh ! mon Dieu ! Qu'est-ce que vous voulez me faire ?

– Apportez le couteau, commanda Lebrac.

– Oh ! moman, moman ! Qu'est-ce que vous voulez me couper ?

– Les oreilles, beugla Tintin.

– Et le nez, ajouta Camus.

– Et le zizi, continua La Crique.

– Sans oublier les couilles, compléta Lebrac, on va voir si tu les as molles !

– Faudra lui lier le sac avant de couper, comme on fait avec les petits taureaux, fit observer Gambette, qui avait apparemment assisté à ces sortes d'opérations.

– Sûrement ! qui c'est qu'a la ficelle ?

– N'en v'là, répondit Tigibus.

– Me faites point de mal ou je le dirai à ma moman, larmoya le prisonnier.

---

1. **Crochèrent :** faire un crochet, c'est-à-dire un détour.

2. **Quadruple :** formée de quatre rangs.

215 – Je me fous autant de ta mère que du pape, riposta Lebrac, cynique.

– Et à m'sieu le curé ! ajouta Migue la Lune, épouvanté.

– Je te redis que je m'en refous !

– Et au maître, fit-il encore, miguant[1] plus que jamais.

220 – Je l'emmerde ! Ah ! voilà que tu nous menaces par-dessus le marché maintenant ! Manquait plus que ça ! Attends un peu, mon salaud ! Passez-moi le châtre-bique[2].

Et, l'eustache[3] en main, Lebrac aborda sa victime. Il passa d'abord simplement le dos du couteau sur les oreilles de Migue la Lune
225 qui, croyant au froid du métal que ça y était vraiment, se mit à sangloter et à hurler, puis satisfait il s'arrêta dans cette voie et se mit en devoir de lui « affûter[4] », comme il disait, proprement ses habits.

Il commença par la blouse, il arracha les agrafes métalliques du col, coupa les boutons des manches ainsi que ceux qui fermaient
230 le devant de la blouse, puis il fendit entièrement les boutonnières, ensuite de quoi Camus fit sauter ce vêtement inutile ; les boutons du tricot et les boutonnières subirent un sort pareil ; les bretelles n'échappèrent point, on fit sauter le tricot. Ce fut ensuite le tour de la chemise : du col au plastron[5] et aux manches, pas un bouton
235 ni une boutonnière n'échappa ; ensuite le pantalon fut lui-même échenillé[6] : pattes et boucles et poches et boutons et boutonnières y passèrent ; les jarretières en élastique qui tenaient les bas furent confisquées, les cordons de souliers taillés en trente-six morceaux.

– T'as pas de caneçon ? non ! reprit Lebrac, en vérifiant l'inté-
240 rieur de la culotte qui dégringolait sur les jarrets.

– Eh bien ! maintenant, fous le camp !

Il dit, et, tel un honnête juré qui, sous un régime républicain, sans haine et sans crainte, obéit uniquement aux injonctions[7] de sa conscience, il ne lui lança pour finir qu'un solide et vigoureux

---

1. **Miguant :** de « miguer », cligner des paupières (note de Louis Pergaud).
2. **Châtre-bique :** couteau (note de Louis Pergaud).
3. **Eustache :** couteau de poche pouvant servir d'arme.
4. **Affûter :** aiguiser. Ici, enlever les boutons et couper les boutonnières.
5. **Plastron :** le devant de la chemise.
6. **Échenillé :** ici, « affûté » (dont on a ôté les boutons et coupé les boutonnières).
7. **Injonctions :** ordres.

245 coup de pied à l'endroit « ousque » le dos perd son nom. Rien ne
tenait plus des habits de Migue la Lune et il pleurait, misérable et
petit, au milieu des ennemis qui le raillaient et le huaient.

– Viens donc m'arrêter, maintenant ! invita Grangibus narquois[1],
tandis que l'autre, ayant remis sur son tricot qui ne boutonnait

250 plus sa blouse qui pendait en marchand de biques, essayait en vain
de rassembler dans son pantalon les pans de sa chemise débraillée.

– Va voir maintenant ce que veut te dire ta mère, acheva Camus,
retournant le poignard dans la plaie.

Et lent, dans le soir qui tombait, traînant les pieds où ses souliers

255 tenaient à peine, Migue la Lune, pleurant, geignant et sanglotant,
rejoignit dans le bois ses camarades à l'affût qui l'attendaient
anxieusement, l'entourèrent et lui portèrent aide et secours autant
qu'il était en leur pouvoir de le faire.

Et là-bas, au levant où leur groupe se distinguait mal maintenant

260 dans le crépuscule, retentissaient les cris de triomphe et les insultes
narquoises des Longevernes victorieux.

Lebrac, enfin, résuma la situation :

– Hein ! on leur z'y a posé ! Ça leur apprendra à ces Alboches[2]-là !

Puis, comme rien de nouveau n'apparaissait à la lisière, cette

265 journée étant définitivement la leur, ils dévalèrent le communal de
la Saute jusqu'à la carrière à Pepiot.

Et de là, par rangs de six, bras dessus, bras dessous, Lebrac de
côté, le bâton brandi, Camus en avant, son mouchoir rouge de
sang servant d'enseigne au bout de sa trique de bataille, ils par-

270 tirent au commandement du chef, claquant des talons et marquant
le pas, vers Longeverne en chantant de tous leurs poumons :

La victoi-ren chantant,
Nous ou-vre la barriè-re
La li-berté gui-ide nos pas,
275 *Et du No-rau Midi la trom-pette guerrière*
A sonné l'heure des com-ombats...[3]

---

1. **Narquois :** moqueur.
2. **Alboches :** nom donné aux Allemands avant la guerre de 14-18.
3. ***La victoi-ren [...] com-ombats :*** paroles du célèbre *Chant du départ*, chant révolutionnaire créé en 1794. Les soldats de la Première Guerre mondiale le chantaient
au moment du départ pour le front.

Clefs d'analyse

Action et personnages

1. Donnez le nom des principaux lieutenents de Lebrac (chap. 1). Combien de guerriers compte la bande (chap. 2) ?

2. Isolez le portrait de Lebrac dans le chapitre 1 : que fait-il ressortir du caractère du chef ?

3. Quel événement vient perturber la rentrée des classes (chap. 1) ? Comment les Longevernes se vengent-ils ? Pourquoi s'agit-il d'une « déclaration de guerre » ?

4. Quelles qualités de chef affiche Lebrac dans l'organisation de la riposte à l'adversaire ?

5. De quelles armes sont équipés les combattants ?

6. Quelles sont les deux étapes de la première bataille (chap. 2) ? Pourquoi L'Aztec des Gués donne-t-il l'ordre de cesser le combat ? Quelles dispositions prennent les Longevernes pour le lendemain ?

7. Comment l'instituteur monsieur Simon traite-t-il ses élèves ? Justifiez son exaspération.

8. Quel effet la menace des retenues produit-elle sur les élèves ?

9. Expliquez le déroulement de la deuxième bataille (chap. 3). Quel sort est réservé à Migue la Lune ? Pourquoi pleure-t-il ?

Langue

10. « Comme un sanglot désespéré d'agonie ou un vagissement douloureux » (chap. 1, l. 19-20) ; « le soleil rôdait triste derrière les nues » : identifiez ces deux figures de style et expliquez quelle atmosphère elles suggèrent.

11. Justifiez le terme de « conspirateurs » appliqué à la bande de Lebrac dans le chapitre 1.

12. Que veut dire le narrateur quand il explique au lecteur qu'il emploie « un langage qui n'est pas précisément celui des cours ni des salons » (chap. 2, l. 129-130) ? Relevez dans les lignes qui suivent quelques termes illustrant cette remarque.

13. Pourquoi l'expression « cette vieille andouille de père Simon » (chap. 3) est-elle drôle ? Comment les élèves considèrent-ils leur maître ?

Genre ou thèmes

14. Qui sont les petites amies de Lebrac et de Camus ? Quel trait de caractère révèlent les deux guerriers amoureux ? Comment expriment-ils leurs sentiments ?

15. Depuis combien de temps les Longevernes et les Velrans sont-ils ennemis (chap. 2) ? Comment se traduit l'hostilité des deux camps ?

16. Étudiez le comique dans la scène de classe du chapitre 3 : attitude de Camus obligé de définir la notion de « citoyen », puis de Lebrac devant le système métrique. Qui vient à leur secours ? Sous quelle forme ?

Écriture

17. Après l'humiliante défaite de leur camp, les Velrans se réunissent pour décider d'une revanche. Imaginez leur dialogue en tenant compte de leur ardent désir de vengeance et en prenant soin de leur attribuer le langage parlé qui les caractérise.

Pour aller plus loin

18. En vous aidant du chapitre 3, expliquez quels vêtements portent les enfants de la campagne au début du xxe siècle. Trouvez sur Internet des photos de classe de cette époque.

✳ À retenir

Le **début** d'un roman met en place les éléments essentiels de l'**action**. Dans ces trois premiers chapitres, la rivalité entre les enfants de Longeverne et de Velrans s'envenime à la suite d'une insulte particulièrement grossière des seconds aux premiers. La terrible « guerre des boutons » est alors engagée. Dans chaque camp, un chef entouré de ses lieutenants décide de la **stratégie** guerrière, du choix des armes et de la sélection des combattants. Puis les batailles s'enchaînent.

4
Premier revers

Ils m'ont entouré comme la beste et croyent qu'on me prend aux filetz.
Moy, je leur veulx passer à travers ou dessus le ventre.[1]

Henri IV (*Lettre à M. de Batz, gouverneur de la ville d'Euse,*
en Armagnac, 11 mars 1586).

LES JOURS qui suivirent cette mémorable victoire furent plus calmes. Le grand Lebrac et sa troupe, confiants dans leur succès, gardaient l'avantage et, nantis de[2] leurs lances de coudre pointusées[3] au couteau et polies avec du verre, armés de sabres de bois
5 avec une garde[4] en fil de fer recouverte de ficelle de pain de sucre[5], poussaient des charges[6] terribles qui faisaient frémir les Velrans et les ramenaient jusqu'à leur lisière parmi des grêles de cailloux.

Migue la Lune, prudent, restait au dernier rang, et l'on ne fit pas de prisonniers et il n'y eut pas de blessés.

10 Cela eût pu durer longtemps ainsi ; malheureusement pour Longeverne, la classe du samedi matin fut désastreuse. Le grand Lebrac, qui s'était tout de même fourré dans la tête les multiples et les sous-multiples du mètre, confiant dans la parole du père Simon, qui avait dit que quand on les savait pour une sorte de mesures on
15 les savait pour toutes, ne voulut pas entendre dire que le kilolitre et le myrialitre[7] n'existaient point.

Il emmêla si bien l'hectolitre[8] et le double et le boisseau[9] et la chopine[10], ses connaissances livresques avec son expérience personnelle,

---

1. *Ils m'ont entouré [...] dessus le ventre :* ils m'ont encerclé comme une bête et croient me prendre dans leurs filets. Moi je veux leur passer à travers ou sur le ventre.
2. **Nantis de :** riches de, armés de.
3. **Pointusées :** rendues pointues.
4. **Garde :** partie d'une épée, d'un sabre ou d'un poignard qui sert à couvrir la main.
5. **Ficelle de pain de sucre :** au début du XIXe siècle, le sucre était appelé « sucre à la ficelle » car on versait un sirop de sucre sur des fils de lin ou de coton et on laissait les cristaux se former lentement. On obtenait ainsi un « pain de sucre » de 1 à 5 kg.
6. **Charges :** attaques.
7. **Myrialitre :** dix mille litres.
8. **Hectolitre :** cent litres.
9. **Boisseau :** unité de mesure pour les grains. En France, il valait 12,67 litres.
10. **Chopine :** environ un demi-litre.

qu'il se vit fermement, et sans espoir d'en réchapper, fourrer en
20 retenue de quatre à cinq d'abord, plus longtemps si c'était nécessaire,
et s'il ne satisfaisait pas à toutes les exigences récitatoires[1] du maître.

– Quel vieux salaud quand il s'y mettait, tout de même, que ce
père Simon !

Le malheur voulut que Tintin se trouvât exactement dans le
25 même cas ainsi que Grangibus et Boulot. Seuls Camus, qui y avait
coupé, et La Crique, qui savait toujours, restaient pour conduire
ce soir-là la troupe de Longeverne, déjà réduite par l'absence de
Gambette, qui n'était pas venu ce jour-là parce qu'il avait conduit
leur cabe[2] au bouc et de quelques autres obligés de rentrer à la
30 maison pour préparer la toilette du lendemain.

– Faudrait peut-être pas aller ce soir ? hasarda Lebrac, pensif.

Camus bondit. Pas aller ! Ben il la baillait belle, le général. Pour
qui qu'on le prenait, lui, Camus ! Par exemple, qu'on allait passer
pour couillons !

35 Lebrac ébranlé se rendit à ces raisons et convint que, sitôt libéré
avec Tintin, Boulot et Grangibus (et ils allaient s'y mettre d'attaque),
ils se porteraient ensemble à leur poste de combat.

Mais il était inquiet. Ça l'embêtait, na ! que lui, chef, ne fût pas là
pour diriger la manœuvre en un jour plutôt difficile.

40 Camus le rassura et, après de brefs adieux, à quatre heures, fila,
flanqué de[3] ses guerriers, vers le terrain de combat.

Tout de même cette responsabilité nouvelle le rendait pensif, et,
préoccupé d'on ne sait quoi, le cœur peut-être étreint de sombres
pressentiments, il ne songea point à faire se dissimuler ses hommes
45 avant d'arriver à leur retranchement du Gros Buisson.

Les Velrans, eux, étaient arrivés en avance. Surpris de ne rien
voir, ils avaient chargé l'un d'eux, Touegueule[4], de grimper à son
arbre pour se rendre compte de la situation.

Touegueule, de son foyard[5], vit la petite troupe qui s'avançait impru-
50 demment dans le chemin, et une joie débordante et silencieuse, inondant
tout son être, le fit se tortiller comme un goujon au bout d'une ligne.

---

1. **Récitatoires :** concernant la récitation.
2. **Cabe :** chèvre (note de Louis Pergaud).
3. **Flanqué de :** accompagné de.
4. **Touegueule :** surnom qui signifie « tord-gueule » (note de Louis Pergaud).
5. **Foyard :** nom régional du hêtre.

Immédiatement il fit part à ses camarades de l'infériorité numérique de l'ennemi et de l'absence du grand Lebrac.

55 L'Aztec des Gués, qui ne demandait qu'à venger Migue la Lune, imagina aussitôt un plan d'attaque et il l'exposa.

On n'allait d'abord faire semblant de rien, se battre comme d'habitude, s'avancer, puis reculer, puis avancer de nouveau jusqu'à mi-chemin, et, après une feinte reculade, partir de nouveau tous ensemble, charger en masse, tomber en trombe sur le camp 60 ennemi, cogner ceux qui résisteraient, faire prisonniers tous ceux qu'on attraperait et les ramener à la lisière, où ils subiraient le sort des vaincus.

Ainsi c'était bien compris, quand il pousserait son cri de guerre : « La murie vous crève ![1] », tous s'élanceraient derrière lui, la trique 65 au poing.

Touegueule était à peine redescendu de son foyard que l'organe perçant de Camus, du centre du Gros Buisson, lançait le défi d'usage : « À cul les Velrans ! », et que la bataille s'engageait dans les formes ordinaires.

70 En tant que général, Camus aurait dû rester à terre et diriger ses troupes ; mais l'habitude, la sacrée habitude de monter à l'arbre fit taire tous ses scrupules de commandant en chef, et il grimpa au chêne pour lancer de haut ses projectiles dans les rangs des adversaires.

Installé dans une fourche soigneusement choisie et aménagée, 75 commodément assis, il prenait la ligne de mire en tendant l'élastique, le cuir juste au milieu de la fourche, les bandes de caoutchouc bien égales, et lâchait le projectile qui partait en sifflant du côté de Velrans, déchiquetant des feuilles ou cognant un tronc en faisant toc.

80 Camus pensait qu'il en serait ce jour-là comme des jours précédents et ne se doutait mie[2] que les autres tenteraient une attaque et pousseraient une charge puisque chaque engagement, depuis l'ouverture des hostilités, avait vu leur défaite ou leur reculade.

Tout alla bien pendant une demi-heure, et le sentiment du 85 devoir accompli, le souci d'un emploi judicieux de ses cailloux le

---

1. **La murie vous crève !** : la peste vous emporte ! (cri de guerre des Velrans). Un passage de *La Guerre des boutons* est consacré à la murie, livre III, chapitre 4.

2. **Mie** : pas (négation).

ras sérénaient[1], lorsque, au cri de guerre de l'Aztec, il vit la horde[2] des Velrans chargeant son armée avec une telle vitesse, une telle ardeur, une telle impétuosité, une telle certitude de victoire qu'il en demeura abasourdi sur sa branche sans pouvoir proférer[3] un mot.

90 Ses guerriers, en entendant cette ruée formidable, en voyant ce brandissement d'épieux et de triques, effarés, démoralisés, trop peu nombreux, battirent en retraite aussitôt, et, prenant leurs jambes à leur cou, s'enfuirent, leurs talons battant les fesses, à toute allure, dans la direction de la carrière à Laugu, sans oser se retourner et 95 croyant que toute l'armée ennemie leur arrivait dessus.

Malgré sa supériorité numérique, la colonne des Velrans, en arrivant au Gros Buisson, ralentit un peu son élan, craignant quelque projectile désespéré ; mais, ne recevant rien, elle s'engagea brusquement sous le couvert et se mit à fouiller le camp.

100 Hélas ! on ne voyait rien, on ne trouvait personne, et l'Aztec grommelait déjà, quand il dénicha Camus blotti dans son arbre tel un écureuil surpris.

Il eut un ah ! sonore de triomphe en l'apercevant et, tout en se félicitant intérieurement de ce que l'assaut n'eût pas été inutile, il 105 somma immédiatement son prisonnier de descendre.

Camus, qui savait le sort qui l'attendait s'il abandonnait son asile et avait encore quelques cailloux en poche, répondit par le mot de Cambronne[4] à cette injonction injurieuse. Déjà il fouillait les poches de son pantalon, quand l'Aztec, sans réitérer[5] son invitation 110 discourtoise, ordonna à ses hommes de lui « descendre cet oiseau-là » à coups de cailloux.

Avant qu'il eût bandé sa fronde, une grêle terrible lapida[6] Camus qui croisa ses bras sur sa figure, les mains sur les yeux pour se protéger.

115 Beaucoup de Velrans manquaient heureusement leur but, pressés qu'ils étaient de lancer leurs projectiles, mais quelques-uns,

---

1. **Rassérénaient :** rassuraient.
2. **Horde :** troupe.
3. **Proférer :** prononcer.
4. **Le mot de Cambronne :** « merde ».
5. **Réitérer :** répéter.
6. **Lapida :** frappa à coups de pierres.

mais trop touchaient : pan sur le dos ! pan sur la gueule ! pan sur la ratelle[1] ! pan sur le râble[2] ! pan sur les guibolles[3] ! attrape encore « çui-là » mon fils !

120   – Ah ! l'y viendras, mon salaud ! disait l'Aztec.

Et de fait, le pauvre Camus n'avait pas assez de mains pour se protéger et se frotter, et il allait enfin se rendre à merci, quand le cri de guerre et le rugissement terrible de son chef, ramenant ses troupes au combat, le délivra comme par enchantement de cette 125 terrible position.

Lentement, il décroisa un bras, puis un autre, et se tâta, et regarda et... ce qu'il vit...

Horreur ! trois fois horreur ! L'armée de Longeverne, essoufflée, arrivait au Gros Buisson, hurlante, avec Tintin et Grangibus, tandis 130 qu'à la lisière les Velrans, en troupeau, emmenaient, emportaient Lebrac prisonnier.

– Lebrac ! Lebrac ! nom de Dieu. Lebrac ! piailla-t-il. Comment que ça a pu se faire ? Ah bon Dieu de bon Dieu de nom de Dieu de nom de Dieu de cent dieux !

135   La malédiction désespérée de Camus eut un retentissement dans la bande de Longeverne arrivant à la rescousse.

– Lebrac ! fit Tintin en écho. Il n'est pas là ?

Et il expliqua :

– On arrivait au bas de la Saute quand on a vu les nôtres qui 140 s'ensauvaient comme des lièvres, alors il s'est lancé et leur z'a dit :

« – Halte-là !... Où venez-vous ? Et Camus ?

« – Camus, qu'a fait j'sais plus qui, il est sur son chêne !

« – Et La Crique ?

« – La Crique ?... On ne sait pas !

145   « – Et vous les laissez comme ça, nom de Dieu ! prisonniers des Velrans ; vous n'en avez donc point ! En avant ! allez ! en avant !

« Alors il s'a lancé et on est parti derrière lui en n'hurlant ; mais il était en avance d'au moins vingt sauts, et à eux tous ils l'auront sûrement pincé. »

---

1. **Ratelle :** colonne vertébrale.
2. **Râble :** partie du lapin qui s'étend du bas des côtes à la queue. Ici, comprendre le bas des reins et les fesses.
3. **Guibolles :** jambes.

150 — Mais oui, qu'il est chauffé ! ah, nom de Dieu ! souffla Camus suffoqué, dégringolant de son chêne.

— Il n'y a pas à ch…, faut le déprendre !

— Ils sont deux fois plus que nous, remarqua l'un des fuyards rendu prudent, sûrement qu'il y en aura encore des chopés, c'est
155 tout ce qu'on y gagnera. Puisqu'on n'est pas en nombre gn'a qu'à[1] attendre, après tout ils ne veulent pas le bouffer sans boire !

— Non, convint Camus ; mais ses boutons ! Et dire que c'est pour me délivrer ! Ah ! malheur de malheur ! Il avait bien raison de nous dire de ne pas venir ce soir. Faut toujours écouter son chef !

160 — Mais ousqu'est La Crique ? personne n'a vu La Crique ? tu ne sais pas s'il est pris ?

— Non ! reprit Camus, je ne crois pas, j'ai pas vu qu'ils l'aient emmené, il a dû se défiler par les buissons du dessus…

Pendant que les Longevernes se lamentaient et que Camus, dans
165 le désarroi du désastre, reconnaissait les avantages et la nécessité d'une forte discipline, un rappel de perdrix les fit tressaillir.

— C'est La Crique, dit Grangibus.

C'était lui, en effet, qui, au moment de l'assaut, s'était glissé comme un renard entre les buissons et avait échappé aux Velrans.
170 Il venait du haut du communal et avait sûrement vu quelque chose, car il dit :

— Ah ! mes amis, qu'est-ce qu'ils lui passent à Lebrac ! J'ai mal vu, mais ce que ça cognait dur !

Et il réquisitionna[2] la ficelle et les épingles de la bande pour raf-
175 fubler[3] les habits du général qui certainement n'y couperait[4] pas.

Et, en effet, une scène terrible se déroulait à la lisière.

D'abord enveloppé, enroulé, emporté par le tourbillon des adversaires au point de n'y plus rien comprendre, le grand Lebrac s'était enfin reconnu, était revenu à lui et, quand on voulut le traiter en
180 vaincu et l'aborder l'eustache[5] à la main, il leur fit voir, à ces peigne-culs, ce que c'est qu'un Longeverne !

---

1. **Gn'a qu'à :** il n'y a qu'à.
2. **Réquisitionna :** s'empara de, prit.
3. **Raffubler :** remettre en ordre.
4. **Couperait :** échapperait.
5. **Eustache :** couteau de poche pouvant servir d'arme.

De la tête, des pieds, des mains, des coudes, des genoux, des reins, des dents, cognant, ruant, sautant, giflant, tapant, boxant, mordant, il se débattait terriblement, culbutant les uns, déchirant les autres,
185 éborgnait celui-ci, giflait celui-là, en bosselait un troisième, et pan par-ci, et toc par-là, et zon sur un autre, tant et si bien que, laissant pour compte une demi-manche de blouse, il se faisait lâcher enfin par la meute ennemie et s'élançait déjà vers Longeverne d'un élan irrésistible, quand un traître croc-en-jambe de Migue la Lune l'allongea net,
190 le nez dans une taupinière[1], les bras en avant et la gueule ouverte.

Il n'eut pas le temps de dire ouf ; avant qu'il eût songé seulement à se mettre sur les genoux, douze gars se précipitaient derechef[2] sur lui et pif ! et paf ! et poum ! et zop ! vous le saisissaient par les quatre membres tandis qu'un autre le fouillait, lui confisquait son
195 couteau et le bâillonnait de son propre mouchoir.

L'Aztec, dirigeant la manœuvre, arma Migue la Lune, sauveur de la situation, d'une verge[3] de noisetier et lui recommanda, précaution inutile, d'y aller de ses six coups chaque fois que l'autre tenterait la moindre secousse.
200 De fait, Lebrac n'était pas homme à se tenir comme ça : bientôt ses fesses furent bleues de coups de baguette tant qu'à la fin il dut bien se tenir tranquille.

– Ramasse, cochon ! disait Migue la Lune. Ah ! tu voulais me couper le zizi et les couilles. Eh bien ! si on te les coupait, à toi, maintenant !
205 Ils ne les lui coupèrent point, mais pas un bouton, pas une boutonnière, pas une agrafe, pas un cordon, n'échappa à leur vigilance vengeresse, et Lebrac, vaincu, dépouillé et fessé, fut rendu à la liberté dans le même état piteux que Migue la Lune cinq jours auparavant.

Mais le Longeverne ne pleurnichait pas comme le Velrans ; il
210 avait une âme de chef, lui, et s'il écumait de rage intérieure, il semblait ne pas sentir la douleur physique. Aussi, dès que débâillonné, il n'hésita pas à cracher à ses bourreaux, en invectives virulentes[4], son incoercible[5] mépris et sa haine vivace.

---

1. **Taupinière :** monticule de terre formé par une taupe.
2. **Derechef :** de nouveau.
3. **Verge :** baguette.
4. **Invectives virulentes :** insultes pleines de colère et d'agressivité.
5. **Incoercible :** incontrôlable.

La Guerre des boutons

C'était un peu trop tôt, hélas ! et la horde victorieuse, sûre de le
tenir à sa merci, le lui fit bien voir en le bâtonnant de nouveau à
trique que veux-tu[1] et en le bourrant de coups de pied.

Alors Lebrac, vaincu, gonflé de rage et de désespoir, ivre de haine
et de désir de vengeance, partit enfin la face[2] ravagée, fit quelques
pas, puis se laissa choir derrière un petit buisson comme pour
pleurer à son aise ou chercher quelques épines qui lui permissent
de retenir son pantalon autour de ses reins.

Une colère folle le dominait : il tapa du pied, il serra les poings,
il grinça des dents, il mordit la terre, puis, comme si cet âpre baiser
l'eût inspiré subitement, il s'arrêta net.

Les cuivres du couchant baissaient dans les branches demi-nues
de la forêt, élargissant l'horizon, amplifiant les lignes, ennoblissant
le paysage qu'un puissant souffle de vent vivifiait. Des chiens de
garde, au loin, aboyaient au bout de leurs chaînes ; un corbeau
rappelait ses compagnons pour le coucher, les Velrans s'étaient tus,
on n'entendait rien des Longevernes.

Lebrac, dissimulé derrière son buisson, se déchaussa (c'était
facile), mit ses bas en loques[3] dans ses souliers veufs de lacets[4],
retira son tricot et sa culotte, les roula ensemble autour de ses
chaussures, mit ce rouleau dans sa blouse dont il fit ainsi un petit
paquet noué aux quatre coins et ne garda sur lui que sa courte
chemise dont les pans frissonnaient au vent.

Alors, saisissant son petit baluchon d'une main, de l'autre troussant[5] entre deux doigts sa chemise, il se dressa d'un seul coup
devant toute l'armée ennemie et, traitant ses vainqueurs de vaches,
de cochons, de salauds et de lâches, il leur montra son cul d'un
index énergique, puis se mit à fuir à toutes jambes dans le crépuscule tombant, poursuivi par les imprécations[6] des Velrans, au
milieu d'une grêle de cailloux qui bourdonnaient à ses oreilles.

---

1. **À trique que veux-tu :** à qui mieux mieux.
2. **La face :** le visage.
3. **En loques :** déchirés, en morceaux.
4. **Veufs de lacets :** privés de lacets.
5. **Troussant :** relevant.
6. **Imprécations :** malédictions.

5
Les conséquences d'un désastre

Coup sur coup. Deuil sur deuil. Ah ! l'épreuve redouble.
Victor Hugo (*L'Année terrible*).

ON A BIEN raison de dire qu'un malheur ne vient jamais seul ! Ce
fut La Crique qui, plus tard, formula cet aphorisme[1], dont il n'était
pas l'auteur. Quand Lebrac, sacrant[2] et vociférant[3] contre ces peigne-
culs de Velrans, arriva, cheveux, chemise et le reste au vent à la
5 boucle du chemin de la Saute, ce ne fut pas les compaings[4] qu'il
trouva pour le recevoir, mais bien le père Zéphirin, vieux soldat
d'Afrique qu'on appelait plus communément Bédouin, et qui remplissait dans la commune[5] les modestes fonctions de garde champêtre, ce qui se voyait d'ailleurs à sa plaque jaune bien astiquée
10 luisant parmi les plis de sa blouse bleue toujours propre.

De bonheur[6] pour le grand Lebrac, Bédouin, représentant de la
force publique à Longeverne, était un peu sourd et n'y voyait plus
très bien.

Il avait, revenant de sa tournée quotidienne ou presque, été
15 arrêté par les hurlements et les cris de guerre de Lebrac se débat-
tant aux mains des Velrans. Comme il se trouvait, par hasard,
qu'il avait déjà été victime de farces et plaisanteries de la part de
certains galapiats[7] du village, il ne douta mie[8] que les invectives
virulentes[9] de celui-là fuyant, autant dire à poil, ne fussent à son
20 adresse. Il en douta de moins en moins quand il distingua, entre
autres, les syllabes de « cochon » et de « salaud » qui, dans sa pen-

---

1. **Aphorisme :** sentence, phrase pleine de sagesse.
2. **Sacrant :** maudissant, blasphémant, jurant.
3. **Vociférant :** injuriant avec colère.
4. **Compaings :** copains.
5. **Commune :** bâtiment qui fait office d'école et de mairie.
6. **De bonheur :** par bonheur, heureusement.
7. **Galapiats :** vauriens, garnements (argot).
8. **Mie :** pas (négation).
9. **Virulentes :** violentes.

sée droite et logique, ne pouvaient indubitablement[1] s'appliquer qu'à un représentant de la « loâ[2] ». Résolu (le devoir avant tout) à punir cet insolent qui attentait du même coup aux bonnes mœurs[3]
25 et à sa dignité de magistrat, il s'élança à sa poursuite pour le rattraper ou tout au moins le reconnaître et lui faire donner par « qui de droit[4] » la fessée qu'il jugeait méritée.

Mais Lebrac vit Bédouin lui aussi, et, reconnaissant des intentions hostiles au « Polisson ! » qu'il poussa, il biaisa vivement à
30 gauche vers le haut du communal et disparut dans les buissons pendant que l'autre, brandissant son bâton, criait toujours de toute sa gorge :

– Petit saligaud ! que je t'attrape un peu !

Cachés dans le Gros Buisson, ahuris de cette apparition inattendue, les Longevernes suivaient la poursuite de Bédouin avec des
35 yeux ronds comme des prunelles de chouettes.

– C'est lui ! c'est bien lui ! fit La Crique parlant de son chef.

– Il leur z'y a encore joué un tour, remarqua Tintin. Quel bougre, tout de même !

40 Et l'inflexion de sa voix disait toute l'admiration qu'il professait pour son général.

– Ce vieux c... va-t-il nous emmerder longtemps ? reprit Camus, frottant de ses paumes sèches et calleuses[5] ses douloureuses meurtrissures.

45 Et il songeait déjà à déléguer[6] Tintin ou La Crique pour attirer Bédouin hors des lieux où devait se cacher Lebrac, en poussant à l'adresse du garde[7] quelques séries d'épithètes colorées et fortes, telles : vieille tourte, enfifré, sodomiss, vérolard d'Afrique et autres qu'ils avaient retenues au passage de certaines conversations entre
50 les anciens du village.

---

1. **Indubitablement :** indiscutablement, sans aucun doute.
2. **Loâ :** loi (note de Louis Pergaud).
3. **Attentait [...] aux bonnes mœurs :** portait atteinte [...] aux bonnes mœurs.
4. **Qui de droit :** il s'agit du père de Lebrac, qui a le droit de corriger son fils.
5. **Calleuses :** dont la peau est durcie et abîmée.
6. **Déléguer :** envoyer.
7. **À l'adresse du garde :** adressé au garde.

Il n'en fut pas réduit à cet expédient[1], car le vieux briscard[2] redescendit bientôt le chemin, jurant contre ces garnements à qui il tirerait les oreilles et qu'il foutrait bien, un jour ou l'autre, à l'ousteau[3] communal pour tenir compagnie, durant une heure ou deux,
55 aux rats de la fromagerie.

Immédiatement Camus imita le tirouit[4] de la perdrix grise, signal de ralliement de Longeverne, et, à la réponse qui lui vint, signala par trois nouveaux cris consécutifs, à son féal[5] aux abois[6], que tout danger était momentanément écarté.

60 Bientôt, derrière les buissons, on aperçut, s'approchant en effet, la silhouette indécise d'abord et blanche de Lebrac, son petit baluchon à la main, puis se distinguèrent les traits de sa face contractée de colère.

– Ben mon vieux ! ben ma vieille !

65 Ce fut tout ce que put dire Camus, qui, les larmes aux yeux et les dents serrées, brandit un poing menaçant dans la direction de Velrans.

Et Lebrac fut entouré.

Toutes les ficelles et toutes les épingles de la bande furent réqui-
70 sitionnées afin de lui refaire une tenue tant qu'à peu près pré-
sentable pour rentrer au village. À un soulier, on mit de la ficelle de fouet, à l'autre de la ficelle de pain de sucre prise à une garde d'épée[7] ; des morceaux de tresse serrèrent les bas aux jarrets ; on trouva une épingle de nourrice pour rejoindre et maintenir les
75 deux ouvertures du pantalon ; Camus même, ivre de sacrifice, vou-
lait défaire sa fronde à « lastique » pour en fabriquer une ceinture à son chef, mais l'autre noblement s'y opposa ; quelques épines bou-
chèrent les plus gros trous. La blouse, ma foi, pendait bien un peu en arrière ; la chemise irrémédiablement bâillait à la cotisse[8] et la

---

1. **Expédient :** moyen ingénieux.
2. **Briscard :** soldat expérimenté.
3. **Ousteau :** prison (argot).
4. **Tirouit :** cri de la perdrix grise.
5. **Féal :** compagnon fidèle, dévoué.
6. **Aux abois :** dans une situation désespérée.
7. **Garde d'épée :** partie de l'épée qui sert à couvrir la main.
8. **Cotisse :** col (note de Louis Pergaud).

80 manche déchirée dont manquait le morceau était un irrécusable[1] témoin de la lutte terrible qu'avait soutenue le guerrier.

Quand il fut tant bien que mal regaupé[2], jetant sur son accoutrement[3] un coup d'œil mélancolique et évaluant en lui-même la quantité de coups de pied au cul que lui vaudrait cette tenue, il

85 résuma ses appréhensions en une phrase lapidaire[4] qui fit frémir jusqu'au cœur toutes les fibres de ses soldats :

– Bon Dieu ! ce que je vais être cerisé[5] en rentrant !

Un silence morne accueillit cette prévision. Le groupe évidemment ne voyait pas d'objections à faire et, dans la nuit qui tombait,

90 ce fut la sabotée[6] lamentable et silencieuse vers le village. Que différente fut cette rentrée de celle du lundi ! La nuit morne et pesante alourdissait leur tristesse ; pas une étoile ne se levait dans les nuages, qui, tout à coup, avaient envahi le ciel ; les murs gris qui bordaient le chemin avaient l'air d'escorter en silence leur

95 désastre ; les branches des buissons pendaient en saule pleureur, et eux marchaient, traînaient les pieds comme si leurs semelles eussent été appesanties de toute la détresse humaine et de toute la mélancolie de l'automne.

Pas un ne parlait pour ne point aggraver les préoccupations dou-

100 loureuses du chef vaincu, et, pour augmenter encore leur peine, leur parvenait dans le vent du sud-ouest le chant de victoire des Velrans glorieux qui rentraient dans leurs foyers :

Je suis chrétien, voilà ma gloire,
Mon espérance et mon soutien...

105 Car on était calotin[7] à Velrans et rouge[8] à Longeverne.

Au Gros Tilleul, on s'arrêta comme de coutume, et Lebrac rompit le silence :

---

1. **Irrécusable :** indiscutable.
2. **Regaupé :** rajusté (note de Louis Pergaud).
3. **Accoutrement :** vêtement bizarre et comique.
4. **Lapidaire :** claire et nette.
5. **Cerisé :** signifie apparemmennt « secoué », comme le serait un cerisier, et même plus (note de Louis Pergaud).
6. **Sabotée :** bruits de sabots.
7. **Calotin :** partisan de ceux qui portent la calote, c'est-à-dire les curés (péjoratif).
8. **Rouge :** républicain. Comprendre « révolutionnaire ».

– On se retrouvera demain matin, près du lavoir, au second coup de la messe, fit-il d'une voix qu'il voulait rendre ferme, mais où perçait tout de même, dans une sorte de chevrotement, l'angoisse d'un avenir trouble, très incertain, ou plutôt trop certain.

– Oui, répondit-on simplement.

Et Camus le lapidé[1] vint lui serrer les mains en silence, pendant que la petite troupe, très vite, s'égrenait[2] par les sentiers et les chemins qui conduisaient chacun à son domicile respectif.

Quand Lebrac arriva à la maison de son père, près de la fontaine du haut, il vit la lampe à pétrole allumée dans la chambre du poêle et, par un entrebâillement de rideaux, il remarqua que sa famille était déjà en train de souper.

Il en frémit. Cette constatation coupait net ses dernières chances de ne pas être vu en la tenue plutôt débraillée dans laquelle il se trouvait par le plus fatal des destins.

Mais il réfléchit que, un peu plus tôt ou un peu plus tard, il fallait tout de même y passer, et, résolu à tout recevoir, stoïquement[3], il leva le loquet[4] de la cuisine, traversa la pièce et poussa la porte du poêle[5].

Le père de Lebrac tenait d'autant plus à « l'estruction[6] » qu'il en était lui-même et totalement dépourvu ; aussi exigeait-il de son rejeton, dès que revenait la saison d'écolage[7], une application à l'étude qui vraiment ne se trouvait pas être en raison directe des aptitudes intellectuelles de l'élève Lebrac. Il venait de temps à autre conférer de[8] ce sujet avec le père Simon et lui recommandait avec insistance de ne pas manquer son garnement et de le tanner[9] chaque fois qu'il le jugerait bon. Ce ne serait certes pas lui qui le

---

1. **Le lapidé** : celui qui avait été assailli à coups de pierres.
2. **S'égrenait :** se dispersait.
3. **Stoïquement :** sans montrer d'émotion.
4. **Loquet :** système de fermeture de porte constitué d'une barre pivotante s'enclenchant dans une tringle plate.
5. **Poêle :** chambre chauffée.
6. **Estruction :** instruction (note de Louis Pergaud).
7. **Écolage :** période scolaire, par opposition à l'été durant lequel les enfants aidaient leurs parents aux travaux des champs.
8. **Conférer de :** discuter de.
9. **Tanner :** frapper.

135 soutiendrait comme certains parents nouillottes[1] « qui savent pas y faire pour le bien de leurs enfants », et quand le gars aurait été puni en classe, lui, le père, redoublerait la dose à la maison.

Comme on le voit, le père de Lebrac avait en pédagogie des idées bien arrêtées et des principes très nets, et il les appliquait, sinon 140 avec succès, du moins avec conviction.

Il avait justement, en abreuvant les bêtes, passé ce soir-là près du maître d'école qui fumait sa pipe sous les arcades de la maison commune, près de la fontaine du milieu, et il s'était enquis de[2] la façon dont son fils se comportait.

145 Il avait naturellement appris que Lebrac jeune était resté en retenue jusqu'à quatre heures et demie, heure à laquelle il avait, sans broncher, récité la leçon qu'il n'avait pas sue le matin, ce qui prouvait bien que, quand il voulait… n'est-ce pas…

– Le rossard ! s'était exclamé le père. Savez-vous bien qu'il n'em-150 porte jamais un livre à la maison ? Foutez-lui donc des devoirs, des lignes, des verbes, ce que vous voudrez ! mais n'ayez crainte, j'vas le soigner ce soir, moi !

C'était dans cette même disposition d'esprit qu'il se trouvait, quand son fils franchit le seuil de la chambre.

155 Chacun était à sa place et avait déjà mangé sa soupe. Le père, sa casquette sur la tête, le couteau à la main, s'apprêtait à disposer sur un ados de choux[3] les tranches de lard fumé coupées en morceaux plus ou moins gros suivant la taille et l'estomac de leur destinataire, quand la porte grinça et que son fils apparut.

160 – Ah ! te voilà, tout de même ! fit-il d'un petit air mi-sec, minarquois qui n'annonçait rien de bon.

Lebrac jugea prudent de ne pas répondre et gagna sa place au bas de la table, ignorant d'ailleurs tout des intentions paternelles.

– Mange ta soupe, grogna la mère, elle est déjà toute refroidiete[4] !
165 – Et boutonne donc ton blouson, fit le père, tu m'as l'air d'un marchand de cabes[5].

---

1. **Nouillottes :** nouilles, idiots, niais.
2. **Il s'était enquis de :** il s'était renseigné au sujet de.
3. **Ados de choux :** ici, tas de feuilles de choux.
4. **Refroidiete :** refroidie.
5. **Cabes :** biques, chèvres (note de Louis Pergaud).

Lebrac ramena d'un geste aussi énergique qu'inutile sa blouse qui pendait dans son dos, mais n'agrafa rien, et pour cause.

– Je te dis d'agrafer ta blouse, répéta le père. Et d'abord, d'où viens-tu comme ça ? Tu sors pas de classe peut-être, à ces heures-ci ?

– J'ai perdu mon crochet de blouson, marmotta Lebrac, évitant une réponse directe.

– Las-moi ![1] Mon doux Jésus ! s'exclama la mère, quels gouillands[2] que ces cochons-là ! Ça casse tout, ils déchirent tout, ils ravalent[3] tout ! Qu'est-ce qu'on veut[4] devenir avec eux ?

– Et tes manches ? interrompit de nouveau le père. T'as perdu aussi les boutons ?

– Oui ! avoua Lebrac.

Après cette nouvelle découverte, qui, avec la rentrée tardive, décelait[5] une situation particulière et anormale, un examen détaillé s'imposait.

Lebrac se sentit devenir rouge jusqu'à la racine des cheveux.

Merde ! ça allait rien barder !

– Viens voir un peu ici au milieu !

Et le père, ayant levé l'abat-jour de la lampe, sous les quatre paires d'yeux inquisiteurs[6] de la famille, Lebrac apparut dans toute l'étendue de son désastre, aggravé encore par les réparations hâtives que des mains enthousiastes et bienveillantes certes, mais trop malhabiles, avaient achevé au lieu de le tempérer.

– Ben, nom de Dieu ! ah salaud ! ah cochon ! ah vaurien ! ah rossard ! grognait le père après chaque découverte. Pas un bouton à son tricot ni à sa chemise, des épines pour fermer sa braguette, une épingle de sûreté pour tenir son pantalon, des ficelles à ses souliers !

« Mais, d'où sors-tu donc, nom de Dieu de saligaud, gronda Lebrac père, doutant que lui, calme citoyen, eût pu procréer[7] un

---

1. **Las-moi !** : pauvre de moi !
2. **Gouillands** : hommes de mauvaise vie, ivrognes et débauchés (note de Louis Pergaud).
3. **Ravalent** : salissent, dégradent.
4. **Veut** : va.
5. **Décelait** : révélait.
6. **Inquisiteurs** : indiscrets, qui cherchent à voir et à savoir.
7. **Eût pu procréer** : ait pu donner naissance à.

garnement pareil, tandis que la mère se lamentait sur le travail continuel que ce polisson, ce boufre[1] de gredin de cochon d'enfant lui donnait quotidiennement.

200 « Et tu t'imagines que ça va durer longtemps comme ça, peut-être, reprit le père, que je vais dépenser des sous à élever et à nourrir un salopiot comme toi, qui ne fout rien, ni à la maison, ni en classe, ni ailleurs, même que j'en ai parlé ce soir à ton maître d'école ?

– !...

205 – Ah ! je t'en foutrai, bandit ! Je vas te faire voir que les maisons de correction elles sont pas faites pour les chiens. Ah ! rosse ! »

– !...

– D'abord, tu vas te passer de souper ! Mais vas-tu me répondre, nom de Dieu ! où t'es-tu arrangé comme ça ?

210 – !...

– Ah ! tu ne veux rien dire, crapule, ah oui, vraiment ! eh bien, attends un peu, nom de Dieu, je veux bien te faire causer[2] moi, va !

Et saisissant dans le fagot entamé près de la cheminée un raim[3] de coudre souple et dur, arrachant la chemise, jetant bas la culotte, 215 le père de Lebrac administra à son rejeton, qui se roulait, se tordait, écumait, râlait et hurlait, hurlait à faire trembler les vitres, une de ces raclées qui comptent dans la vie d'un môme.

Puis, sa justice ayant passé, il ajouta d'un ton sec et qui n'admettait pas de réplique :

220 – Et file te coucher maintenant, et vivement, hein ! nom de Dieu ! Et que j'entende quéque chose !...

Sur sa paillasse de turquit[4] et son matelas de paillette[5], Lebrac s'étendit las intensément, les membres brisés, le derrière en sang, la tête bouillonnante ; il se retourna longtemps, médita longue-225 ment, longuement et s'endormit sur son désastre.

---

1. **Boufre :** bougre.

2. **Je veux bien te faire causer :** je saurai bien te faire causer, je vais te faire causer.

3. **Raim :** forte baguette ; mot patois qui vient sans doute de rameau (note de Louis Pergaud).

4. **Turquit :** paillette de maïs (note de Louis Pergaud).

5. **Paillette :** balle d'avoine (note de Louis Pergaud).

Clefs d'analyse
Livre I, chapitres 4 et 5

Action et personnages

1. Expliquez l'absence du chef dans la bataille. Que pensez-vous de sa réflexion : « faudrait peut-être pas aller ce soir ? » (chap. 4, l. 31) ?

2. Quelle erreur stratégique commet Camus avant d'arriver au retranchement du Gros Buisson et quel sentiment fait-il ainsi naître chez les Velrans (chap. 4) ?

3. Expliquez le plan d'attaque des Velrans et sa mise en œuvre. Quel sort est réservé à Camus ?

4. Pourquoi Lebrac se fait-il prendre par l'ennemi ? Comment se défend-il ? Finalement, comment Migue la Lune vient-il à bout de sa résistance ?

5. Montrez que la conduite de Lebrac dépouillé de ses boutons révèle « une âme de chef » (chap. 4).

6. Par quels mots et gestes s'exprime la colère du chef vaincu ?

7. Comment se traduit la solidarité des Longevernes envers leur chef (chap. 5) ?

8. Dans quelle humeur et quelle atmosphère se fait le retour des vaincus (chap. 5) ?

9. Comment sa famille accueille-t-elle Lebrac ? Quels reproches le père adresse-t-il à son fils ? Par quels termes, gestes et décisions se traduit sa violente colère ?

10. Dans quel état mental et physique le chef va-t-il se coucher ?

Langue

11. Quelle construction le narrateur privilégie-t-il dans la phrase : « De la tête, des pieds, des mains, des coudes... et zon sur un autre » (chap. 4, l. 182-186) ? Que suggère-t-il ainsi ? Qu'apporte au récit l'emploi des onomatopées « pan », « toc », « zon » ?

12. Relevez, dans l'épisode de Bédouin (chap. 5), des exemples de mots familiers et argotiques : que révèlent-ils des personnages et de leur milieu social ?

Genre ou thèmes

13. À la lumière du chapitre 5, expliquez la phrase : « On a bien raison de dire qu'un malheur ne vient jamais seul » et précisez qui exprime cette pensée.

14. Qu'apprenons-nous sur Bédouin, le père Lebrac et le père Simon (chap. 5) ? Comment les adultes dans la Franche-Comté de l'époque traitent-ils les enfants ?

15. Commentez le dialogue père-fils (chap. 5).

Écriture

16. Après la correction qu'il a reçue de son père, Lebrac est étendu sur son lit « la tête bouillonnante ». En vous aidant de la question 10, imaginez ses pensées et ses projets de vengeance. Vous adopterez la forme d'un monologue intérieur (« je.... »).

17. Que pensez-vous de la correction paternelle infligée à Lebrac ? Vous raisonnerez en tenant compte du caractère du père et du fils, de leur milieu social (la France rurale) et de l'époque du récit (début du xxe siècle).

Pour aller plus loin

18. Le père Bédouin, « représentant de la force publique à Longeverne », est garde-champêtre. En vous aidant d'un dictionnaire, expliquez quoi en consiste sa fonction.

✳ À retenir

Louis Pergaud attribue aux personnages un **langage** plein de naturel : les termes qu'ils utilisent pour s'exprimer sont tantôt empruntés à la **langue familière** (ex. : « ce que ça gognait dur ! »), tantôt à l'**argot** (ex. : « saligaud »). On relève aussi des **mots déformés** (ex. : « estruction » pour « instruction ») et des **constructions de phrase incorrectes** (ex. : « il leur z-y-a encore joué un tour »). Par opposition, la langue du narrateur-auteur se révèle parfois très **littéraire** (ex. : « comme si cet âpre baiser l'eût inspiré subitement »).

Clefs d'analyse

6
Plan de campagne

> ... *dans le simple appareil*[1]
> *D'une beauté qu'on vient d'arracher au sommeil.*
> Racine (*Britannicus*, acte II, sc. 2).

EN S'ÉVEILLANT le lendemain d'un sommeil de plomb lourd comme la cuvée[2] d'une ivresse, Lebrac s'étira lentement avec des sensations de meurtrissure aux reins et de vide à l'estomac.

Le souvenir de ce qui s'était passé lui revint à l'esprit, comme une bouffée de chaleur vous monte à la tête, et le fit rougir.

Ses vêtements, jetés au pied du lit et ailleurs, n'importe où, n'importe comment, attestaient par leur désordre le trouble profond qui avait présidé au déshabillage de leur propriétaire.

Lebrac songea que la colère paternelle devait être un peu émoussée[3] par une nuit de sommeil ; il jugea de l'heure aux bruits de la maison et de la rue ; les bêtes rentraient de l'abreuvoir, sa mère portait le « lécher[4] » aux vaches. Il était temps qu'il se levât et accomplît la besogne qui lui était dévolue[5] chaque dimanche matin, savoir : décrotter et astiquer les cinq paires de souliers de la famille, emplir de bois la caisse et d'eau les arrosoirs, s'il ne voulait pas encourir[6] de nouveau les rigueurs de la correction familiale.

Il sauta du lit et mit sa casquette ; puis il porta les mains à son derrière qui était chaud et douloureux, et, n'ayant pas de glace pour y mirer[7] ce qu'il voulait, tourna autant qu'il put la tête sur les épaules et regarda : c'était rouge avec des raies violettes !

Étaient-ce les coups de verge de Migue la Lune ou les marques de la trique du père ? Tous les deux sans doute.

---

1. **Le simple appareil :** la simple tenue vestimentaire. Ce vers de Racine décrit l'apparition de Junie, dont Néron tombe amoureux.
2. **Cuvée :** quantité de vin absorbée par une personne ivre. « Cuver son vin » signifie dormir après s'être enivré.
3. **Émoussée :** calmée.
4. **Lécher :** mélange de céréales moulues donné en nourriture au bétail.
5. **Dévolue :** confiée, imposée.
6. **Encourir :** s'exposer à, subir.
7. **Mirer :** regarder, contempler.

La Guerre des boutons

Une nouvelle rougeur de honte ou de rage lui empourpra[1] le front. Salauds de Velrans, ils lui paieraient ça !

25 Immédiatement il enfila ses bas et se mit en quête de son vieux pantalon, celui qu'il devait porter chaque fois qu'il avait à accomplir une besogne au cours de laquelle il risquait de salir et de détériorer ses « bons habits ». C'était, fichtre ! bien le cas ! Mais l'ironie de sa situation lui échappa et il descendit à la cuisine.

30 Il commença par mettre à profit l'absence de sa mère pour chiper dans le dressoir[2] un gros quignon de pain qu'il cacha dans sa poche et dont il arrachait de temps à autre, à pleines dents, une énorme bouchée qui lui distendait les mâchoires, puis il se mit à manier les brosses avec ardeur et comme si rien de particulier ne 35 s'était passé la veille.

Son père, raccrochant son fouet au crochet de fer du pilier de pierre qui s'élevait au milieu de la cuisine, lui jeta en passant un coup d'œil rapide et sévère, mais ne desserra pas les dents.

Sa mère, quand il eut fini sa tâche et après qu'il eut déjeuné d'un 40 bol de soupe, veilla à son échenillage[3] dominical…

Il faut dire que Lebrac, de même que la plupart de ses camarades, La Crique excepté, n'avait avec l'eau que des relations plutôt lointaines, extra-familiales, si l'on peut dire, et qu'il la craignait autant que Mitis, le chat de la maison. Il ne l'appréciait vraiment, 45 en effet, que dans les rigoles de la rue où il aimait à patauger et comme force motrice faisant tourner de petits moulins à aubes[4] de sa construction, avec un axe en sureau et des palettes[5] en coudre.

Aussi en semaine, malgré les colères du père Simon, ne se lavait-il jamais, sauf les mains, qu'il fallait présenter à l'inspection de 50 propreté et encore, le plus souvent, se servait-il de sable en guise de savon. Le dimanche il y passait en rechignant. Sa mère, armée d'un rude torchon de grosse toile bise préalablement mouillé et

---

1. **Empourpra :** fit rougir.
2. **Dressoir :** buffet sans portes où l'on range la vaisselle ; vaisselier.
3. **Échenillage :** action qui consiste à débarrasser un arbre des chenilles qui le parasitent. Ici, il s'agit de faire sa toilette à Lebrac.
4. **Aubes :** petites planches qui produisent, avec la force de l'eau, la rotation de la roue du moulin.
5. **Palettes :** planches plates.

savonné, lui râpait vigoureusement la face, le cou et les plis des oreilles, et quant au fond d'icelles[1], il était curé[2] non moins éner-
55 giquement avec le coin du linge mouillé tortillé en forme de vrille. Ce jour-là, Lebrac s'abstint de brailler et, quand on l'eut nanti de[3] ses vêtements du dimanche, on lui permit, lorsque sonna le second coup de la messe, de se rendre sur la place en lui faisant toutefois remarquer, avec une ironie totalement dépourvue d'élégance, qu'il
60 n'avait qu'à recommencer comme la veille !

Toute l'armée de Longeverne était déjà là, pérorant[4] et jacassant[5], remâchant la défaite et attendant anxieusement le général.

Il entra simplement dans le gros de la bande, légèrement ému tou- tefois de tous ces yeux brillants qui l'interrogeaient muettement.

65 – Ben oui ! fit-il, j'ai reçu la danse[6]. Et puis quoi ! on n'en crève pas, pisque me voilà ! N'empêche que nous leur z'y devons quéque chose et qu'ils le paieront.

Cette façon de parler, qui semblerait au premier abord, et pour quelqu'un de non initié[7], dépourvue de logique, fut pourtant
70 admise par tous et du premier coup, car Lebrac fut appuyé dans son opinion par d'unanimes approbations.

– Ça ne peut aller comme ça ! continua-t-il. Non, faut absolu- ment trouver quéque chose. J'veux plus me faire taugner[8] à la cambuse[9], passe que d'abord on ne me laisserait plus sortir et puis,
75 il faut leur faire payer la tournée[10] d'hier.

– Faudra y penser pendant la messe et on en recausera ce soir.

À ce moment passèrent les petites filles qui, en bande, se ren- daient, elles aussi, à l'office. En traversant la place, elles regar- dèrent curieusement Lebrac « pour voir la gueule qu'il faisait », car

---

1. **D'icelles :** de celles-ci, les oreilles.
2. **Curé :** nettoyé en profondeur.
3. **Nanti de :** équipé de.
4. **Pérorant :** discourant abondamment.
5. **Jacassant :** parlant sans s'arrêter.
6. **La danse :** une correction.
7. **Non initié :** qui ignore la situation.
8. **Taugner :** rosser (note de Louis Pergaud).
9. **Cambuse :** maison.
10. **La tournée :** la correction.

80 elles étaient au courant de la grande guerre et savaient déjà toutes, par leur frère ou leur cousin, que, la veille, le général, malgré une résistance héroïque, avait subi le sort des vaincus et était rentré chez soi dépouillé et en piteux état.

Sous les multiples feux de tous ces regards, Lebrac, bien qu'il fût
85 loin d'être timide, rougit jusqu'au bout des oreilles ; son orgueil de mâle et de chef souffrait horriblement de sa défaite et de cette sorte de déchéance passagère, et ce fut bien pis encore quand sa bonne amie, la sœur de Tintin, lui jeta au passage un regard de tendresse aux abois, un regard désolé, inquiet, humide et tendre
90 qui disait éloquemment[1] toute la part qu'elle prenait à son malheur et tout l'amour qu'elle gardait envers et malgré tout pour l'élu de son cœur.

Malgré ces marques non équivoques[2] de sympathie, Lebrac n'y tint pas ; il voulut à tout prix se justifier complètement aux yeux
95 de son amie ; et, lâchant sa bande, il entraîna Tintin à part et entre quat'z-yeux lui demanda :

— Y as-tu au moins tout bien raconté à ta sœur ?

— Pour sûr, affirma l'autre : elle pleurait de rage, elle disait que « si elle aurait tenu le Migue la Lune elle y aurait crevé les œils ».

100 — Y as-tu dit que c'était pour délivrer Camus et que si vous aviez été plus lestes[3], ils ne m'auraient pas chopé comme ça ?

— Mais oui que j'y ai dit ! J'y ai même dit que, tout le temps qu'ils te saboulaient[4], t'avais pas pleuré une goutte et puis que pour finir tu leur z'y avais montré ton cul. Ah ! ce qu'elle m'écoutait, mon
105 vieux. C'est pas pour dire, tu sais, mais elle te gobe[5], not' Marie ! Elle m'a même dit de t'embrasser, mais entre nous, tu comprends, entre hommes, ça ne se fait pas, ça a l'air bête ; n'empêche que le cœur y est ; mon vieux, les femmes, quand ça aime... Elle m'a aussi dit qu'une autre fois, quand elle aurait le temps, elle tâcherait
110 de venir par derrière pour, des fois que si tu étais repris, tu comprends, elle te recoudrait des boutons.

---

1. **Éloquemment :** avec expressivité.
2. **Non équivoques :** sans ambiguïté, évidentes.
3. **Lestes :** rapides.
4. **Saboulaient :** bousculaient, malmenaient.
5. **Elle te gobe :** elle t'aime bien, elle t'apprécie.

– J'y serai pas repris, n... d. D... ! non, j'y serai pas, fit Lebrac, ému tout de même.

Mais quand je r'irai[1] à la foire de Vercel dis-y que je lui rapporterai un pain d'épices, pas un petit guiguillon[2] de rien du tout, mais un gros, tu sais, un de six sous avec une double devise[3] !

– Ce qu'elle va être contente, la Marie, mon vieux, quand j'y dirai, reprit Tintin, qui songeait avec émotion que sa sœur partageait toujours avec lui régulièrement ses desserts.

Il ajouta même, se trahissant dans un élan de générosité :

– On tâchera de le bouffer tous les trois ensemble.

– Mais, c'est pas pour toi que je l'achèterai, ni pour moi, c'est pour elle !

– Oui, je sais bien, oui ! mais tu comprends, des fois, une idée qu'elle aurait de faire comme ça !

– Tout de même, convint Lebrac pensif.

Et ils entrèrent avec les autres à l'église, les cloches sonnant à toute volée. Quand ils se furent casés, chacun à son poste respectif, c'est-à-dire aux places que les convenances[4], la vigueur personnelle, la solidité du poing leur avaient fait s'attribuer peu à peu après des débats plus ou moins longs (les meilleures étant réputées les plus proches des bancs des petites filles), ils tirèrent de leurs poches qui un chapelet, qui[5] un livre de messe, voire[6] une image pieuse pour avoir l'air plus convenable.

Lebrac, comme les autres, extirpa du fond de sa poche de veste un vieux paroissien[7] au cuir usé et aux lettres énormes, héritage d'une grand-tante à la vue faible, et l'ouvrit n'importe où, histoire d'avoir lui aussi une contenance[8] à peu près exempte de reproches[9].

---

1. **Je r'irai** : je retournerai.
2. **Guiguillon** : très petit morceau.
3. **Avec une double devise** : les pains d'épice de Vercel étaient ornés de petites phrases sentimentales.
4. **Convenances** : règles sociales.
5. **Qui [...] qui** : l'un [...] l'autre.
6. **Voire** : et même.
7. **Paroissien** : livre de messe.
8. **Contenance** : attitude.
9. **Exempte de reproches** : irréprochable.

La Guerre des boutons

Peu curieux des oraisons[1], il tourna son livre à l'envers et, tout
en fixant, sans les voir, les immenses caractères d'une messe de
mariage en latin, de laquelle il se fichait pas mal, il réfléchit à ce
qu'il proposerait le soir à ses soldats, car il se doutait bien que ces
sacrés asticots-là ne trouveraient comme d'habitude rien du tout,
du tout, et se reposeraient encore sur lui du soin de décider ce
qu'il faudrait faire pour remédier au danger terrible dont ils étaient
tous plus ou moins menacés.

Tintin dut le pousser pour le faire agenouiller, lever et asseoir
aux moments désignés par le rituel et il jugea de la terrible contention[2] d'esprit de son chef à ce que celui-ci ne jeta pas une seule
fois les yeux sur les gamines, qui, elles, de temps en temps, le reluquaient[3] pour voir « quelle gueule qu'on fait » quand on a reçu une
bonne volée.

Des divers moyens qui s'offrirent à son esprit, Lebrac, partisan
des solutions radicales, n'en retint qu'un, et le soir, après vêpres[4],
quand le conseil général des guerriers de Longeverne fut réuni
à la carrière à Pepiot, il le proposa carrément, froidement et sans
tergiversations[5].

– Pour ne pas se faire esquinter ses habits, il n'y a qu'un moyen
sûr, c'est de n'en pas avoir. Je propose donc qu'on se batte à poil !…

– Tout nus ! se récrièrent bon nombre de camarades, surpris,
étonnés et même un peu effrayés de ce procédé violent qui cho-
quait peut-être aussi leurs sentiments de pudeur.

– Parfaitement, reprit Lebrac. Si vous aviez reçu la danse, vous
n'hésiteriez pas à dire comme moi.

Et par le menu[6], sans désir d'épater la galerie, pour la convaincre
seulement, Lebrac narra les souffrances physiques et morales de sa
captivité au bord du bois et la rentrée cuisante[7] à la maison.

---

1. **Oraisons :** prières.
2. **Contention :** concentration.
3. **Reluquaient :** regardaient.
4. **Vêpres :** messe qui se déroule en fin d'après-midi.
5. **Tergiversations :** hésitations et discours inutiles.
6. **Par le menu :** en détail.
7. **Cuisante :** amère et douloureuse.

– Tout de même, objecta Boulot, s'il venait à passer du monde, si un mendiant venait à rouler par là et qu'il nous ratiboise[1] nos frusques[2], si Bédouin nous retombait dessus !

– D'abord, reprit Lebrac, les habits on les cachera, et puis au besoin on mettra quelqu'un pour les garder ! S'il passe des gens et que ça les gêne, ils n'auront qu'à ne pas regarder et, pour ce qui est du père Bédouin, on l'emm… ! vous avez bien vu comme j'ai fait hier au soir.

– Oui, mais…, fit Boulot, qui, décidément, n'avait pas du tout l'air de tenir à se montrer dans le simple appareil[3].

– C'est bon ! coupa Camus, clouant son adversaire par un argument péremptoire[4], toi ! on sait bien pourquoi tu n'oses pas te mettre tout nu. C'est passe que t'as peur qu'on voie la tache de vin[5] que tu as au derrière et qu'on se foute de ta fiole. T'as tort, Boulot ! Ben quoi, la belle affaire ! une tache au cul, c'est pas être estropié ça, et il n'y a pas à en avoir honte ; c'est ta mère qu'a eu une envie quand elle était grosse[6] : elle a eu idée de boire du vin et alle[7] s'est gratté le derrière à ce moment-là. C'est comme ça que ça arrive. Et ça, ça n'est pas une mauvaise envie.

« Les femmes grosses, y en a qu'ont toutes sortes d'idées et des bien plus dégoûtantes, mes vieux ; moi j'ai entendu la bonne femme[8] de Rocfontaine qui disait à la mère que y en avait qui voulaient manger de la merde dans ces moments-là !

– De la merde !

– Oui !

– Oh !…

– Oui, mes vieux, parfaitement, de la merde de soldat même et toutes sortes d'autres saloperies que les chiens même ne voudraient pas renifler de loin.

---

1. **Ratiboise :** vole.
2. **Frusques :** vêtements.
3. **Dans le simple appareil :** tout nu.
4. **Péremptoire :** autoritaire.
5. **Tache de vin :** tache de naissance, de couleur bordeaux.
6. **Une envie quand elle était grosse :** les femmes enceintes sont réputées avoir des envies subites de fruits ou d'autres aliments.
7. **Alle :** elle.
8. **Bonne femme :** sage-femme (note de Louis Pergaud).

– Elles sont donc folles à ce moment-là ? s'exclama Têtard.

– Elles le sont pendant, avant et après, à ce qui paraît.

– Toujours est-il que c'est mon père qui dit comme ça, et pour quant à y croire, j'y crois, on ne peut rien faire sans qu'elles ne ²⁰⁰ gueulent comme des poules qu'on plumerait tout vif et pour des choses de rien elles vous foutent des mornifles[1].

– Oui, c'est vrai, les femmes c'est de la sale engeance[2] !

– C'est-y entendu, oui ou non, qu'on se battra à poil ? répéta Lebrac.

²⁰⁵ – Il faut voter, exigea Boulot, qui, décidément, ne tenait pas à exhiber la tache de vin dont l'envie maternelle avait décoré son postère[3].

– Que t'es bête ! mon vieux, fit Tintin, puisqu'on te dit qu'on s'en fout !

– Je ne dis pas, vous autres, mais… les Velrans, si… ils la voyaient… ²¹⁰ eh bien ! eh bien !… ça m'embêterait, na !

– Voyons, intervint La Crique, essayant d'arranger les choses, une supposition que Boulot garderait le saint-frusquin[4] et que nous autres on se battrait ? hein !

– Non, non ! opinèrent[5] certains guerriers qui, intrigués par les ²¹⁵ révélations de Camus et curieux de l'anatomie de leur camarade, voulaient, de visu[6], se rendre compte de ce que c'est qu'une envie et tenaient absolument à ce que Boulot se déshabillât comme tout le monde.

– Montre-leur z'y, va, Boulot ! à ces idiots-là, reprit La Crique : ils ²²⁰ sont plus bêtes que mes pieds, on dirait qu'ils n'ont jamais rien vu, pas même une vache qui vêle ou une cabe[7] qu'on mène au bouc.

Boulot comprit, fut héroïque et se résigna. Il déboutonna ses bretelles, laissa tomber sa culotte, troussa sa chemise et montra à tous les guerriers de Longeverne, plus ou moins intéressés, l'envie ²²⁵ qui ornait la face postérieure de son individu. Et sitôt qu'il eut fait,

---

1. **Mornifles :** gifles.
2. **Engeance :** race.
3. **Postère :** postérieur.
4. **Le saint-frusquin :** le tas d'habits sacré.
5. **Opinèrent :** donnèrent leur opinion.
6. **De visu :** en le voyant de leurs propres yeux.
7. **Cabe :** chèvre.

la motion[1] de Lebrac, appuyée par Camus, Tintin, La Crique et Grangibus, fut adoptée à l'« inanimité », comme d'habitude.

– C'est pas tout ça, maintenant, reprit Lebrac : il faut savoir où l'on se déshabillera et ousqu'on cachera les habits. Si, des fois, Boulot
230 voyait s'amener quelqu'un comme le père Simon ou le curé, vaudrait tout de même mieux qu'ils ne nous voient pas à poil, sans quoi on pourrait bien tous prendre quelque chose en rentrant chez soi.

– Je sais, moi, déclara Camus.

Et l'éclaireur[2] volontaire conduisit la petite armée dans une sorte
235 de vieille carrière entourée de taillis, abritée de tous les côtés, et d'où l'on pouvait facilement, par une espèce de sous-bois, arriver derrière le retranchement du Gros Buisson, c'est-à-dire au champ de bataille.

Dès qu'arrivés ils se récrièrent :
240 – Chicard !

– Chouette !

– Merde ! c'est épatant !

C'était très bien, en effet. Et il fut conclu illico[3] que le lendemain, après avoir dépêché[4] en éclaireurs Camus avec deux autres bons
245 gaillards qui protégeraient le gros de l'armée, on viendrait s'installer là pour se mettre, si l'on peut dire, en tenue de campagne.

En s'en retournant, Lebrac s'approcha de Camus et confidentiellement lui demanda :

– Comment que t'as pu faire pour dégoter un si chouette coin
250 pour se déshabiller ?

– Ah ! ah ! répondit Camus, regardant d'un petit air égrillard[5] son camarade et général.

Et passant sa langue sur ses lèvres et clignant de l'œil devant l'interrogation muette du chef :
255 – Mon vieux ! ça c'est des affaires de femme ! Je te raconterai tout plus tard, quand nous ne serons rien que les deux.

---

1. **Motion** : proposition.
2. **L'éclaireur** : celui qui part avant les autres pour reconnaître le terrain.
3. **Illico** : sur-le-champ.
4. **Dépêché** : envoyé.
5. **Égrillard** : coquin.

7
Nouvelles batailles

Panurge soubdain leva en l'air la main dextre, puys d'icelle mist
le pouce dedans la narine d'ycellui cousté, tenant les quatre doigtz
estenduz et serrez par leur ordre en ligne parallèle à la pêne du nez,
fermant l'œil gauche entièrement, et guaignant du dextre avecques
profonde dépression de la sourcille et paulpière[1]…

Rabelais (livre II, chap. 19).

LEBRAC arriva en classe le lundi matin à huit heures avec son
pantalon raccommodé et une blouse à deux manches de couleurs
différentes, ce qui lui donnait un peu l'air d'un « carnaval ».

Sa mère, en partant, l'avait sévèrement prévenu qu'il eût à prendre
5 un soin spécial de ses habits et que si, le soir, on relevait dessus
la plus petite tache de boue ou la moindre déchirure, il saurait de
nouveau ce que cela lui coûterait. Aussi était-il un peu gêné aux
entournures[2] et assez mal à l'aise dans ses mouvements, mais cela
ne dura pas.

10 Tintin, dès son entrée dans la cour, lui transmit de nouveau,
confidentiellement, les serments d'éternel amour de sa sœur et les
offres plus terre à terre, mais non moins importantes, de réparation
mobilière des vêtements le cas échéant.

Cela leur prit une demi-minute à peine et ils gagnèrent immé-
15 diatement le groupe principal où Grangibus pérorait avec volubilité[3], expliquant pour la septième fois comme quoi son frère et lui
avaient failli, la veille au soir, tomber derechef[4] dans l'embuscade
des Velrans, qui ne s'en étaient pas tenus comme la première fois à
des injures et à des cailloux lancés, mais avaient bel et bien voulu
20 se saisir de leurs précieuses personnes et les immoler[5] à leur insatiable[6] vengeance.

---

1. *Panurge [...] paulpière :* Panurge aussitôt leva en l'air la main droite, puis mit le
pouce de cette main dans la narine correspondante, tenant les quatre doigts tendus
et serrés dans l'ordre, parallèlement à l'arête du nez ; il fermait entièrement l'œil
gauche et visait avec le droit en abaissant profondément le sourcil et la paupière...
2. **Entournures :** emmanchures.
3. **Pérorait avec volubilité :** discutait en abondance et rapidement.
4. **Derechef :** à nouveau.
5. **Immoler :** sacrifier.
6. **Insatiable :** qui ne peut être rassasiée.

Heureusement les Gibus n'étaient pas loin de la maison ; ils avaient sifflé Turc, leur gros chien danois, qui était justement lâché ce jour-là (une veine !), et la venue du molosse qu'ils avaient
25 houkssé[1] aussitôt contre leurs ennemis, ses grondements, ses mines de s'élancer, ses crocs montrés derrière les babines rouges avaient mis prudemment en fuite la bande des Velrans.

Et dès lors, disait Grangibus, ils avaient demandé à Narcisse de détacher le chien tous les jours vers cinq heures et demie et de
30 l'envoyer à leur rencontre pour qu'il pût, en cas de malheur, protéger leur rentrée à la maison.

– Les salauds ! grommelait Lebrac. Ah ! les salauds ! ils nous le paieront, va ! et cher !

C'était une belle journée d'automne : les nuages bas qui avaient
35 protégé la terre de la gelée s'étaient évanouis avec l'aurore ; il faisait tiède : les brouillards du ruisseau du Vernois semblaient se fondre dans les premiers rayons du soleil, et derrière les buissons de la Saute, tout là-bas, la lisière ennemie hérissait dans la lumière les fûts[2] jaunes et dégarnis par endroits de ses baliveaux[3] et de ses
40 futaies[4].

Un vrai beau jour pour se battre.

– Attendez un peu à ce soir, disait Lebrac, le sourire aux lèvres.

Un vent de joie passait sur l'armée de Longeverne. Les moineaux et les pinsons pépiaient et sifflaient sur les tas de fagots et dans les
45 pruniers des vergers ; comme les oiseaux, eux aussi, ils chantaient ; le soleil les égayait, les rendait confiants, oublieux et sereins. Les soucis de la veille et la raclée du général étaient déjà loin et on fit une épique partie de saute-mouton jusqu'à l'heure de l'entrée en classe.

50 Il y eut, au coup de sifflet du père Simon, une véritable suspension de joie, des plis soucieux sur les fronts, des marques d'amertume aux lèvres et du regret dans les yeux. Ah ! la vie !...

– Sais-tu tes leçons, Lebrac ? demanda confidentiellement La Crique.

---

1. **Houkssé :** excité ; de « houksser », exciter contre quelqu'un.
2. **Fûts :** partie du tronc d'un arbre située entre le sol et la première grosse branche.
3. **Baliveaux :** jeunes arbres.
4. **Futaies :** ensemble d'arbres de haut fût.

La Guerre des boutons

55   – Heu oui... pas trop ! Tâche de me souffler si tu peux, hein !
S'agirait pas ce soir de se faire coller comme samedi. J'ai bien appris
le système métrique, j'sais tous les poids par cœur : en fonte, en
cuivre, à godets[1] et les petites lames par-dessus le marché, mais
j'sais pas ce qu'il faut pour être électeur. Comme mon père a vu le
60   père Simon, je vais sûrement pas y couper à une leçon ou à une
autre ! Pourvu que j'y saute[2] en système métrique !

     Le vœu de Lebrac fut exaucé, mais la chance qui le favorisa
faillit bien, par contrecoup, être fatale à son cher Camus, et sans
l'intervention aussi habile que discrète de La Crique, qui jouait des
65   lèvres et des mains comme le plus pathétique des mimes, ça y était
bien, Camus était bouclé[3] pour le soir.

     Le pauvre garçon qui, on s'en souvient, avait déjà failli écoper[4]
les jours d'avant à propos du « citoyen », ignorait encore et totalement les conditions requises pour être électeur.

70   Il sut tout de même, grâce à la mimique de La Crique brandissant sa dextre[5] en fourchette, les quatre doigts en l'air et le pouce
caché, qu'il y en avait quatre.

     Pour les déterminer, ce fut beaucoup plus dur. Camus, simulant
une amnésie[6] momentanée et partielle, le front plissé, les doigts
75   énervés, semblait profondément réfléchir et ne perdait pas de vue
La Crique, le sauveur, qui s'ingéniait.

     D'un coup d'œil expressif il désigna à son camarade la carte de
France par Vidal-Lablache appendue au mur ; mais Camus, peu au
courant, se méprit[7] à ce geste équivoque[8] et au lieu de dire qu'il
80   faut être français, il répondit à l'ahurissement général qu'il fallait
savoir « sa giographie[9] ».

---

1. **À godets :** poids en forme de godets (petits récipients) s'emboîtant les uns dans les autres.
2. **Pourvu que j'y saute :** pourvu que je ne sois pas interrogé.
3. **Bouclé :** en retenue.
4. **Écoper :** être puni.
5. **Dextre :** main droite.
6. **Amnésie :** absence de souvenirs.
7. **Se méprit :** se trompa.
8. **Équivoque :** dont le sens n'est pas clair.
9. **Giographie :** géographie.

Le père Simon lui demanda s'il devenait fou ou s'il se fichait du monde, tandis que La Crique, navré d'être si mal compris, haussait imperceptiblement les épaules en tournant la tête.

85 Camus se ressaisit. Une lueur brilla en lui et il dit :

– Il faut être du pays !

– Quel pays ? hargna[1] le maître, furieux d'une réponse aussi imprécise, de la Prusse ou de la Chine ?

– De la France ! reprit l'interpellé : être français !

90 – Ah ! tout de même ! nous y sommes ! Et après ?

– Après ?

Ses yeux imploraient La Crique.

Celui-ci saisit dans sa poche son couteau, l'ouvrit, fit semblant d'égorger Boulot, son voisin, et de le dévaliser, puis il tourna la tête

95 de droite à gauche et de gauche à droite.

Camus saisit qu'il ne fallait pas avoir tué ni volé ; il le proclama incontinent[2] et les autres, par l'organe[3] autorisé de La Crique, auquel ils mêlèrent leurs voix, généralisèrent la réponse en disant qu'il fallait jouir de ses droits civils[4].

100 Cela n'allait fichtre pas si mal et Camus respirait. Pour la troisième condition, La Crique fut très expressif : il porta la main à son menton pour y caresser une absente barbiche, effila d'invisibles et longues moustaches, porta même ailleurs ses mains pour indiquer aussi la présence en cet endroit discret d'un système pileux parti-

105 culier, puis, tel Panurge faisant *quinaud l'Angloys qui arguoit par signe*[5], il leva simultanément en l'air et deux fois de suite ses deux mains, tous doigts écartés, puis le seul pouce de la dextre, ce qui évidemment signifiait vingt et un. Puis il toussa en faisant han ! et Camus, victorieux, sortit la troisième condition :

---

1. **Hargna :** hurla sur un ton hargneux, plein de haine et de colère.
2. **Incontinent :** aussitôt.
3. **L'organe :** la voix.
4. **Jouir de ses droits civils :** avoir le droit de voter ou éventuellement de se présenter à une élection. Les gens qui subissent une condamnation perdent ces droits pour une période plus ou moins longue.
5. **Panurge faisant *quinaud l'Angloys qui arguoit par signe* :** allusion au chapitre 19 de *Pantagruel* de l'écrivain français François Rabelais (1494-1553), « Comment Panurge confondit (vint à bout de) l'Anglais qui arguait (argumentait, raisonnait) par signes ».

La Guerre des boutons

– Avoir vingt et un ans.

– À la quatrième ! maintenant, fit le père Simon, tel un patron de jeu de tourniquet[1], le soir de la fête patronale[2].

Les yeux de Camus fixèrent La Crique, puis le plafond, puis le tableau, puis de nouveau La Crique ; ses sourcils se froncèrent comme si sa volonté impuissante brassait les eaux de sa mémoire.

La Crique, un cahier à la main, traçait de son index d'invisibles lettres sur la couverture.

Qu'est-ce que ça pouvait bien vouloir dire ? Non, ça ne disait rien à Camus ; alors le souffleur fronça le nez, ouvrit la bouche en serrant les dents, la langue sur les lèvres, et une syllabe parvint aux oreilles du naufragé : « Iste ! »

Il ne pigeait[3] pas davantage et tendait de plus en plus le cou du côté de La Crique, tant et tant que le père Simon, intrigué de cet air idiot que prenait l'interrogé, fixant obstinément le même point de la salle, eut l'idée saugrenue, bizarre et stupide de se retourner brusquement.

Ce fut un demi-malheur, car il surprit la grimace de La Crique et l'interpréta fort mal, en déduisant que le garnement se livrait derrière son dos à une mimique simiesque[4] dont le but était de faire rire les camarades aux dépens de leur maître.

Aussi lui bombarda-t-il aussitôt cette phrase vengeresse :

– La Crique, vous me ferez pour demain matin le verbe « faire le singe » et vous aurez soin au futur et au conditionnel de mettre « je ne ferai plus » et « je ne ferais plus le singe » au lieu de « je ferai ». C'est compris ?

Il se trouva dans la salle un imbécile pour rire de la punition : Bacaillé, le boiteux, et cet acte stupide de mauvaise camaraderie eut pour conséquence immédiate de mettre en colère le maître d'école, lequel s'en prit violemment à Camus, qui risquait fort la retenue :

– Enfin vous ! allez-vous me dire la quatrième condition ?

La quatrième condition ne venait pas ! La Crique seul la connaissait.

---

1. **Jeu de tourniquet :** loterie.
2. **Fête patronale :** jour où on célèbre le saint patron d'une paroisse.
3. **Pigeait :** comprenait.
4. **Simiesque :** de singe.

« Foutu pour foutu, pensa-t-il, il fallait au moins en sauver un »,
aussi avec un air plein de bonne volonté et fort innocent, comme
s'il eût voulu faire oublier sa mauvaise action d'auparavant, répondit-il
145 en lieu et place de son féal[1] et très vite pour que l'instituteur ne
pût lui imposer silence.

– Être inscrit sur la liste électorale de sa commune !

– Mais qui est-ce qui vous demande quelque chose ? Est-ce que
je vous interroge, vous, enfin ? tonna le père Simon de plus en plus
150 monté[2], tandis que son meilleur écolier prenait un petit air contrit[3]
et idiot qui jurait avec son ressentiment[4] intérieur.

Ainsi s'acheva la leçon sans autre anicroche[5] ; mais Tintin glissa
dans l'oreille de Lebrac :

– T'as-t'y vu, ce sale bancal ? tu sais, je crois qu'il faut faire atten-
155 tion ! y a pas de fiance[6] à avoir en lui, il doit cafarder !

– Tu crois ? sursauta Lebrac. Ah ! par exemple !

– J'ai pas de preuves, reprit Tintin, mais ça m'épaterait pas, il est
en dessour[7], c'est un surnois[8] et j'aime pas ces types-là, moi !

Les plumes grincèrent sur le papier pour la date qu'on mettait.
160 Lundi... 189... Éphémérides[9] : commencement de la guerre avec
les Prussiens. Bataille de Forbach[10] !

– Dis, Tintin, demanda Guignard, je vois pas bien, est-ce que
c'est Forbach ou Morbach ?

---

1. **Féal** : compagnon fidèle, dévoué.
2. **Monté** : remonté, c'est-à-dire furieux.
3. **Contrit** : l'air confus de celui qui a commis une faute.
4. **Ressentiment** : rancune, hostilité.
5. **Anicroche** : difficulté, complication.
6. **Fiance** : confiance.
7. **En dessour** : en dessous, pas franc.
8. **Surnois** : sournois.
9. **Éphémérides** : livre indiquant des événements arrivés le même jour de l'année, à
différentes époques.
10. **Forbach** : la bataille de Forbach s'est déroulée le 6 août 1870, alors que la France
était en guerre avec la Prusse (Allemagne).

La Guerre des boutons

– C'est Forbach ! Des Morbachs[1] c'est l'artilleur[2] de chez Camus
qui en parlait aux Chantelots l'autre dimanche qu'il était en permission. Forbach ! ça doit être un pays !

Le devoir se fit en silence, puis un marmottement[3] sourd, crois-
sant peu à peu en volume et en intensité, indiqua qu'il était fini
et que les écoliers profitaient du répit qu'ils avaient entre les
deux exercices pour repasser[4] la leçon suivante ou échanger des
vues personnelles sur les situations respectives des deux armées
belligérantes.

Lebrac triompha en système métrique. Les mesures de poids
c'est comme les mesures de longueur, il y a même deux multiples
en plus ; et il jonglait intellectuellement avec les myriagrammes[5] et
les quintaux métriques ni plus ni moins qu'un athlète forain avec
des haltères de vingt kilos ; il ébahit même le père Simon en lui
débitant du plus gros au plus petit tous les poids usuels, sans rien
omettre de leur description particulière.

– Si vous saviez toujours vos leçons comme celle-ci, affirma le
maître, je vous mènerais au certificat l'année prochaine.

Le certificat d'études, Lebrac n'y tenait pas : s'appuyer[6] des
dictées, des calculs, des compositions françaises, sans compter la
« giographie » et l'histoire, ah ! mais non, pas de ça ! Aussi les compliments ni les promesses ne l'émurent, et s'il eut le sourire, ce fut
tout simplement parce qu'il se sentait sûr maintenant, même s'il
flanchait un peu en histoire et en grammaire, d'être lâché quand
même le soir à cause de la bonne impression qu'il avait produite le
matin.

Quand quatre heures sonnèrent, qu'ils eurent filé à la maison
prendre le chanteau[7] de pain habituel et qu'ils se trouvèrent de
nouveau rassemblés à la carrière à Pepiot, Camus, certain d'être en
avance, partit avec Grangibus et Gambette pour surveiller la lisière,

---

1. **Morbachs :** morpions (poux de sexe).
2. **Artilleur :** militaire en charge du matériel de guerre (canons, etc.).
3. **Marmottement :** murmure, marmonnement.
4. **Repasser :** réviser.
5. **Myriagrammes :** mesure de poids qui vaut dix mille grammes.
6. **S'appuyer :** supporter.
7. **Chanteau :** quignon, morceau de pain.

pendant que le reste de l'armée filait en toute hâte se mettre en
195 tenue de bataille.

Camus, arrivé, monta sur son arbre et regarda. Rien encore n'apparaissait ; il en profita pour resserrer les ficelles qui rattachaient les
élastiques à la fourche et au cuir de sa fronde et pour trier ses
cailloux : les meilleurs dans les poches de gauche, les autres dans
200 celles de droite.

Pendant ce temps, sous la garde de Boulot, qui désignait à chacun sa place et alignait de grosses pierres pour y poser les habits
afin qu'ils ne se salissent point, les soldats de Lebrac et le chef se
déshabillaient.

205 – Prends mon fiautot[1], fit Tintin à Boulot, et grimpe sur le chêne
que voilà. Si, des fois, tu voyais le noir[2] ou le fouette-cul[3] ou
quelqu'un que tu ne connaisses pas, tu sifflerais deux coups pour
qu'on puisse se sauver.

À ce moment, Lebrac, qui était en tenue, poussa une exclama-
210 tion de colère en se frappant le front :

– Nom de Dieu de nom de Dieu ! Comment que j'y ai pas songé ?
on n'a point de poche pour mettre les cailloux.

– Merde ! c'est vrai ! constata Tintin.

– Ce qu'on est bête, confessa La Crique. Il n'y a que les triques,
215 c'est pas assez !

Et il réfléchit une seconde…

– Prenons nos mouchoirs et mettons les cailloux dedans. Quand
il n'y aura pus rien à lancer, chacun roulera le sien autour de son
poignet.

220 Bien que les mouchoirs ne fussent souvent que des morceaux
hors d'usage de vieilles chemises de toile ou des débris de torchons, il se trouva une bonne demi-douzaine de combattants qui
n'en étaient point pourvus, et ce, pour la simple raison que, leurs
manches de blouse les remplaçant avantageusement à leur gré, ils
225 ne tenaient point du tout, en sages qu'ils étaient, à s'encombrer de
ces meubles[4] inutiles.

---

1. **Fiautot :** sifflet (note de Louis Pergaud).
2. **Le noir :** le curé ; appelé ainsi car il portait une soutane noire.
3. **Le fouette-cul :** le garde champêtre Zéphirin, surnommé le Bédouin.
4. **Meubles :** objets utiles dans la maison.

Prévenant l'objection de ces jeunes philosophes, Lebrac leur désigna comme « musette à godons[1] » leur casquette ou celle de leur voisin, et tout fut ainsi réglé au mieux des intérêts de la troupe.

230   – On y est ?... demanda-t-il ensuite. En avant, alorsse !

Et, lui en tête, Tintin le suivant, puis La Crique, puis les autres, au petit bonheur[2], tous, le bâton à la main droite, le mouchoir lié aux quatre coins et plein de cailloux à l'autre, ils avancèrent lentement, leurs formes fluettes ou rondouillardes, légèrement frissonnantes, se découpant en blanc sur la couleur sombre du défilé. En cinq minutes, ils furent au Gros Buisson.

Camus, juste à ce moment, engageait les hostilités et « ciblait » Migue la Lune à qui il voulait absolument, disait-il, casser la gueule.

Il était temps cependant que le gros des forces de Longeverne arrivât. Les Velrans, prévenus par Touegueule, émule[3] et rival de Camus, de la seule présence de quelques ennemis, et enfiévrés encore au souvenir de leur victoire de l'avant-veille, se préparaient à ne faire qu'une bouchée de ceux qui se trouvaient devant eux. Mais au moment précis où ils débouchaient de la forêt pour se former en colonne d'assaut, une gerbe écrasante de projectiles leur dégringola sur les épaules qui les fit tout de même réfléchir et émoussa[4] leur enthousiasme.

Touegueule, qui était descendu pour prendre part à la curée[5], regrimpa sur son foyard[6] pour voir si, d'aventure, des renforts n'étaient pas arrivés au Gros Buisson ; mais il s'aperçut tout simplement que Camus était redescendu de son arbre et, la fronde bandée, se tenait près de Grangibus et de Gambette, ces derniers aussi sur la défensive. Rien de nouveau par conséquent. C'est que les guerriers de Longeverne, tout transis[7] et grelottants, s'étaient

---

1. **Musette à godons** : sac de toile souvent porté en bandoulière, qui servira ici à transporter les godons (fruits rouges de l'églantier servant ici de projectiles).
2. **Au petit bonheur** : au hasard.
3. **Émule** : personne qui cherche à égaler et à surpasser quelqu'un d'autre.
4. **Émoussa** : affaiblit.
5. **Curée** : part d'une bête tuée à la chasse et destinée aux chiens.
6. **Foyard** : hêtre.
7. **Transis** : gelés.

255 coulés silencieusement derrière les fûts[1] des arbres et sous les fourrés épais et ne bougeaient « ni pieds ni pattes ».

– Ils vont recommencer l'assaut, prédit Lebrac à mi-voix ; on a
eu tort peut-être de lancer trop de cailloux tout à l'heure ; pourvu
qu'ils ne se doutent pas qu'on les attend.

260 – Attention ! prenez vos godons, laissez-les venir tout près, alors
je commanderai le feu et aussitôt la charge !

L'Aztec des Gués, rassuré par l'exploration de Touegueule, pensa
que si les ennemis ne se montraient pas et faisaient ainsi que le
samedi d'avant, c'était qu'ils se trouvaient, de même que ce jour-là,

265 sans chef et en état d'infériorité numérique notoire[2]. Il décida donc,
immédiatement approuvé par les grands conseillers, enthousiastes
encore au souvenir de la prise de Lebrac, qu'il serait bon aussi de
piger[3] Camus qui justement remontait sur son chêne.

Celui-là sûrement n'aurait pas le temps de fuir, il n'y couperait
270 pas cette fois, il serait chauffé[4] et y passerait tout comme Lebrac.
Depuis longtemps déjà ses cailloux et ses billes faisaient trop de
blessés dans leurs rangs, il était urgent vraiment de lui donner une
bonne leçon et de lui rafler sa fronde.

Ils le laissèrent commodément s'installer.

275 Les dispositions de combat n'étaient pas longues à prendre
pour ces escarmouches[5] où la valeur personnelle et l'élan général
décidaient le plus souvent de la victoire ou de la défaite ; aussi,
l'instant d'après, les bâtons follement tournoyant, poussant des ah !
ahr ! gutturaux[6] et féroces, les Velrans, confiants en leur force, fon-
280 dirent impétueusement sur le camp ennemi.

On aurait entendu voler une mouche au Gros Buisson de Longeverne : seule la fronde de Camus claquait, lançant ses projectiles…

Les gars nus, tapis, à genoux ou accroupis, frissonnant de froid
sans oser se l'avouer, tenaient tous le caillou dans la main droite et
285 la trique en la gauche.

---

1. **Fûts :** partie du tronc d'un arbre située entre le sol et la première grosse branche.
2. **Notoire :** évidente.
3. **Piger :** piéger.
4. **Chauffé :** fait prisonnier (argot).
5. **Escarmouches :** combats localisés et de courte durée.
6. **Gutturaux :** qui viennent du fond de la gorge.

La Guerre des boutons

Lebrac au centre, au pied du chêne de Camus, debout, le corps entièrement dissimulé par le fût du gros arbre, tendait en avant sa tête farouche, dardant[1] sous ses sourcils froncés ses yeux fixes et flamboyants, le poing gauche serrant nerveusement son sabre de
290 chef à garde de ficelle de fouet.

Il suivait le mouvement ennemi, les lèvres frémissantes, prêt à donner le signal.

Et tout d'un coup, se détendant comme un diable qui sort d'une boîte, tout son corps contracté bondit sur place, en même temps
295 que sa gorge hurlait comme dans un accès de démence le commandement impétueux :

– Feu !

Un frondonnement[2] courut comme un frisson. La rafale de cailloux de l'armée de Longeverne frappa la troupe des Velrans
300 en plein centre, cassant son élan, en même temps que la voix de Lebrac, beuglant rageusement et de tous ses poumons, reprenait :

– En avant ! en avant ! en avant, nom de Dieu !

Et telle une légion infernale et fantastique de gnomes subitement surgis de terre, tous les soldats de Lebrac, brandissant leurs épieux
305 et leurs sabres et hurlant épouvantablement, tous, nus comme des vers, bondirent de leur repaire mystérieux et s'élancèrent d'un irrésistible élan sur la troupe des Velrans.

La surprise, l'effarement, la frousse, la panique passèrent successivement sur la bande de l'Aztec des Gués qui s'arrêta, paralysée,
310 puis, devant le danger imminent[3] et qui grandissait de seconde en seconde, tourna bride[4] d'un seul coup et plus vite encore qu'elle n'était venue, à enjambées doubles, affolée littéralement, fila vers sa lisière protectrice sans qu'un seul parmi les fuyards osât seulement tourner la tête.

315 Lebrac, en avant toujours, brandissait son sabre ; ses grands bras nus gesticulaient ; ses jambes nerveuses faisaient des bonds de deux mètres, et toute son armée, libre de toute entrave[5], heu-

---

1. **Dardant :** jetant un regard aiguisé comme un dard, une flèche.
2. **Frondonnement :** bourdonnement produit par les frondes.
3. **Imminent :** qui va arriver d'un instant à l'autre.
4. **Tourna bride :** rebroussa chemin.
5. **Entrave :** obstacle.

reuse de se réchauffer, accourant d'une folle allure, tâtait déjà de la pointe de ses épieux et de ses lances les côtes des ennemis qui arrivaient enfin à la Grande Tranchée. On allait en chauffer.

Mais la fuite des Velrans ne s'arrêta point pour si peu. Le mur d'enceinte était là, avec le taillis derrière, clairsemé à la lisière pour s'épaissir après par degrés. La troupe en déroute de l'Aztec des Gués ne perdit pas son temps à chercher à passer à la queue leu leu dans la Grande Tranchée. Les premiers la prirent, mais les derniers n'hésitèrent point à bondir en plein taillis et à se frayer, des pieds et des mains et coûte que coûte, un chemin de retraite.

La tenue simplifiée des Longevernes ne leur permettait malheureusement pas de continuer la poursuite dans les ronces et les épines et, du mur de la forêt, ils virent leurs ennemis fuyant, lâchant leurs bâtons, perdant leurs casquettes, semant leurs cailloux, qui s'enfonçaient meurtris, fouettés, égratignés, déchirés parmi les épines et les fourrés de ronces comme des sangliers forcés[1] ou des cerfs aux abois.

Lebrac, lui, avait enfilé la Grande Tranchée avec Tintin et Grangibus. Il allait poser la griffe sur l'épaule frémissante de peur de Migue la Lune, dont il venait déjà de tanner[2] les reins avec son sabre, quand deux stridents coups de sifflet venant de son camp, en achevant la déroute ennemie, les arrêtèrent net eux aussi, lui et ses soldats.

Migue la Lune, laissant derrière lui un sillage odorant caractéristique qui témoignait de sa frousse intense, put s'échapper comme les autres et disparut dans le sous-bois.

Qu'y avait-il ?

Lebrac et ses guerriers s'étaient retournés, inquiets du signal de Boulot et soucieux quand même de ne pas se laisser surprendre dans cette tenue équivoque par un des gardiens laïque ou ecclésiastique, naturel ou autre, de la morale publique[3] de Longeverne ou d'ailleurs.

Jetant un regard de regret sur la silhouette de Migue la Lune, Lebrac remonta la tranchée pour regagner la lisière où ses soldats,

---

1. **Forcés :** épuisés.
2. **Tanner :** fouetter.
3. **Un des gardiens laïque ou ecclésiastique, naturel ou autre, de la morale publique :** le garde champêtre ou le curé.

écarquillant les prunelles, cherchaient, en attendant son retour, à se rendre compte de ce qui avait bien pu motiver le signal d'alarme de Boulot.

Camus qui, au moment de l'assaut, était redescendu de l'arbre, et avait, on s'en souvient, gardé ses vêtements, s'avança prudemment jusqu'au contour du chemin pour explorer les alentours.

Ah, ce ne fut pas long ! Il vit qui ?

Parbleu, cette vadrouille[1] de vieille brute de père Bédouin, lequel, ahuri lui aussi de ces deux coups de sifflet qui l'avaient fait tressauter, bourrait[2] ses mauvais quinquets[3] de tous les côtés, afin de saisir la cause mystérieuse de ce signal insolite et vaguement sinistre.

8
Justes représailles

> *Donec ponam inimicos tuos, scabellum pedum tuorum.*[4]
> (Vêpres du dimanche.)
> *(Psalmo… nescio quo.)*[5]
> Janotus de Bragmardo

LE PÈRE Bédouin vit Camus en même temps que l'aperçut celui-ci, mais si le gosse avait parfaitement reconnu le vieux du premier coup, la réciproque n'était heureusement pas vraie[6].

Seulement, le garde champêtre sentant, avec son flair de vieux briscard[7], que le galapiat[8] qu'il avait devant lui devait être pour quelque chose dans cette nouvelle affaire ou tout au moins pourrait lui donner quelques renseignements ou explications, il lui fit signe de l'attendre et marcha droit à lui.

---

1. **Vadrouille :** voyou, débauché.
2. **Bourrait :** ouvrait grand, remplissait.
3. **Quinquets :** yeux (argot).
4. *Donec [...] tuorum :* jusqu'à ce que je fasse de vos ennemis l'escabeau de vos pieds. La prière est précédée de « *Dixit Domino meo : sede a dextris meis* », ce qui signifie « Le Seigneur a dit à mon Seigneur : Asseyez-vous à ma droite ».
5. *Psalmo… nescio quo :* Par Dieu ! Monsieur, mon ami ! les plus grands clercs ne sont pas les plus sages. Proverbe moyennageux cité par Rabelais (*Gargantua*, chap. XXXIX).
6. **La réciproque n'était heureusement pas vraie :** le père Bédouin, lui, n'a pas reconnu Camus.
7. **Briscard :** soldat expérimenté.
8. **Galapiat :** vaurien.

Cela faisait bien l'affaire de Boulot qui appréhendait fort que ce
vieux sagouin ne vînt de son côté et ne découvrît le garde-meuble[1]
des camarades de Longeverne. Boulot, pour l'empêcher de parvenir
à cet endroit, était résolu à tout employer et le meilleur moyen
était encore l'injure à courte distance, pourvu toutefois qu'on eût,
comme c'était le cas, des arbres et des buissons afin de se dissimuler et de n'être point reconnu. De cette façon, en jouant habilement des jambes, on pouvait entraîner le vieux très loin du terrain
de combat :

Quand la perdrix
Voit ses petits
En danger, et n'ayant qu'une plume nouvelle...

Boulot avait appris la fable ; cette ruse d'oiseau lui avait plu et,
comme il n'était pas plus bête qu'une perdrix dont il imitait à s'y
méprendre le tirouit, il saurait bien, lui aussi, entraîner au loin et
semer Zéphirin.

Ce petit jeu cependant n'allait pas sans quelques risques et com-
plications, dont les plus graves étaient la présence ou la venue en
ces lieux d'un habitant du village ayant bon pied et bon œil qui le
dénoncerait au garde, ou même (ça s'était vu), s'il était parent, allié
ou ami, s'autoriserait de cette familiarité pour venir attraper par
l'oreille le délinquant et le conduire en cette posture au représentant de la force publique, situation fâcheuse comme on peut croire.

Et comme Boulot était prudent, il préférait ne pas se mettre dans
le cas d'encourir[2] ce risque. Il n'avait, d'autre part, pas de notions
exactes sur l'issue de la bataille et la façon dont Lebrac avait dirigé
ses troupes. Les cris entendus lui avaient seulement appris qu'un
sérieux assaut avait été donné. Oui, mais où en étaient maintenant
les camarades ?

Graves questions !

Camus, lui, comme bien on pense, ne perdit pas son temps à attendre
le garde champêtre. Dès qu'il eut vu que l'autre voulait le rejoindre
et se dirigeait de son côté, il fit prestement demi-tour, se baissa en
sautant dans le ravin et fila vers les camarades en leur criant, pas

---

1. **Garde-meuble :** cachette.
2. **Encourir :** tenter.

trop fort du reste, de fuir par en haut, puisque le Charognard, ainsi désignait-il le trouble-guerre, venait du côté du bas.

45 Zéphirin[1], voyant s'enfuir Camus, ne douta pas un seul instant que ces sales morveux étaient encore en train « de lui en jouer une » ; il se souvint du coup de l'avant-veille où l'autre lui avait montré son derrière sans voiles et, comme il se sentait d'attaque ce soir-là, il piqua un pas de gymnastique pour rattraper le galopin.

50 Suant et soufflant, il arriva juste à point pour voir la nichée[2] des gaillards, nus comme des vers, fuir et disparaître entre les buissons du haut de la Saute, tout en hurlant à son adresse des injures sur le sens desquelles il n'y avait pas à se méprendre.

– Vieux salaud ! putassier ! vérolard ! vieux bac ! hé ! on t'emm... !
55 – Petits cochons, ah ! dégoûtants, polissons, mal élevés, ripostait le vieux, reprenant sa course. Ah ! que j'en attrape un seulement ; je lui coupe les oreilles, je lui coupe le nez, je lui coupe la langue, je lui coupe...

Bédouin voulait tout couper.

60 Mais pour en attraper un, il aurait fallu avoir des jambes plus agiles que ses vieilles guibolles ; il battit bien les buissons de tous côtés, mais ne trouva rien et suivit de loin, à la voix, une trace qu'il crut bonne, mais qui devait bientôt lui faire faux bond elle aussi.

Camus, Grangibus et La Crique, tous trois vêtus, pour protéger
65 le retour et la mise en tenue de leurs camarades, avaient réalisé ce que Boulot avait eu un instant l'intention de faire et attiré Zéphirin par les pâtures de Chasalans, loin, loin, du côté de Velrans, afin aussi de lui donner le change[3] et lui laisser croire, sa faible vue aidant, que c'étaient les gamins du village ennemi qui étaient les
70 seuls coupables de cet attentat à sa dignité de vieux défenseur de la « Pâtrie » et de représentant de la « loâ ».

Tous les signaux de méfiance et de ralliement étant convenus d'avance, le bois ennemi étant désert, Camus et ses deux acolytes[4], quand ils jugèrent le moment venu, cessèrent de crier des injures à
75 Bédouin, firent un brusque crochet dans les champs, longèrent en

---

1. **Zéphirin :** autre nom du garde champêtre.
2. **La nichée :** la quantité, la masse (argot).
3. **Lui donner le change :** le tromper.
4. **Acolytes :** qui assistent le prêtre pendant la célébration de la messe.

rampant le mur de la pâture à Fricot, rentrèrent dans le bois et, par la tranchée du haut, vinrent déboucher dans les buissons du communal, à une centaine de mètres au-dessus du coude du chemin, c'est-à-dire du champ de bataille.

80 Il était bien désert à ce moment-là, le champ de bataille, et rien n'y rappelait la lutte épique de l'heure précédente ; mais, dans les buissons du bas, ils entendirent le tirouit des Longevernes qui, régulièrement, les rappelait.

Grâce à leur habile diversion[1], en effet, la troupe surprise avait 85 pu regagner le camp que gardait Boulot et, à la hâte, dare-dare[2], remettre chemises, culottes et blousons et souliers. Boulot, affairé, allait de l'un à l'autre, aidant de toutes ses mains, n'ayant pas assez de ses dix doigts pour rentrer les pans de chemise, ajuster les bretelles, boutonner les pantalons, ramasser les casquettes, lacer 90 des cordons de souliers et veiller à ce que personne ne perdît ni n'oubliât rien.

En moins de cinq minutes, jurant et grognant contre cette sacrée vieille fripouille de garde qui se trouvait toujours où on ne le demandait pas, les soldats de l'armée ayant, avec une juste satisfac-95 tion, réintégré leurs pelures[3], et demi-satisfaits d'une demi-victoire dans laquelle on n'avait pas fait de prisonniers, s'échelonnaient du haut en bas en quatre ou cinq groupes pour rappeler les trois éclaireurs aux prises avec Bédouin.

– Il me le paiera celui-là ! faisait Lebrac, oui, il me le paiera. C'est 100 pas la première fois que ça lui arrive de chercher à me faire des misères. Ça ne peut pas se passer comme ça, ou ben y aurait pus de bon Dieu, pus de justice, pus rien ! Ah ! non ! nom de Dieu, non ! ça ne se passera pas comme ça !

Et le cerveau de Lebrac ruminait une vengeance compliquée et 105 terrible, et ses camarades, eux aussi, réfléchissaient profondément.

---

1. **Diversion :** manœuvre visant à détourner l'attention de l'adversaire et à l'attirer vers une zone différente de celle sur laquelle on compte attaquer.
2. **Dare-dare :** à toute vitesse.
3. **Pelures :** vêtements (argot).

– Dis donc, Lebrac, proposa Tintin, il y a ses pommes au vieux, si on allait un peu lui caresser ses arbres à coups d'avarchots[1], pendant qu'il nous cherche à Chasalans ! hein ! qu'en dis-tu ?

– Et lui faire sauter son carré de choux, compléta Tigibus.

110 – Lui casser ses carreaux ! fit Guerreuillas.

– Ça, c'est des idées ! convint Lebrac qui, lui aussi, avait la sienne ; mais attendons les autres. Et puis, on ne peut guère faire ça de jour. Des fois que si on était vu, il pourrait bien nous faire aller en prison avec des témoins... un vieux cochon comme ça, 115 que ça n'a ni cœur ni entrailles, faut pas s'y fier, vous savez. Enfin, on verra bien.

– Tirouit ! interrogea-t-on dans les buissons du couchant[2].

– Les voici ! fit Lebrac, et il imita à trois reprises le rappel de la perdrix grise.

120 Une forte sabotée, frappant le sol à coups redoublés, lui apprit la venue des trois éclaireurs et le rassemblement à son poste des divers groupes disséminés par le coteau. Quand tout le monde fut réuni, les coureurs s'expliquèrent :

Zéphirin, assurèrent-ils, jurait les « tonnerre » et les « bordel de 125 Dieu » contre ces sales petits morpions de Velrans qui venaient emmerder les honnêtes gens jusque sur leur territoire, et le pauvre bougre suait et s'épongeait et soufflait, tel un carcan poussif[3] qui tire une voiture de deux mille, en montant une levée de grange[4] rapide comme un toit.

130 – Ça va bien ! affirma Lebrac. Il veut repasser par ici, faudra que quelqu'un reste pour le guetter.

La Crique, qui était déjà psychologue et logicien, émit une opinion :

– Il a eu chaud, par conséquent il a soif ; donc il va s'en retour-135 ner tout droit au pays pour aller prendre sa purée[5] chez Fricot

---

1. **Avarchots :** bouts de bois qu'on lance pour faire tomber les fruits (note de Louis Pergaud).
2. **Couchant :** à l'ouest.
3. **Carcan poussif :** vieux cheval qui s'épuise sous l'effort.
4. **Levée de grange :** plan doucement incliné permettant aux chars lourds de foin ou de récoltes de grimper aux greniers de l'étage.
5. **Purée :** désigne une boisson alcoolisée, de l'absinthe (alcool très fort) ou du cidre.

l'aubergiste. Faudrait peut-être bien que quelqu'un aille aussi par là-bas !

– Oui, approuva le chef, c'est vrai : trois ici, trois là-bas ; les autres vont tous venir avec moi dans le bois du Teuré ; maintenant, j'sais ce qu'il faut faire.

« Il en faudra un malin près de chez Fricot, continua-t-il ; La Crique va y partir avec Chanchet et Pirouli : vous jouerez aux billes sans avoir l'air de rien.

« Boulot, lui, restera ici, calé dans la carrière avec deux autres : faudra bien regarder et bien écouter ce qu'il dira ; quand le vieux sera loin et qu'on saura ce qu'il va faire, vous viendrez tous nous retrouver au bout de la vie[1] à Donzé, près de la Croix du Jubilé. Alors on verra et je vous dirai de quoi il retourne[2]. »

La Crique fit remarquer que ni lui ni ses camarades n'avaient de billes et Lebrac, généreusement, lui en donna une douzaine (pour un sou, mon vieux) afin qu'ils pussent, devant le garde, soutenir convenablement leur rôle.

Et, sur une dernière recommandation du chef, La Crique, plein de confiance en soi, ricana :

– T'embête pas, ma vieille ! je me charge bien de lui monter le coup proprement à ce vieux trou du c…-là !

La dislocation s'opéra sans tarder.

Lebrac avec le gros de la troupe gagna le bois du Teuré et, sitôt qu'on y fut, ordonna à ses hommes d'arracher des grands arbres les plus longues chaînes de véllie ou vélière (clématite)[3] qu'ils pourraient trouver.

– Pour quoi faire ? demandèrent-ils. Pour fumer ? Ah ! ah ! on va faire des cigares, chouette !

– Ne la cassez pas, surtout, reprit Lebrac, et trouvez-en autant que vous pourrez : vous verrez bien plus tard. Toi, Camus, tu grimperas aux arbres pour la détacher, tu monteras haut, il en faut de longs bouts.

– Pour ça, je m'en charge, fit le lieutenant.

---

1. **Vie :** voie, chemin (note de Louis Pergaud).
2. **De quoi il retourne :** quelle est exactement la situation.
3. **Chaînes de véllie ou vélière (clématite) :** plante grimpante.

– Auparavant, y en a-t-il qui auraient de la ficelle, par hasard ?
170 questionna le chef.

Tous en avaient des morceaux d'une longueur variant de un à trois pieds. Ils les présentèrent.

– Gardez-les ! – Oui ! conclut-il en réponse à une question intérieure qu'il s'était posée, gardez-les et trouvons de la véllie.

175 Dans la vieille coupe[1], ce n'était pas difficile à découvrir, c'était ça qui manquait le moins. Le long des grands chênes, des foyards, des charmes[2], des bouleaux, des poiriers sauvages, de presque tous les arbres, les souples et durs lacets montaient, grimpaient, s'accrochaient par leurs feuilles en vrilles aux fûts noueux, s'enroulaient,
180 serpents végétaux et vivaces, pour escalader l'azur, conquérir la lumière et boire, avec chaque aurore, leur lampée de soleil. Il y avait en bas et presque partout sur le sol des vieilles souches grises, dures et raides, s'écaillant en filaments comme du bœuf bouilli trop cuit, pour s'effiler au sommet en fouets souples et résistants.

185 Camus grimpait ; Tétas et Guignard aussi ; ils formaient trois chantiers qui opéraient simultanément sous l'œil vigilant de Lebrac.

Ah ! c'était bientôt fait, l'escalade. Quelque gros que fût l'arbre, Camus, comme un lutteur antique, l'attaquait à bras-le-corps, fran-
190 chement ; souvent même ses bras trop courts n'arrivaient pas à en étreindre complètement le tronc. Qu'importe ! Ses mains aplaties s'accrochaient comme des ventouses à tous les nœuds d'écorce, ses jambes se croisaient enlaçantes comme des ceps de vigne tortus[3] et une détente solide de jarrets vous le projetait d'un seul coup à
195 trente ou cinquante centimètres plus haut ; là, nouvel agrippement de mains, nouvel arrimage[4] de jarrets et, en quinze ou vingt secondes, il accrochait la première branche.

Alors ça ne traînait plus : un rétablissement sur les avant-bras et la poitrine d'abord, puis les genoux arrivaient à hauteur de cette
200 barre fixe naturelle et s'y installaient, et puis les pieds ne tardaient pas à remplacer les genoux, et la montée jusqu'au sommet s'opérait

---

1. **Coupe :** exploitation forestière.
2. **Charmes :** arbres au bois blanc.
3. **Ceps de vigne tortus :** pieds de vigne à la fois tordus et courbes.
4. **Arrimage :** fixation.

ensuite aussi naturellement et facilement que par le plus commode des escaliers.

La liane végétale tombait vite entre leurs mains, car, au pied de l'arbre, un camarade à l'eustache[1] tranchant rasait la tige au niveau du sol tandis que trois ou quatre autres gars, tirant dessus avec toutes les précautions d'usage, l'amenaient à eux par degrés.

Que de fois les petits bergers avaient fait cela en été, à la Saint-Jean, et enguirlandé de verdure et de fleurs des champs les cornes de leurs bêtes ! La clématite, le lierre, les bleuets, les coquelicots, les marguerites, les scabieuses[2] mariaient leurs couleurs parmi la verdure sombre des couronnes tressées, pour lesquelles on rivalisait d'ingéniosité et de goût et c'était une joie, le soir, de voir revenir à pas pesants et faisant tinter leurs clochettes, les bonnes vaches aux grands yeux limpides, fleuries et couronnées comme des mariées de mai.

En rentrant, on accrochait le bouquet au-dessus de la porte de la cuisine, parmi les grands clous de baudrions où la panoplie luisante et rustique des faux jette ses feux sombres, et on l'y laissait, sous l'abri de l'auvent, se dessécher jusqu'à l'année suivante et plus longtemps quelquefois.

Mais il ne s'agissait pas de cela aujourd'hui.

– Dépêchons-nous, pressa Lebrac, qui voyait tomber la nuit et les brouillards du couchant se lever sur le moulin de Velrans.

Et, ayant fait rassembler le butin, après s'être livré mentalement à des opérations mathématiques compliquées et avoir avec soin auné[3] de ses bras étendus les liens dont on disposait, il décida le départ pour le carrefour de la Croix du Jubilé en passant entre les haies de la vie à Donzé.

Lebrac avait quatre morceaux de résistance, longs chacun d'environ dix mètres, et huit autres plus petits.

Chemin faisant, après avoir soigneusement recommandé de ne pas casser les grands bouts, il ordonna de nouer autant que possible les petits deux à deux et cependant que seize soldats portaient ces engins de combat et que les autres les regardaient, lui, le

---

1. **Eustache** : couteau de poche pouvant servir d'arme.
2. **Scabieuses :** plantes à fleurs bleu-mauve.
3. **Auné :** mesuré.

chef, se mit à réfléchir profondément jusqu'à l'arrivée au point de concentration.

— Qu'est-ce qu'on va faire, Lebrac ? interrogeaient tour à tour les gars. La nuit tombait peu à peu.

240 — Ça dépend ! répondit évasivement le chef.

— Il va bientôt être temps de rentrer, constata un des petits.

— Les autres ne viennent pas, ni Boulot, ni La Crique !

— Qu'est-ce qu'ils font ? Qu'est-ce qu'a pu devenir le vieux ?

On s'impatientait enfin, et l'air mystérieux du chef n'était pas
245 pour calmer l'énervement général :

— Ah ! voici Boulot avec ses hommes ! s'esjouit[1] Camus.

— Eh bien ! Boulot ?

— Eh bien ! reprit l'autre, il a passé par la grand-route, tout en bas, et on aurait pu l'attendre longtemps, si j'avais pas eu l'œil ! Il a
250 dû redescendre le bois et regagner la route par le petit sentier qui part de la sommière[2]. Nous l'avons vu de la carrière. Il faisait des grands moulinets avec ses bras, tout comme Kinkin quand il est saoul. Il doit être salement en colère.

— Tigibus, commanda Lebrac, va voir ce que fait La Crique et tu
255 z'y diras de venir me dire tout de suite ce qui se passe.

Tigibus, docile, partit au triple galop, mais à trente sauts du groupe, un tirouit discret l'arrêta.

— C'est toi, La Crique ! Viens vite, mon vieux, viens vite dire où que ça en est !

260 Ils arrivèrent en quelques secondes. La Crique fut entouré et parla.

Un quart d'heure avant, rouge comme un coq, Bédouin s'était amené alors qu'ils jouaient tous trois bien tranquillement aux billes devant chez Fricot.

Tous en chœur lui avaient souhaité le bonsoir et le vieux leur
265 avait dit :

— À la bonne heure ! au moins, vous, vous êtes de bons petits garçons ; c'est pas comme vos camarades, un tas de salauds, de grossiers, je les foutrai dedans !

---

1. **S'esjouit :** se réjouit.
2. **Sommière :** clairière.

La Crique avait regardé le garde avec des quinquets[1] comme des
270 portes de grange qui disaient sa stupéfaction, puis il avait répondu
à M. Zéphirin qu'il devait sûrement se tromper, qu'à cette heure
tous leurs camarades devaient être rentrés chez eux où ils aidaient
la maman à faire les provisions d'eau et de bois pour le lendemain,
ou bien secondaient à l'écurie le papa en train d'arranger[2] les bêtes.
275 – Ah ! qu'avait fait Zéphirin. Alorsse, qui c'est donc qu'était à la
Saute tout à l'heure ?
– Ça, m'sieu le garde, j'sais pas, mais ça m'étonnerait pas que ça
« soye » les Velrans. Hier encore, tenez, ils ont acaillené[3] les deux
Gibus quand ils retournaient au Vernois. C'est des gosses mal éle-
280 vés, on voit bien que c'est des cafards, allez ! avait-il ajouté hypo-
critement, flagornant[4] l'anticléricalisme[5] du vieux soldat.
– Je m'en doutais, n... d. D... ! grogna Bédouin en grinçant ce qui
lui restait de dents, car, on s'en souvient, Longeverne était rouge,
et Velrans blanc, oui, n... de D... ! je m'en doutais ; les mal élevés !
285 c'est ça leur religion, montrer son cul aux honnêtes gens ! Race de
curés, race de brigands ! ah ! les salauds ! que j'en attrape un !
Et ce disant, Zéphirin, après avoir souhaité aux gosses de
bien s'amuser et d'être toujours sages, était entré boire sa petite
« purée » chez Fricot.
290 – Il crevait de soif ! continua La Crique ; aussi elle n'a pas fait
long feu, maintenant il sirote la seconde ; j'ai laissé Chanchet et
Pirouli là-bas pour le surveiller et venir nous prévenir au cas où il
sortirait avant mon retour.
– Ça va très bien ! conclut Lebrac, se déridant[6] tout à fait.
295 Maintenant quels sont ceusses qui peuvent rester encore un petit
moment ici ? Nous n'avons pas besoin d'être tous ensemble, au
contraire !
Huit se décidèrent, les chefs naturellement. Gambette, parmi
eux, fut plus long à prendre une résolution, il habitait loin, lui !

---

1. **Quinquets :** yeux.
2. **Arranger :** s'occuper de.
3. **Acaillené :** jeté des cailloux sur.
4. **Flagornant :** flattant bassement et avec insistance.
5. **Anticléricalisme :** le fait d'être contre la religion et les curés.
6. **Se déridant :** se détendant.

300 Mais Lebrac lui fit remarquer que les Gibus restaient bien et que, comme c'était lui le plus leste, on aurait sûrement besoin de son concours[1]. Stoïque[2], il se rendit aux raisons de son chef, risquant la raclée paternelle si l'alibi ne prenait pas.

– Maintenant, vous autres, exposa Lebrac, c'est pas la peine de
305 vous faire engueuler à la maison, allez-vous-en ! on fera bien sans vous ; demain on vous racontera comment que les choses se sont passées ; ce soir, vous nous gêneriez plutôt, et dormez tranquilles, le vieux va nous payer ses dettes. Surtout, ajouta-t-il, écampillez-vous[3], ne restez pas en bande, on pourrait peut-être se douter de
310 quéque chose et il ne faut pas de ça.

Quand la bande fut réduite à Lebrac, Camus, Tintin, La Crique, Boulot, les deux Gibus et Gambette, le chef exposa son plan.

Ils allaient tous, en silence, leurs cordes de véllie à la main traînant derrière eux, descendre la grande rue du village et les hommes
315 désignés à cet effet se placeraient aux endroits voulus, entre deux fumiers se faisant face.

Deux groupes de deux gars suffiraient pour tendre, en travers de la route, au passage du garde, les rets[4] traîtres qui le feraient trébucher, rouler à terre et passer pour plus saoul encore qu'il ne serait.
320 Il y aurait quatre endroits où l'on tendrait les embuscades.

On descendit : au fumier de chez Jean-Baptiste on laissa un lien et un autre à celui de chez Groscoulas : Boulot et Tigibus devaient revenir au dernier, La Crique et Grangibus à l'avant-dernier. En attendant ils continuèrent tous à avancer et Boulot, chef d'embus-
325 cade, s'arrêta avec son camarade au fumier de chez Botot, tandis que La Crique et son copain venaient se poster à celui de chez Doni.

Les autres allèrent relever de leur faction[5] Chanchet et Pirouli qu'ils renvoyèrent d'abord et immédiatement dans leurs foyers. Ensuite de quoi, ils s'en furent, à travers les carreaux, reluquer ce
330 que faisait le vieux.

---

1. **Concours :** aide.
2. **Stoïque :** qui ne montre aucune émotion.
3. **Écampillez-vous :** dispersez-vous.
4. **Rets :** filets.
5. **Faction :** poste de garde.

Il en était à sa troisième absinthe[1] et pérorait[2] comme un député sur ses campagnes réelles ou imaginaires, imaginaires plutôt, car on l'entendait dire :

– Oui, un jour que je m'en devais venir en permission depuis Alger à Marseille, j'arrive juste n... de D... que le bateau venait de partir.

« Qu'est-ce que je fais ? Y avait justement une bonne femme du pays qui lavait la buée[3] au bord de la mer. Je ne fais ni une ni deusse[4], j'y fous le nez dans un baquet, je renverse son cuveau[5], je saute dedans et avec ma crosse de fusil je rame dans le suillage[6] du bateau et je suis arrivé quasiment avant lui à Marseille. »

On avait le temps ! Gambette fut laissé en embuscade derrière un tas de fagots. Il devait, le moment venu, prévenir les deux groupes ainsi que Lebrac et ses acolytes de la sortie de Zéphirin.

En attendant, il put entendre le récit de la dernière entrevue de Bédouin avec son vieux copain l'empereur Napoléon III.

– Oui, comme je passais à Paris, près des Tuileries, je m'demandais si j'entrerais lui donner le bonjour, quand j'sens quelqu'un qui me tape sur l'épaule. Je me retourne... C'était lui ! « Oh ! ce sacré Zéphirin, qu'il a fait, comme ça se trouve ! Entrons, on va boire la goutte[7] ! Génie[8], cria-t-il à l'impératrice, c'est Zéphirin ; on va trinquer, rince deux verres ! »

Les trois gaillards, pendant ce temps, remontaient le village et arrivaient à la maison du garde.

Par une lucarne de la remise, Lebrac se glissa à l'intérieur, ouvrit à ses camarades une petite porte dérobée et tous trois, de couloir en couloir, pénétrèrent dans l'appartement de Bédouin où, un quart d'heure durant, ils se livrèrent à un mystérieux travail parmi les arrosoirs, les marmites, les lampes, le bidon de pétrole, les buffets, le lit et le poêle.

---

1. **Absinthe :** alcool très fort.
2. **Pérorait :** discourait abondamment.
3. **Lavait la buée :** lavait la lessive (note de Louis Pergaud).
4. **Ni une ni deusse :** ni une ni deux (sans hésiter).
5. **Cuveau :** cuve.
6. **Suillage :** sillage.
7. **La goutte :** alcool très fort.
8. **Génie :** abréviation d'Eugénie (note de Louis Pergaud).

360   Ensuite de quoi, le tirouit de Gambette annonçant le retour de leur victime, ils se retirèrent aussi discrètement qu'ils étaient entrés.

    Vivement ils accoururent au deuxième poste de Boulot où ils arrivèrent bien avant la venue de ce dernier.

    Le père Zéphirin, après avoir en effet une dernière fois encore
365 raconté à Fricot des histoires sur les « Arbis[1] » et les « chacails[2] » et parlé des « raquins[3] » qui « infectaient[4] » la rade d'Alger, même qu'une de ces sales bêtes avait, un jour qu'ils se baignaient, coupé le « zobi » à un de ses camarades et que la mer s'était toute teinte de sang, partit en titubant et en traînant les semelles sous les
370 regards amusés du bistro[5] et de sa femme.

    Quand il arriva vers chez Doni, pouf ! il prit une première bûche en jurant des « tonnerre de Dieu ! » contre ce sale chemin que le père Bréda, le cantonnier (un feignant qui n'avait fait que sept ans et la campagne d'Italie, quelle foutaise !) entretenait salement mal.
375 Puis, après y avoir mis le temps, il se redressa et repartit.

    – Je crois qu'il a sa malle[6], jugea Fricot en refermant sa porte.

    Un peu plus loin, la liane de Boulot, traîtreusement tendue devant ses pas, le fit rouler dans le ruisseau de purin, tandis que filaient en silence, emportant leur lien, les deux ténébreux
380 machinateurs.

    Au fumier de chez Groscoulas, il ne manqua pas non plus de reprendre la bûche, en sacrant[7] de tous ses poumons contre ce salaud de pays où l'on n'y voyait pas plus clair que dans le c... d'une négresse.

385   Cependant les gens, attirés par son vacarme, sortaient sur le pas de leurs portes et disaient :

    – Eh bien, je crois qu'il a sa paille[8], le vieux briscard, ce soir : pour une belle cuite, c'est une belle cuite !

---

1. **Arbis :** Arabes (jargon militaire).
2. **Chacails :** Arabes (l'Algérie était alors une colonie française).
3. **Raquins :** requins.
4. **Infectaient :** mis pour « infestaient » ; envahissaient.
5. **Bistro :** désigne à la fois le patron du café et le café.
6. **Il a sa malle :** il est ivre.
7. **Sacrant :** jurant (proférant des jurons).
8. **Il a sa paille :** il est ivre.

Et quinze ou vingt paires d'yeux purent constater que, vingt pas
390 plus loin, le vieux, méconnaissant encore les lois de l'équilibre,
reprenait une de ces bûches qui comptent dans la vie d'un poivrot.

– J'suis pourtant pas saoul ! nom de Dieu ! bégayait-il en portant
la main à son front bossué et à son nez meurtri. J'ai presque rien
bu. C'est la colère qui m'a monté à la tête ! ah les salauds !

395 Il n'avait plus de genoux à son pantalon et il mit bien cinq minutes à trouver sa clef, ensevelie au fond de sa poche sous son ample
mouchoir à carreaux, parmi son couteau, sa bourse, sa tabatière, sa
pipe, sa blague[1] et sa boîte d'allumettes.

Enfin il entra.

400 Les curieux qui le suivirent, au nombre desquels les huit moutards, constatèrent dès ses premiers pas un vacarme d'arrosoirs
renversés. C'était prévu, ils les avaient disposés pour cela. Enfin,
le vieux, s'étant frayé tout de même un passage, arriva au réduit[2]
creusé dans le mur où il logeait ses allumettes.

405 Il en frotta une sur son pantalon, sur la boîte, sur le tuyau du
poêle, sur le mur : elle ne prit point ; il en frotta une deuxième,
puis une troisième, une quatrième, une cinquième, toujours sans
résultat malgré les changements de frottoirs.

– Frotte, mon vieux ! ricanait Camus qui les avait toutes trem-
410 pées dans l'eau. Frotte ! ça t'amusera.

Las de frotter en vain, Zéphirin en chercha une dans sa poche,
la frotta, l'enflamma et voulut allumer sa lampe à pétrole ; mais la
mèche fut récalcitrante elle aussi et ne voulut jamais prendre.

Zéphirin par contre s'échauffait :

415 – Sacré nom de Dieu de nom de Dieu de saloperie de putasse-
rie de vache ! Ah ! nom de Dieu ! tu ne veux pas prendre ! ah ! tu
ne veux pas prendre, vraiment ! ah oui, c'est comme ça, eh bien !
tiens ! nom de Dieu ! prends celle-là, saleté, fit-il en la lançant de
toutes ses forces contre son poêle, où elle se brisa avec fracas.

420 – Mais, il va foutre le feu à sa boîte ! fit quelqu'un.

– Pas de danger, pensait Lebrac, qui avait remplacé le pétrole par
un reste de vin blanc traînant au fond d'une bouteille.

---

1. **Blague** : petit sac dans lequel les fumeurs mettent leur tabac.
2. **Réduit** : petit espace.

La Guerre des boutons

Après cet exploit, le vieux, ambulant[1] dans l'obscurité, heurta son poêle, renversa des chaises, donna du pied dans les arrosoirs, 425 tituba parmi les marmites, beugla, jura, injuria tout le monde, tomba, se releva, sortit, rentra et finalement, fatigué et meurtri, se coucha tout habillé sur son lit où un voisin, le lendemain matin, alla le trouver, ronflant comme un tuyau d'orgue au milieu d'un magnifique désordre qui n'était pas pour autant un effet de l'art.

430 Peu de temps après, on entendait dire par le village, et Lebrac et les copains en riaient sous cape, que le père Bédouin était « si tellement » saoul la veille au soir, qu'il était tombé huit fois en sortant de chez Fricot, qu'il avait tout renversé en rentrant chez lui, cassé sa lampe, pissé au lit et ch... dans sa marmite.

---

1. **Ambulant :** se déplaçant.

Clefs d'analyse

Action et personnages

1. Comment se passe la journée du dimanche pour Lebrac ? Qu'apprenons-nous sur les usages de l'époque (chap. 6) ?

2. Que fait Lebrac pendant la messe ? À quoi pense-t-il vraisemblablement ?

3. Quelle proposition inattendue fait-il à ses camarades quand le conseil des guerriers se réunit ? Quelles objections lui oppose-t-on ?

4. Expliquez les hésitations de Boulot puis justifiez l'adjectif « héroïque » que lui attribue le narrateur à la ligne 222 (chap. 6).

5. Finalement, où se déshabilleront les guerriers de Longeverne ?

6. Pourquoi La Crique est-il puni ? Comparez son attitude à celle de Bacaillé le boiteux.

7. Laquelle des deux armées l'emporte sur l'autre dans l'affrontement qui a lieu après la classe ? Expliquez pourquoi les vainqueurs sont « demi-satisfaits d'une demi-victoire ».

8. Comment la troupe des Longevernes échappe-t-elle au garde-champêtre, le père Bédouin ? Qui s'emploie à faire « une habile diversion » ? En quoi consiste-t-elle ?

9. Expliquez la colère de Lebrac contre le garde champêtre (chap. 8). Comment s'organisent les représailles ?

10. Dans quel état se trouve le père Bédouin quand il rentre chez lui ? Comment se conduit-il ? Comment réagissent les gens du village ?

Langue

11. Quelle signification attribuez-vous aux points de suspension dans la phrase « Ah ! la vie... » (chap. 7, l. 52) ?

12. Relevez le vocabulaire de la guerre dans l'épisode de l'offensive des Longevernes sur les Velrans (chap. 7) : pourquoi peut-on parler ici de « parodie » ?

13. À quel niveau de langage les Longevernes et le père Bédouin empruntent-ils leur vocabulaire dans leur échange d'injures (chap. 8, l. 54-58) ? Quel est l'effet produit ?

Genre ou thèmes

14. À quelles paroles et à quels détails voit-on que Lebrac et la Marie sont vraiment amoureux (chap. 6) ?

15. Que pensent ces jeunes garçons des femmes (chap. 6) ? Montrez que leurs propos révèlent leur ignorance de la féminité.

16. Étudiez le comique dans la scène où l'on voit Camus interrogé par le maître d'école (chap. 6) : paroles, gestes et mimiques.

17. Repérez dans les deux premières pages du chapitre 7 un passage poétique : qu'apprend-on ainsi sur la sensibilité du narrateur ? Trouvez ensuite dans le chapitre 8 deux passages où sont célébrées la forêt, puis les fleurs.

Écriture

18. Racontez une scène de classe amusante en introduisant dans le récit des descriptions et des dialogues. Votre texte s'inspirera du chapitre 6 et utilisera les ressources du comique de gestes, de caractère et de mots.

Pour aller plus loin

19. L'instituteur rêve de mener ses élèves au « certificat d'études ». En vous aidant d'Internet, expliquez en quoi consistait cet examen et dites en quelle année il a été supprimé.

> ✳ **À retenir**
>
> Pour raconter la rivalité des Longevernes et des Velrans, et mettre en scène leurs multiples affrontements, Louis Pergaud **parodie la guerre.** Comme s'il s'agissait d'un conflit entre deux pays ennemis, il utilise le vocabulaire spécialisé de la stratégie guerrière, des armées et des armes ; il décrit les champs de bataille avec **précision,** peint avec **réalisme** les engagements, les incursions de l'ennemi sur le territoire de l'adversaire, et les coups échangés.

Livre II
De l'argent !

1
Le trésor de guerre

> *L'argent est le nerf de la guerre.*
> Bismarck[1].

LES CAMARADES, le lendemain, en se rendant à l'école, apprirent lambeau par lambeau l'histoire du père Zéphirin. Le village, tout entier en rumeur, commentait joyeusement les diverses phases de cette bachique[2] équipée[3] : seul le héros principal, ronflant d'un
5 sommeil d'ivrogne, ignorait encore les dégâts commis dans son ménage et les coups de mine[4] dont sa conduite de la veille avait sapé[5] sa réputation.

Dans la cour de l'école, le groupe des grands, Lebrac au centre, se tordait de rire, chacun racontant très haut, pour que le maître
10 entendît, tout ce qu'il savait des histoires scabreuses[6] qui couraient les rues, et tous insistaient avec force sur les détails salaces et verts[7] : la marmite et le lit. Ceux qui ne disaient rien riaient de toutes leurs dents et leurs yeux orgueilleux luisaient d'un feu vainqueur, car ils songeaient qu'ils avaient tous plus ou moins coopéré
15 à ces équitables et dignes représailles.

Ah ! il pouvait gueuler maintenant, Zéphirin ! Quel respect voulez-vous qu'on porte à un type qui se saoule « si tellement » qu'on le

---

1. **Bismarck :** homme politique allemand (1815-1898) qui unifia le pays. Il fut le premier chancelier de l'Empire allemand.
2. **Bachique :** de Bacchus, le dieu du Vin chez les Romains.
3. **Équipée :** expédition, aventure.
4. **Coups de mine :** explosions.
5. **Sapé :** ruiné.
6. **Scabreuses :** indécentes.
7. **Salaces et verts :** obscènes et grivois.

ramasse plein comme une vache dans les fosses à purin de la commune et perd la tramontane[1] à un tel point qu'il en vient à considérer son lit comme une pissotière et à prendre sa marmite pour un pot de chambre.

Seulement, en sourdine, les plus grands, les guerriers importants, sollicitaient des explications et réclamaient des détails. Bientôt tous connurent la part que chacun des huit avait eue dans l'œuvre de vengeance.

Ils surent ainsi que le coup des arrosoirs et celui des allumettes étaient de Camus, Tintin guettant l'arrivée et le signal de Gambette, et que les grosses opérations étaient les fruits de l'imagination de Lebrac.

Le vieux s'apercevrait encore plus tard que le vin restant dans sa bouteille avait un goût de pétrole ; il se demanderait quel cochon de chat avait mis le nez dans son bol de cancoillotte[2] et pourquoi ce reste de fricot[3] d'oignons était si salé…

Oui, et ce n'était pas tout. Qu'il recommençât seulement pour voir, à em… nuyer Lebrac et sa troupe ! et on lui réserverait quéque chose de mieux encore et de plus soigné. Le chef ruminait, en effet, de lui boucher sa cheminée avec de la marne[4], de lui démonter sa charrette et d'en faire disparaître les roues, de venir lui « râper la tuile[5] » tous les soirs pendant huit jours, sans compter le pillage des fruits de son verger et la mise à sac[6] de son potager.

— Ce soir, conclut-il, on sera tranquille. Il n'osera pas sortir. D'abord il est tout beugné[7] d'avoir piqué des têtes dans les rigoles et puis il a assez de travail chez lui. Quand on a de la besogne chez soi, on ne fourre pas le nez dans celle des autres !

— Est-ce qu'on va se remettre encore à poil ? questionna Boulot.

---

1. **Perd la tramontane :** perd le nord, ne sait plus se diriger. La tramontane est un vent.
2. **Cancoillote :** fromage mou particulier à la Comté (note de Louis Pergaud).
3. **Fricot :** ragoût.
4. **Marne :** glaise composée d'argile.
5. **Râper la tuile :** farce consistant à frotter une forte tuile contre la façade extérieure du mur d'une maison. Il se produit à l'intérieur un vacarme mystérieux, d'autant plus mystérieux qu'on le croit intérieur et qu'on ne peut en découvrir la source (note de Louis Pergaud).
6. **Mise à sac :** saccage.
7. **Beugné :** blessé, abîmé.

45   – Mais, puisque nous ne serons pas embêtés, fit Lebrac, bien sûr !

– C'est que, hasardèrent plusieurs voix mon vieux, tu sais, il ne faisait guère chaud hier au soir, on en était tout rengremesillé avant la charge.

– J'avais la peau comme une poule déplumée, moi, déclara
50   Tintin, et le zizi qui fondait si tellement que y en avait pus.

– Et puis les Velrans ne veulent pas venir ce soir. Hier, ils ont trop eu le trac. Ils ne savaient pas ce qui leur arrivait dessus. Ils ont cru qu'on tombait de la lune.

– C'était pas ce qui manquait, les lunes, remarqua La Crique.

55   – Sûrement que ce soir ils vont muser[1] à ce qu'ils pourraient bien trouver et on en serait pour se moisir là-bas, sur place !

– Si Bédouin ne vient pas ce soir, il peut venir quelqu'un d'autre (il a dû blaguer chez Fricot) et on risque bien plus encore de se faire piger[2] ; tout le monde n'est pas aussi décati[3] que le garde !

60   – Et puis, nom de Dieu ! non ! je ne me bats plus à poil, articula Guerreuillas, levant carrément l'étendard de la révolte ou tout au moins de la protestation irréductible.

Chose grave ! Il fut appuyé par de très nombreux camarades qui s'en étaient toujours remis docilement aux décisions de Lebrac. La
65   raison de ce désaccord, c'est que la veille, au cours de la charge, en plus du froid ressenti, ils s'étaient en outre qui planté une épine dans le pied, qui écorché les orteils sur des chardons ou blessé les talons en marchant sur des cailloux.

Bientôt toute l'armée bancalerait[4] ! Ce serait du propre ! Non
70   vraiment, ça n'était pas un métier !

Lebrac, seul, ou presque, de son opinion, dut convenir que le moyen qu'il avait préconisé[5] offrait en effet de notoires inconvénients et qu'il serait bon d'en trouver un autre.

– Mais lequel ? Trouvez-en puisque vous êtes si malins ! reprit-il,
75   vexé au fond du peu de succès en durée qu'avait eu son entreprise.

On chercha.

---

1. **Muser :** perdre son temps.
2. **Se faire piger :** se faire attraper.
3. **Décati :** usé.
4. **Bancalerait :** boiterait.
5. **Préconisé :** recommandé.

La Guerre des boutons

– On pourrait peut-être se battre en manches de chemise, proposa La Crique ; les blouses au moins n'auraient pas de mal et, avec des ficelles pour les souliers et des épingles pour le pantalon, on pourrait rentrer.

80 – Pour te faire punir le lendemain par le père Simon qui te dira que tu as une tenue débraillée et qui en préviendra tes vieux ! hein ! Qui c'est qui te remettra des boutons à ta chemise et à ton tricot ? Et tes bretelles ?

85 – Non, c'est pas un moyen, ça ! Tout ou rien ! trancha Lebrac. Vous ne voulez pas de rien, il faut tout garder.

– Ah ! fit La Crique, si on avait quelqu'un pour nous recoudre des boutons et refaire les boutonnières !

– Et aussi pour te racheter des cordons, et des jarretières[1], et des
90 bretelles, hein ? Pourquoi pas pour te faire pisser pendant que tu y es et puis torcher le jacquot à mocieu quand il a fini de se vider le boyau gras, hein !

– Ce qu'il faut, je vous le dis encore, moi, na ! « pisse que » vous ne trouvez rien, reprit Lebrac, ce qu'il nous faut, c'est des sous !

95 – Des sous ?

– Oui, bien sûr ! parfaitement ! des sous ! Avec des sous on peut acheter des boutons de toutes sortes, du fil, des aiguilles, des agrafes, des bretelles, des cordons de souliers, du lastique, tout, que je vous dis, tout !

100 – C'est bien vrai ça, tout de même ; mais pour acheter ce fourbi que tu dis, il faudrait qu'on nous en donne beaucoup de sous, p't'être bien cent sous !

– Merde ! une roue de brouette ! jamais on n'aura ça.

– Pour qu'on nous les donne d'un seul coup, sûrement non ; il n'y
105 a pas à y compter, mais écoutez-moi bien, insista Lebrac, il y aurait un moyen tout de même d'avoir presque tout ce qu'il nous faut.

– Un moyen que tu…

– Écoute donc ! C'est pas tous les jours qu'on est fait prisonnier, et puis nous en rechiperons des p'tits Migue la Lune et alors…

110 – Alors ?

---

1. **Jarretières :** bande de tissu qui, entourant la jambe par-dessus le bas, servait autrefois à maintenir celui-ci tendu.

– Alors nous les garderons, leurs boutons, leurs agrafes, leurs bretelles, aux peigne-culs de Velrans ; au lieu de couper les cordons, on les mettra de côté pour avoir une petite réserve.

115 – Il ne faut pas vendre la peau de l'ours avant de l'avoir pris[1], interrompit La Crique, qui, bien que jeune, avait déjà des lettres. Si nous voulons être sûrs d'avoir des boutons, et nous pouvons en avoir besoin d'un jour à l'autre, le meilleur est d'en acheter.

– T'as des ronds ? ironisa Boulot.

– J'en ai sept dans une tirelire en forme de guernouille[2], mais il
120 n'y a pas à compter dessus, la guernouille les dégobillera pas de sitôt ; ma mère sait combien qu'il y en a, elle garde le fourbi dans le buffet. Elle dit qu'elle veut m'acheter un chapeau à Pâques... ou à la Trinité[3], et si j'en faisais couler un je recevrais une belle dinguée[4].

– C'est toujours comme ça, bon Dieu ! ragea Tintin. Quand on
125 nous donne des sous, c'est jamais pour nous ! Faut absolument que les vieux posent le grappin dessus[5]. Ils disent qu'ils font de grands sacrifices pour nous élever, qu'ils en ont bien besoin pour nous acheter des chemises, des habits, des sabots, j'sais ti quoi ! moi ; mais je m'en fous de leurs nippes[6], je voudrais qu'on me
130 les donne, mes ronds, pour que je puisse acheter quelque chose d'utile, ce que je voudrais : du chocolat, des billes, du lastique pour une fronde, voilà ! mais il n'y a vraiment que ceux qu'on accroche par-ci par-là qui sont bien à nous et encore faut pas qu'ils traînent longtemps dans nos poches !

135 Un coup de sifflet interrompit la discussion, et les écoliers se mirent en rang pour entrer en classe.

– Tu sais, confia Grangibus à Lebrac, moi, j'ai deux ronds qui sont à moi et que personne ne sait. C'est Théodule d'Ouvans qui est venu au moulin et qui me les a donnés passe que j'ai tenu son
140 cheval. C'est un chic type, Théodule, il donne toujours quéque

---

1. **Il ne faut pas vendre la peau de l'ours avant de l'avoir pris** : moralité issue de *L'Ours et les Deux Compagnons*, une fable de La Fontaine.
2. **Guernouille** : grenouille.
3. **À Pâques... ou à la Trinité** : expression qui signifie « dans un avenir indéterminé ».
4. **Dinguée** : râclée, correction.
5. **Posent le grappin dessus** : s'en emparent, les prennent (les sous).
6. **Nippes** : vêtements (argot).

chose… tu sais bien, Théodule, le républicain, celui qui pleure quand il est saoul !

– Taisez-vous, Adonis ! (Grangibus était prénommé Adonis) fit le père Simon, ou je vous punis !

145 – Merde ! fit Grangibus entre ses dents.

– Qu'est-ce que vous marmottez ? reprit l'autre qui avait surpris le tremblement des lèvres ; on verra comme vous bavarderez tout à l'heure quand je vous interrogerai sur vos devoirs envers l'État !

– Dis rien, souffla Lebrac, j'ai une idée.

150 Et l'on entra. Dès que Lebrac fut installé à sa place, ses cahiers et ses livres devant lui, il commença par arracher proprement une feuille double du milieu de son cahier de brouillon. Il la partagea ensuite, par pliages successifs, en trente-deux morceaux égaux sur lesquels il traça, il condensa cette capitale interrogation :

155 *Hattu unçou ?* (traduire : As-tu un sou ?)

Puis il mit sur chacun desdits morceaux, dûment pliés, les noms de trente-deux de ses camarades et poussant d'un seul coup de coude brusque Tintin, il lui glissa, subrepticement[1] et l'une après l'autre, les trente-deux missives en les accompagnant de la phrase

160 sacramentelle[2] : « Passe ça à ton voisin ! »

Ensuite, sur une grande feuille, il réinscrivit ses trente-deux noms et pendant que le maître interrogeait, lui aussi, du regard, demandait successivement à chacun de ses correspondants la réponse à sa question, pointant au fur et à mesure, d'une croix (+)

165 ceux qui disaient oui, d'un trait horizontal (–) ceux qui disaient non. Puis il compta ses croix : il y en avait vingt-sept.

– Y a du bon ! pensa-t-il.

Et il se plongea dans de profondes réflexions et de longs calculs pour établir un plan dont son cerveau depuis quelques heures

170 ébauchait les grandes lignes.

À la récréation, il n'eut point besoin de convoquer ses guerriers. Tous vinrent d'eux-mêmes immédiatement se placer en cercle autour de lui, dans leur coin, derrière les cabinets, tandis que les

---

1. **Subrepticement** : en cachette, furtivement.
2. **Sacramentelle** : essentielle pour la conclusion d'une affaire ; qui a valeur de sacrement.

tout-petits, déjà complices, mais qui n'avaient pas voix délibérative[1], formaient en jouant un rempart protecteur devant eux.

– Voilà, exposa le chef. Il y en a déjà vingt-sept qui peuvent
payer et j'ai pas pu envoyer de lettre à tous. Nous sommes quarante-
cinq. Quels sont ceux à qui je n'ai pas écrit et qui ont aussi un sou
à eux ? Levez la main !

Huit mains sur treize se dressèrent.

– Ça fait vingt-sept et huit. Voyons, vingt-sept et huit... vingt-
huit, vingt-neuf, trente..., fit-il en comptant sur ses doigts.

– Trente-cinq, va ! coupa La Crique.

– Trente-cinq ! t'es bien sûr ? ça fait donc trente-cinq sous.
Trente-cinq sous, c'est pas cent sous, en effet, mais c'est quéque
chose. Eh bien ! voici ce que je propose :

« On est en république, on est tous égaux, tous camarades, tous
frères : Liberté, Égalité, Fraternité ! on doit tous s'aider, hein, et
faire en sorte que ça marche bien. Alors on va voter comme qui
dirait l'impôt, oui, un impôt pour faire une bourse, une caisse, une
cagnotte avec quoi on achètera notre trésor de guerre. Comme on
est tous égaux, chacun paiera une cotisation égale et tous auront
droit, en cas de malheur, à être recousus et rarrangés pour ne pas
être zonzenés en rentrant chez eux.

« Il y a la Marie de chez Tintin qui a dit qu'elle viendrait recoudre le fourbi de ceux qui seraient pris ; comme ça, vous voyez, on
pourra y aller carrément. Si on est chauffé[2], tant pis ; on se laisse
faire sans rien dire et au bout d'une demi-heure on rentre propre,
reboutonné, retapé, requinqué[3], et qui c'est qu'est les cons ? C'est
les Velrans ! »

– Ça, c'est chouette ! Mais des sous, on n'en a guère, tu sais,
Lebrac ?

– Ah ! mais, sacré nom de Dieu ! est-ce que vous ne pouvez
pas faire un petit sacrifice à la Patrie ! Seriez-vous des traîtres par
hasard ? Je propose, moi, pour commencer et avoir tout de suite
quelque chose, qu'on donne dès demain un sou par mois. Plus

---

1. **Qui n'avaient pas voix délibérative :** qui n'avaient pas le droit de participer au
débat.

2. **Chauffé :** pris, attrapé.

3. **Retapé, requinqué :** remis d'aplomb (sur le plan vestimentaire).

tard, si on est plus riches et si on fait des prisonniers, on ne mettra plus qu'un sou tous les deux mois.

210   – Mince, mon vieux, comme tu y vas ! T'es donc « méllionnaire », toi ? Un sou par mois ! c'est des sommes, ça ! Jamais je pourrai trouver un sou à donner tous les mois.

    – Si chacun ne peut pas se dévouer un tout petit peu, c'est pas la peine de faire la guerre ; vaut mieux avouer qu'on a de la purée de pommes de terre dans les veines et pas du sang rouge, du sang
215   français, nom de Dieu ! Êtes-vous des Alboches[1] ? oui ou merde ? Je comprends pas qu'on hésite à donner ce qu'on a pour assurer la victoire ; moi je donnerai même deux ronds... quand j'en aurai.

    – ...

    – Alors c'est entendu, on va voter.

220   Par trente-cinq voix contre dix, la proposition de Lebrac fut adoptée. Votèrent contre, naturellement, les dix qui n'avaient pas en leur possession le sou exigible.

    – Pour ce qui est de vot' affaire, trancha Lebrac, j'y ai pensé aussi, on réglera ça à quatre heures à la carrière à Pepiot, à moins qu'on
225   aille à celle ousqu'on était hier pour se déshabiller. Oui, on y sera mieux et plus tranquille.

    « On mettra des sentinelles pour ne pas être surpris au cas où, par hasard, les Velrans viendraient quand même, mais je ne crois pas.

    « Allez, ça va bien ! ce soir tout sera réglé ! »

2
Faulte d'argent, c'est doleur non pareille[2]

Toustefois, il avoit soixante et trois manières d'en trouver toujours à son besoing, dont la plus honorable et la plus commune estoit par façon de larrecin furtivement faict.[3]
Rabelais (*Pantagruel*, livre II, chap. 16).

---

1. **Alboches :** nom donné aux Allemands avant la guerre de 14-18.
2. *Faulte [...] pareille :* « Faute d'argent, c'est douleur non pareille » (qui n'a pas d'équivalent). Dicton du XVe siècle.
3. *Toustefois [...] faict :* citation de François Rabelais dans *Pantagruel* (livre II, chapitre 16) qui dit de Panurge qu'il avait soixante-trois manières de trouver de l'argent, notamment... le larçin.

CELA PINÇAIT sec[1], ce soir-là. Il faisait un temps clair de nouvelle lune. La fine corne d'argent pâle, translucide encore aux derniers rayons du soleil, prédisait une de ces nuits brutales et franches qui vous rasent les feuilles, les dernières feuilles, claquant sur leurs
5 branches désolées comme les grelots fêlés des cavales du vent.

Boulot, frileux, avait rabattu sur ses oreilles son béret bleu ; Tintin avait baissé les oreillères de sa casquette ; les autres aussi s'ingéniaient à lutter contre les épines de la bise ; seul Lebrac, nu-tête, tanné encore du soleil d'été, la blouse ouverte, faisait fi[2] de
10 ces froidures de rien du tout, comme il disait.

Les premiers arrivés à la carrière attendirent les retardataires et le chef chargea Tétas, Tigibus et Guignard d'aller un moment surveiller la lisière ennemie.

Il conféra[3] à Tétas les pouvoirs de chef et lui dit :
15 – Dedans un quart d'heure, quand on sifflera, si t'as rien vu, tu monteras sur le chêne à Camus et si tu ne vois rien encore, c'est qu'ils ne viendront sûrement pas ; alors vous reviendrez nous rejoindre au camp.

Les autres, dociles, acquiescèrent, et, pendant qu'ils allaient prendre
20 leur quart de garde, le reste de la colonne monta au repaire de Camus, où l'on s'était déshabillé la veille.

– Tu vois bien, vieux, constata Boulot, qu'on n'aurait pas pu se déshabiller aujourd'hui !

– C'est bon ! dit Lebrac : du moment qu'on a décidé de faire
25 autre chose, il n'y a pas à revenir sur ce qui est passé.

On était vraiment bien dans la cachette à Camus ; du côté de Velrans, au couchant et au midi et du côté du bas, la carrière à ciel ouvert formait un rempart naturel qui mettait à l'abri des vents de pluie et de neige ; des autres côtés, de grands arbres, laissant entre
30 eux et les buissons quelques passages étroits, arrêtaient les vents du nord et d'est pas chauds pour un liard[4] ce soir-là.

– Asseyons-nous, proposa Lebrac.

---

1. **Cela pinçait sec :** il faisait très froid.
2. **Faisait fi :** ne prêtait pas attention à.
3. **Conféra :** accorda.
4. **Pas chauds pour un liard :** excessivement froids.

Chacun choisit son siège. Les grosses pierres plates s'offraient d'elles-mêmes, il n'y avait qu'à prendre. Chacun trouva la sienne et
35 regarda le chef.

– C'est donc entendu, articula ce dernier, rappelant brièvement le vote du matin, qu'on va se cotiser pour avoir un trésor de guerre.

Les dix pannés[1] protestèrent unanimement. Guerreuillas, ainsi nommé parce qu'à côté du sien le regard de Guignard était d'un
40 Adonis[2] et que ses gros yeux ronds lui sortaient effroyablement de la tête, prit la parole au nom des sans-le-sou. C'était le fils de pauvres bougres de paysans qui peinaient du 1er janvier à la Saint-Sylvestre pour nouer les deux bouts et qui, naturellement, n'offraient pas souvent à leur rejeton de l'argent de poche pour ses
45 menus plaisirs.

– Lebrac ! dit-il, c'est pas bien ! tu fais honte aux pauvres ! T'as dit qu'on était tous égaux et tu sais bien que ça n'est pas vrai et que moi, que Zozo, que Bati et les autres, nous ne pourrons jamais avoir un radis. J'sais bien que t'es gentil avec nous, que quand t'achètes
50 des bonbons tu nous en donnes un de temps en temps et que tu nous laisses des fois lécher tes raies[3] de chocolat et tes bouts de réglisse ; mais tu sais bien que si, par malheur, on nous donne un rond, le père ou la mère le prennent aussitôt pour acheter des four-bis[4] dont on ne voit jamais la couleur. On te l'a déjà dit ce matin. Y a
55 pas moyen qu'on paye. Alors on est des galeux[5] ! C'est pas une répu-blique, ça, na, et je ne peux pas me soumettre à la décision.

– Nous non plus, firent les neuf autres.

– J'ai dit qu'on arrangerait ça, tonna le général, et on l'arrangera, na ! ou bien je ne suis plus Lebrac, ni chef, ni rien, nom de Dieu !
60 « Écoutez-moi, tas d'andouilles, puisque vous ne savez pas vous dégrouiller[6] tout seuls.

« Croyez-vous qu'on m'en donne, à moi, des ronds et que le vieux ne me les chipe pas, lui aussi, quand mon parrain ou ma

---

1. **Pannés** : sans-le-sou, pauvres.
2. **Adonis** : héros mythologique d'une grande beauté.
3. **Raies** : barres.
4. **Des fourbis** : des choses (argot).
5. **Galeux** : qui ont la gale, une maladie de peau contagieuse.
6. **Dégrouiller** : débrouiller.

marraine ou n'importe qui vient boire un litre à la maison et me
65 glisse un petit ou un gros sou ? Ah ouiche ! Si j'ai pas le temps de
me trotter[1] assez tôt et dire que j'ai acheté des billes ou du chocolat avec le sou qu'on m'a donné, on a bientôt fait de me le raser. Et
quand je dis que j'ai acheté des billes, on me les fait montrer, passe
que si c'était pas vrai on me le ferait renaquer[2] le sou, et quand on
70 les a vues, pan ! une paire de gifles pour m'apprendre à dépenser
mal à propos des sous qu'on a tant de maux de gagner ; quand je
dis que j'ai acheté des bonbons, j'ai pas besoin de les montrer, on
me fout la torgnole avant, en disant que je suis un dépensier, un
gourmand, un goulu, un goinfre et je ne sais quoi encore.
75   « Voilà ! eh ben, il faut savoir se débrouiller dans la vie du monde
et j'vas vous dire comment qu'y faut s'y prendre.
      « Je parle pas des commissions que tout le monde peut réussir à
faire pour la servante du curé ou la femme au père Simon, ils sont
si rapiats[3] qu'ils ne se fendent pas souvent[4] ; je parle pas non plus
80 des sous qu'on peut ramasser aux baptêmes et aux mariages, c'est
trop rare et il n'y a pas à compter dessus ; mais voici ce que tout le
monde peut faire :
      « Tous les mois le pattier[5] s'amène sur la levée de grange[6] de
Fricot et les femmes lui portent leurs vieux chiffons et leurs peaux
85 de lapins ; moi je lui donne des os et de la ferraille, les Gibus aussi,
pas vrai, Grangibus ? »
      – Oui, oui !
      – Contre ça il nous donne des images, des plumes dans un
petit tonneau, des décalcomanies ou bien un sou ou deux, ça
90 dépend de ce qu'on a ; mais il n'aime pas donner des ronds, c'est
un sale grippe-sou qui nous colle toujours des saloperies qui ne
décalquent pas, contre de bons gros os de jambons et de la belle
ferraille, et puis ses décalcomanies ça ne sert à rien. Il n'y a qu'à lui
dire carrément selon ce qu'on porte : « Je veux un rond ou deux »,
95 même trois, s'il y a beaucoup de fourbi. S'il dit non, on n'a qu'à lui

---

1. **Me trotter :** m'en aller.
2. **Renaquer :** recracher.
3. **Rapiats :** avares.
4. **Ils ne se fendent pas souvent :** ils ne payent pas souvent (argot).
5. **Pattier :** chiffonnier (note de Louis Pergaud).
6. **Levée de grange :** plan légèrement incliné permettant aux chars lourds de foin ou
   de récoltes de grimper aux greniers de l'étage.

répondre : « Mon vieux, t'auras peau de zébi[1] ! » et remporter son truc ; il veut bien vous rappeler ce sale juif-là[2], allez !

« Je sais bien que des os et de la ferraille, il n'y en a pas des tas, mais le meilleur c'est de chiper des pattes[3] blanches ; elles valent plus cher que les autres, et lui vendre le prix et au poids. »

— C'est pas commode chez nous, objecta Guerreuillas, la mère a un grand sac sur le buffet et elle fourre tout dedans.

— T'as qu'à tomber sur son sac et en faire un petit avec. C'est pas tout. Vous avez des poules, tout le monde a des poules ; eh bien, un jour on chipe un œuf dans le nid, un autre jour un autre, deux jours après un troisième ; on y va le matin avant que les poules aient toutes pondu ; vous cachez bien vos œufs dans un coin de la grange, et quand vous avez votre douzaine ou vot' demi-douzaine, vous prenez bien gentiment un panier et, tout comme si on vous envoyait en commission, vous les portez à la mère Maillot ; elle les paye quelquefois en hiver jusqu'à vingt-quatre sous la douzaine ; avec une demi il y a pour toute une année d'impôt !

— C'est pas possible chez nous, affirma Zozo. Ma vieille est si tellement à cheval sur ses gélines[4] que tous les soirs et tous les matins elle va leur tâter au cul pour sentir si elles ont l'œuf. Elle sait toujours d'avance combien qu'elle en aura le soir. S'il en manquait un, ça ferait un beau raffut dans la cambuse !

— Y a encore un moyen qu'est le meilleur. Je vous le recommande à tertous[5].

« Voilà, c'est quand le père prend la cuite. J'suis content, moi, quand je vois qu'il graisse ses brodequins pour aller à la foire à Vercel ou à Baume.

« Il dîne bien là-bas avec les "montagnons" ou les "pays bas"[6], il boit sec, des apéritifs, des petits verres, du vin bouché[7] ; en reve-

---

1. **Peau de zébi :** rien du tout (argot).

2. **Ce sale juif-là :** préjugé raciste et antisémite courant à l'époque.

3. **Pattes :** chiffons (note de Louis Pergaud).

4. **Gélines :** poules.

5. **Tertous :** tous.

6. **Les « montagnons » ou les « pays bas » :** les montagnards ou les gens de la plaine.

7. **Bouché :** en bouteille.

125 nant il s'arrête avec les autres à tous les bouchons[1] et avant de rentrer il prend encore l'absinthe chez Fricot. Ma mère va le chercher, elle est pas contente, elle grogne, ils s'engueulent chaque fois, puis ils rentrent et elle lui demande combien qu'il a dépensé. Lui, il l'envoie promener en disant qu'il est le maître et que ça ne la regarde pas et

130 puis il se couche et fout ses habits sur une chaise. Alors moi, pendant que la mère va fermer les portes et clairer les bêtes[2], je fouille les poches et la bourse.

« Il ne sait jamais au juste ce qu'il y a dedans ; alors c'est selon, je prends deux sous, trois sous, quatre sous, une fois même j'ai chipé

135 dix sous, mais c'est trop et j'en reprendrai jamais autant parce que le vieux s'en est aperçu. »

– Alors, il t'a foutu la peignée ? émit Tintin.

– Penses-tu, c'est la mère qui a reçu la danse, il a cru que c'était elle qui lui avait refait[3] sa pièce et il lui a passé quéque chose comme

140 engueulade.

– Ça, c'est vraiment un bon truc, convint Boulot, qu'en dis-tu, Bati ?

– Je dis, moi, que ça ne me servira à rien du tout le truc à Lebrac, passe que mon père ne se saoule jamais.

145 – Jamais ! s'exclama en chœur toute la bande étonnée.

– Jamais ! reprit Bati, d'un air navré.

– Ça, fit Lebrac, c'est un malheur, mon vieux ! oui, un grand malheur ! un vrai malheur ! et on n'y peut rien.

– Alors ?

150 – Alors t'as qu'à rogner[4] quand t'iras en commission. Je m'esplique : quand tu as une pièce à changer, tu cales[5] un sou et tu dis que tu l'as perdu. Ça te coûtera une gifle ou deux, mais on n'a rien pour rien en ce bas monde, et puis on gueule avant que les vieux ne tapent, on gueule tant qu'on peut et ils n'osent pas taper si fort ;

155 quand c'est pas une pièce, par exemple quand c'est de la chicorée[6] que tu vas acheter, il y a des paquets à quatre sous et à cinq sous,

---

1. **Bouchons :** cafés (argot).
2. **Clairer les bêtes :** leur donner à manger et les mettre à l'abri pour la nuit.
3. **Refait :** volé (argot).
4. **Rogner :** prélever sur l'argent des courses.
5. **Cales :** caches (argot).
6. **Chicorée :** boisson qui remplace le café, trop cher pour les milieux populaires de l'époque.

eh bien si t'as cinq sous tu prends un paquet de quatre sous et tu dis que ça a augmenté ; si on t'envoie acheter pour deux sous de moutarde, tu n'en prends que pour un rond et tu racontes qu'on ne t'a donné que ça. Mon vieux, on ne risque pas grand-chose, la mère dit que l'épicier est un filou et une fripouille et cela passe comme ça.

« Et puis, enfin, à l'impossible personne n'est tenu. Quand vous aurez trouvé des sous, vous payerez ; si vous ne pouvez pas, tant pis, en attendant on s'arrangera autrement.

« Nous avons besoin de sous pour acheter du fourbi ; eh bien ! quand vous trouverez un bouton, une agrafe, un cordon, un las-tique, de la ficelle à rafler, foutez-les dedans votre poche et aboulez-les[1] ici pour grossir le trésor de guerre.

« On estimera ce que cela vaut, en tenant compte que c'est du vieux et pas du neuf. Celui qui gardera le trésor tiendra un calepin sur lequel il marquera les recettes et les dépenses, mais ça serait bien mieux si chacun arrivait à donner son sou. Peut-être que, plus tard, on aurait des économies, une petite cagnotte quoi, et qu'on pourrait se payer une petite fête après une victoire. »

– Ce serait épatant ça, approuva Tintin. Des pains d'épices, du chocolat…

– Des sardines !

– Trouvez d'abord les ronds, hein ! repartit le général. Voyons, il faut être bien nouille, après tout ce que je viens de vous dire, pour ne pas arriver à dégoter un radis tous les mois.

– C'est vrai, approuva le chœur des possédants.

Les purotins[2], enflammés par les révélations de Lebrac, acquies-cèrent cette fois à la proposition d'impôt et jurèrent que pour le mois prochain ils remueraient ciel et terre pour payer leur cotisation. Pour le mois courant, ils s'acquitteraient en nature et remettraient tout ce qu'ils pourraient accrocher entre les mains du trésorier.

Mais qui serait trésorier ?

Lebrac et Camus en qualité de chef et de sous-chef ne pou-vaient remplir cet emploi ; Gambette, manquant souvent l'école, ne pouvait lui non plus occuper ce poste ; d'ailleurs, ses qualités

---

1. **Aboulez-les** : apportez-les, donnez-les (argot).
2. **Purotins** : ceux qui sont dans la purée, sans-le-sou.

de lièvre agile le rendaient indispensable comme courrier en cas de malheur. Lebrac proposa à La Crique de se charger de l'affaire : La Crique était bon calculateur, il écrivait vite et bien, il était tout
195 désigné pour cette situation de confiance et ce métier difficile.

– Je ne peux pas, déclina La Crique. Voyons, mettez-vous à ma place. Je suis l'écolier le plus près du bureau du maître ; à tout moment il voit ce que je fais. Quand c'est-il alors que je pourrais tenir mes comptes ? C'est pas possible ! Il faut que le trésorier soit
200 dans les bancs du fond. C'est Tintin qui doit l'être.

– Tintin, fit Lebrac. Oui, après tout, mon vieux, c'est toi qui dois prendre ça, puisque c'est la Marie qui viendra recoudre les boutons de ceux qui auront été faits prisonniers. Oui, il n'y a que toi.

– Oui, mais si je suis pris, moi, par les Velrans, tout le trésor sera
205 foutu.

– Alors, tu ne te battras pas, tu resteras en arrière et tu regarderas ; faut bien savoir des fois faire des sacrifices, ma vieille branche.

– Oui, oui, Tintin trésorier !

Tintin fut élu par acclamation et, comme tout était réglé ou à peu
210 près, on alla voir au Gros Buisson ce que devenaient les trois sentinelles que, dans la chaleur de la discussion, on avait oublié de rappeler. Tétas n'avait rien vu et ils blaguaient en fumant des tiges de clématite ; on leur fit part de la décision prise, ils approuvèrent, et il fut convenu que dès le lendemain tout le monde apporterait à Tintin sa
215 cotisation, en argent ceux qui pourraient, et en nature les autres.

3
La comptabilité de Tintin

Il est vrai que j'ai donné, depuis que je suis arrivée, d'assez grosses sommes : un matin, huit cents francs ; l'autre jour, mille francs ; un autre jour, trois cents écus.
Lettre de Mme de Sévigné à Mme de Grignan (15 juin 1680).

TINTIN, dès son arrivée dans la cour de l'école, commença par prélever, auprès de ceux qui avaient leurs cahiers, une feuille de papier brouillard[1] afin de confectionner tout de suite le grand livre de caisse sur lequel il inscrirait les recettes et les dépenses de l'armée de Longeverne.

Il reçut ensuite des mains des cotisants les trente-cinq sous prévus, empocha des payeurs en nature sept boutons de tailles et de formes diverses, plus trois bouts de ficelle, et se mit à réfléchir profondément.

Toute la matinée, le crayon à la main, il fit des devis[2], retranchant ici, rajoutant là ; à la récréation il consulta Lebrac et Camus, et La Crique, les principaux en somme, s'enquit du cours des boutons[3], du prix des épingles de sûreté, de la valeur de l'élastique, de la solidité comparée des cordons de souliers, puis en fin de compte résolut de prendre conseil de sa sœur Marie, plus versée[4] qu'eux tous dans ces sortes d'affaires et cette branche du négoce.

Au bout d'une journée de consultations et après une contention[5] d'esprit qui faillit, à plusieurs reprises, lui mériter des verbes et la retenue, il avait barbouillé sept feuilles de papier, puis dressé tant qu'à peu près, et sauf modifications, le projet de budget suivant qu'il soumit le lendemain, dès l'arrivée en classe, à l'examen et à l'approbation de l'assemblée générale des camarades :

BUDGET DE L'ARMÉE DE LONGEVERNE

Boutons de chemise	1 sou
Boutons de tricot et de veste.	4 sous
Boutons de culotte	4 sous
Crochets de derrière pour pattes de pantalon	4 sous
Ficelle de pain de sucre[6] pour bretelles.	5 sous
Lastique pour jarretières	8 sous
Cordons de souliers	5 sous
Agrafes de blouse	2 sous
Total.	33 sous
Reste en réserve en cas de malheur.	2 sous

---

1. **Papier brouillard :** sorte de papier buvard ordinairement de couleur grise, qui permet, par exemple, de filtrer les liquides.
2. **Devis :** estimation des coûts.
3. **S'enquit du cours des boutons :** se renseigna sur le prix des boutons.
4. **Versée :** experte.
5. **Contention :** concentration, mobilisation.
6. **Ficelle de pain de sucre :** au début du XIXe siècle, le sucre était appelé « sucre à la ficelle » car on versait un sirop de sucre sur des fils de lin ou de coton et on laissait les cristaux se former lentement. On obtenait ainsi un « pain de sucre » de 1 à 5 kg.

– Et les aiguilles, et le fil que t'as oubliés, observa La Crique ; hein, on serait des propres cocos[1] si j'y songeais pas ! Avec quoi qu'on se raccommoderait ?

– C'est vrai, avoua Tintin, alors changeons quelque chose.

– J'suis d'avis qu'on garde les deux ronds de réserve, émit Lebrac.

– Ça, oui, approuva Camus, c'est une bonne idée, on peut perdre quelque chose, une poche peut être percée, faut songer à tout.

– Voyons, reprit La Crique, on peut rogner deux sous sur les boutons de tricot, ça ne se voit pas, le tricot ! Avec un bouton au-dessus, deux au plus, ça tient assez ; il n'y a pas besoin d'être boutonné tout du long comme un artilleur.

Et Camus, dont le grand frère était dans l'artillerie de forteresse[2] et qui buvait ses moindres paroles, entonna là-dessus, guilleret et à mi-voix, ce refrain entendu un jour que leur soldat était venu en permission :

> *Rien n'est si beau*
> *Qu'un artilleur sur un chameau !*
> *Rien n'est si vilain*
> *Qu'un fantassin[3] sur une p... !*

Toute la bande, éprise de choses militaires et enthousiaste de nouveauté, voulut apprendre aussitôt la chanson que Camus dut reprendre plusieurs fois de suite, et puis on en revint aux affaires et, en continuant l'épluchage du budget, on trouva également que quat' sous pour des boucles ou crochets de pantalon c'était exagéré, il n'en fallait jamais qu'une par falzar[4], encore beaucoup de petits n'avaient-ils pas de culotte avec patte bouclant derrière ; donc en réduisant à deux sous ce chapitre, cela irait encore et cela ferait quatre sous de disponibles à employer de la façon suivante :

> *1 sou de fil blanc.*
> *1 sou de fil noir.*
> *2 sous d'aiguilles assorties.*

---

1. **Des propres cocos** : des drôles de cocos, des pauvres types.
2. **L'artillerie de forteresse** : les corps d'artilleurs qui défendent les forteresses.
3. **Fantassin** : soldat d'infanterie (qui combat à pied).
4. **Falzar** : pantalon (argot).

La Guerre des boutons

Le budget fut voté ainsi ; Tintin ajouta qu'il prenait note des boutons et des ficelles que lui avaient remis les payeurs en nature et que, le lendemain, son carnet serait en ordre. Chacun pourrait en prendre connaissance et vérifier la caisse et la comptabilité à toute heure du jour.

Il compléta ses renseignements en confiant en outre que sa sœur Marie, la cantinière de l'armée, si on voulait bien, avait promis de lui confectionner un petit sac à coulisses comme ceux « ousqu'on » mettait les billes, pour y remiser et concentrer le trésor de guerre. Elle attendait seulement de voir la quantité que ça ferait, pour ne le faire ni trop grand, ni trop petit.

On applaudit à cette offre généreuse et la Marie Tintin, bonne amie comme chacun savait du général Lebrac, fut acclamée cantinière d'honneur de l'armée de Longeverne. Camus annonça également que sa cousine, la Tavie[1] des Planches, se joindrait aussi souvent que possible à la sœur de Tintin, et elle eut sa part dans le concert d'acclamations ; Bacaillé, toutefois, n'applaudit pas, il regarda même Camus de travers. Son attitude n'échappa point à La Crique le vigilant et à Tintin le comptable et ils se dirent même qu'il devait y avoir du louche par là-dessous.

– Ce midi, fit Tintin, j'irai avec La Crique acheter le fourbi chez la mère Maillot.

– Va plutôt chez la Jullaude, conseilla Camus, elle est mieux assortie[2] qu'on dit.

– C'est tous des fripouilles et des voleurs, les commerçants, trancha, pour les mettre d'accord, Lebrac, qui semblait avoir, avec des idées générales, une certaine expérience de la vie ; prends-en, si tu veux, la moitié chez l'un, la moitié chez l'autre : on verra pour une autre fois ousqu'on est le moins étrillé[3].

– Vaudrait peut-être mieux acheter en gros[4], déclara Boulot, il y aurait plus d'avantages.

– Après tout, fais comme tu voudras, Tintin, t'es trésorier, arrange-toi, tu n'as qu'à montrer tes comptes quand tu auras fini : nous, on n'a pas à y fourrer le nez avant.

---

1. *La Tavie :* Octavie (note de Louis Pergaud).
2. **Elle est mieux assortie :** elle a plus de choix.
3. **Étrillé :** volé.
4. **En gros :** en grosse quantité, ce qui fait baisser les prix.

La façon dont Lebrac émit cette opinion coupa la discussion, qui eût pu s'éterniser ; il était temps, d'ailleurs, car le père Simon, intrigué de leur manège, l'oreille aux écoutes, sans faire semblant de rien, passait et repassait pour essayer de saisir au vol quelque bribe de leur conversation.

Il en fut pour ses frais[1], mais il se promit de surveiller avec soin Lebrac, qui donnait des signes manifestes et extra-scolaires d'exaltation intellectuelle.

La Crique, ainsi appelé parce qu'il était sec comme un coucou, mais par contre éveillé et observateur autant que tous les autres à la fois, éventa[2] la pensée du maître d'école. Aussi, comme Tintin se trouvait être en classe le voisin du chef, et que l'un pincé[3], l'autre pourrait se trouver compromis et fort embarrassé pour expliquer la présence dans sa poche d'une somme aussi considérable, il lui confia qu'il eût, durant le cours de la séance, à se méfier du « vieux » dont les intentions ne lui paraissaient pas propres.

À onze heures, Tintin et La Crique se dirigèrent vers la maison de la Jullaude, et, après avoir salué poliment et demandé un sou de boutons de chemise, ils s'enquirent du prix de l'élastique.

La débitante[4], au lieu de leur donner le renseignement sollicité, les fixa d'un œil curieux et répondit à Tintin par cette doucereuse et insidieuse interrogation :

– C'est pour votre maman ?

– Non ! intervint La Crique, défiant. C'est pour sa sœur.

Et comme l'autre, toujours souriante, leur donnait des prix, il poussa légèrement du coude son voisin en lui disant : « Sortons ! »

Dès qu'ils furent dehors, La Crique expliqua sa pensée :

– T'as pas vu cette vieille bavarde qui voulait savoir pourquoi, comment, ousque, quand et puis encore quoi ? Si nous avons envie que tout le village le sache bientôt que nous avons un trésor de guerre, il n'y a qu'à acheter chez elle. Vois-tu, il ne faut pas prendre ce qu'il nous faut tout d'un coup, ou bien cela donnerait des soupçons ; il vaut mieux que nous achetions un jour une chose, l'autre

---

1. **Il en fut pour ses frais :** il fut déçu.
2. **Éventa :** devina.
3. **Pincé :** attrapé.
4. **Débitante :** marchande.

130 jour une autre et ainsi de suite, et quant à aller encore chez cette
sale cabe[1]-là, jamais !

– Ce qu'il y a encore de mieux, répliqua Tintin, vois-tu, c'est
d'envoyer ma sœur Marie chez la mère Maillot. On croira que c'est
ma mère qui l'envoie en commission et puis, tu sais, elle s'y connaît
135 mieux que nous pour ces affaires-là, elle sait même marchander,
mon vieux ; t'es sûr qu'elle nous fera avoir la bonne mesure de
ficelle et deux ou trois boutons par-dessus.

– T'as raison, convint La Crique.

Et comme ils rejoignaient Camus, sa fronde à la main, en train de
140 viser des moineaux qui picoraient sur le fumier du père Gugu, ils
lui montrèrent les boutons de chemise en verre blanc cousus sur
un petit carton bleu ; il y en avait cinquante et ils lui confièrent
qu'à cela se bornaient leurs achats du moment, lui donnèrent les
raisons de leur abstention prudente et lui affirmèrent que, pour
145 une heure, tout serait quand même acheté.

De fait, vers midi et demi, comme Lebrac sortant de table se
rendait en classe les mains dans les poches, en sifflant le refrain de
Camus alors fort à la mode parmi eux, il aperçut, l'air très affairé,
sa bonne amie qui se dirigeait vers la maison de la mère Maillot
150 par le traje[2] des Cheminées.

Comme personne n'était à ce moment sur le pas de sa porte et
qu'elle ne le voyait pas, il attira son attention par un tirouit discret
qui la prévint de sa présence.

Elle sourit, puis lui fit un signe d'intelligence pour indiquer où
155 elle allait, et Lebrac, tout joyeux, répondit lui aussi par un franc et
large sourire qui disait la belle joie d'une âme vigoureuse et saine.

Dans la cour de l'école, dans le coin du fond, tous les yeux des
présents fixaient obstinément et impatiemment la porte, espérant
d'instant en instant l'arrivée de Tintin. Chacun savait déjà que la
160 Marie s'était chargée de faire elle-même les achats et que Tintin
l'attendait derrière le lavoir, pour recevoir de ses mains le trésor
qu'il allait bientôt présenter à leur contrôle.

---

1. **Cabe :** chèvre.
2. **Traje :** sentier, raccourci.

Enfin il apparut, précédé de La Crique, et un ah ! général d'exclamation salua son entrée. On se porta en masse autour de lui, l'accablant de questions :

— As-tu le fourbi ?

— Combien de boutons de veste pour un sou ?

— Y en a-t-il long de ficelle ?

— Viens voir les boucles !

— Est-ce que le fil est solide ?

— Attendez ! nom de Dieu, gronda Lebrac. Si vous causez tous à la fois, vous n'entendrez rien du tout et si tout le monde lui grimpe sur le dos personne ne verra. Allez, faites le cercle ! Tintin va tout nous montrer.

On s'écarta à regret, chacun désirant se trouver être le plus près du trésorier et palper, si possible, le butin. Mais Lebrac fut intraitable et défendit à Tintin de rien sortir de sa profonde[1] avant qu'il ne fût absolument dégagé.

Quand ce fut fait, le trésorier, triomphant, tira un à un de sa poche divers paquets enveloppés de papier jaune et dénombra :

— Cinquante boutons de chemise sur un carton !

— Oh ! merde !

— Vingt-quatre boutons de culotte !

— Ah ! ah !

— Neuf boutons de tricot, un de plus que le compte, ajouta-t-il ; vous savez qu'on n'en donne que quatre pour un sou.

— C'est la Marie, expliqua Lebrac, qui l'a eu en marchandant.

— Quatre boucles de pantalon !

— Un bon mètre de lastique !

Et Tintin l'étendit pour faire voir qu'on n'était pas grugé.

— Deux agrafes de blouse !

— Sont-elles belles ! hein ! fit Lebrac, qui songeait que l'autre soir, s'il en avait eu une, peut-être, enfin... bref...

— Cinq paires de cordons de souliers, renchérit Tintin.

— Dix mètres de ficelle, plus un grand bout de rabiot qu'elle a eu parce qu'elle achetait pour beaucoup à la fois !

— Onze aiguilles ! une de plus que le compte ! et une pelote de fil noir et une de blanc !

---

1. **Profonde :** poche (argot).

La Guerre des boutons

À chaque exposition et dénombrement, des « oh ! » et des « ah ! »,
des « foutre ! », des « merde ! » exclamatifs et admiratifs saluaient le
déballement de l'achat nouveau.

– Chicot ![1] s'écria tout à coup Tigibus, comme s'il eût joué à poursuivre un camarade ; mais à ce signal d'alarme, annonçant l'arrivée du
maître, tout le monde se mêla, tandis que Tintin fourrait pêle-mêle et
entassait dans sa poche les divers articles qu'il venait de déballer.

La chose se fit si naturellement et d'une façon si prompte que
l'autre n'y vit que du feu et, s'il remarqua quelque chose, ce fut
l'épanouissement général de toutes ces frimousses qu'il avait vues
l'avant-veille si sombres et si fermées.

« C'est étonnant, pensa-t-il, combien le temps, le soleil, l'orage, la pluie
ont d'influence sur l'âme des enfants ! Quand il va tonner ou pleuvoir
on ne peut pas les tenir, il faut qu'ils bavardent et se chamaillent et se
remuent ; quand une série de beau temps s'annonce, ils sont naturellement travailleurs et dociles et gais comme des pinsons. »

Brave homme qui ne soupçonnait guère les causes occultes[2] et
profondes de la joie de ses élèves et, le cerveau farci de pédagogies
fumeuses[3], cherchait midi à quatorze heures.

Comme si les enfants, vite au courant des hypocrisies sociales, se
livraient jamais en présence de ceux qui ont sur eux une parcelle
d'autorité ! Leur monde est à part, ils ne sont eux-mêmes, vraiment eux-mêmes qu'entre eux et loin des regards inquisiteurs ou
indiscrets. Et le soleil comme la lune n'exerçaient sur eux qu'une
influence en l'occurrence bien secondaire.

Les Longevernes commencèrent à se poursuivre, à se « couratter »
dans la cour, se disant lorsqu'ils se rejoignaient :

– Alors, ça y est, c'est ce soir qu'on leur z'y fout !

– Ce soir, voui !

– Ah ! nom de dious, ils n'ont qu'à venir, qu'est-ce qu'on va leur passer !

Un coup de sifflet, puis la voix naturellement rogue[4] du maître :
« Allons, en rangs, dépêchons-nous ! » interrompirent ces évocations
de bataille et ces perspectives de prouesses guerrières futures.

---

1. **Chicot !** : faites gaffe ! attention !
2. **Occultes :** cachées, secrètes.
3. **Pédagogies fumeuses :** principes d'éducation obscurs et compliqués.
4. **Rogue :** arrogante, désagréable.

Clefs d'analyse

Action et personnages

1. Pourquoi les soldats de Lebrac refusent-ils désormais de se battre « à poil » ? Quelle idée propose alors Lebrac pour se procurer des boutons au cas où son armée, dépouillée par l'ennemi, en aurait besoin ?

2. Que fait Lebrac au lieu d'écouter la leçon du maître ? Peut-on dire de lui qu'il se conduit comme un cancre ? Pourquoi ?

3. Quelle somme Lebrac réunit-il ? Quel impôt veut-il prélever chaque mois ? Quels arguments avance-t-il pour convaincre ses camarades ? Que décide le vote ?

4. Quel sera le rôle de la Marie dans ce nouveau plan ? Pourquoi, à votre avis, est-elle solidaire des Longevernes ?

5. Quels moyens évoque Lebrac pour se procurer de l'argent ? Quelles objections lui présentent Guerreuillas puis Zozo ?

6. Finalement, que suggère Lebrac ? À quels détails voit-on qu'il a l'expérience de ces procédés ? Est-il malhonnête ?

7. Pourquoi cette solution ne convient-elle pas à Bati ? Que propose Lebrac pour inclure les dix pauvres dans le projet de la cagnotte ? Relevez quelques termes montrant l'enthousiasme général.

8. Expliquez le choix de Tintin comme trésorier. Qui étaient les autres candidats possibles ? Quelles objections sont venues à bout de leur candidature ?

9. À quoi voit-on que le budget est pris très au sérieux à la fois par le trésorier et par les cotisants ?

10. Pourquoi Bacaillé est-il suspect ? Que pensez-vous de ce garçon ?

11. Qui sera finalement chargé d'acheter les boutons et les élastiques ? Pourquoi ? Comment s'exprime la joie des Longevernes quand Tintin présente les achats de la journée (chap. 3) ?

Langue

12. Expliquez la phrase : « ça te coûtera une gifle ou deux, mais on n'a rien pour rien dans ce bas monde » (chap. 2, l. 152-153). Pourquoi peut-on dire que c'est un propos de moraliste ?

Genre ou thèmes

13. Quelle est la situation financière de Tintin et de Grangibus
    (chap. 1) ? Des dix camarades et de Lebrac (chap. 2) ?
    Qu'apprenons-nous sur la condition des enfants de la campagne
    à l'époque ?

14. Pourquoi dans la scène du vote de l'impôt peut-on parler
    de « parodie » ?

15. Pourquoi la réaction du maître devant l'épanouissement de
    toutes ces frimousses (chap. 3, l. 210-214) est-elle comique ?
    Commentez la réflexion du narrateur dans les lignes 215-217.

Écriture

16. Que pensez-vous de l'argent de poche ? Comment, à votre avis, doit-
    il être distribué aux enfants et aux adolescents d'aujourd'hui ?
    Comment faut-il le dépenser ? Développez votre réponse en
    présentant des arguments personnels et en vous inspirant
    à la fois du texte et de ce que vous voyez autour de vous.

Pour aller plus loin

17. Les Longevernes parlent beaucoup de la République. De quand
    date la première République française ? À quel régime succède-
    t-elle ? Servez-vous d'un livre d'histoire ou d'Internet pour
    répondre.

✳ À retenir

L'action du roman de *La Guerre des boutons* qui se déroule
au début du xxe siècle présente un **intérêt documentaire** :
elle renseigne le lecteur sur les **usages d'un autre temps.**
Ainsi, on apprend ici que l'idée de la république avec
ses principes d'égalité est très vivante dans la France
rurale de l'époque, même parmi les enfants. On apprend
aussi que les paysans sont très pauvres et que les enfants
ne reçoivent jamais d'argent de poche.

4
Le retour des victoires

> *Reviendrez-vous un jour, ô fières exilées ?*
> Sébastien-Charles Leconte *(Le Masque de fer).*

CE SOIR-LÀ, une fougue[1] indescriptible animait les Longevernes ;
rien, nul souci, nulle perspective fâcheuse n'entravait leur enthousiasme. Les coups de trique, ça passe, et ils s'en fichaient, et quant
aux cailloux, on avait le temps, presque toujours, quand ils ne
5 venaient pas de la fronde de Touegueule, d'éviter leur trajectoire.

Les yeux riaient, pétillants, vifs dans les faces épanouies par le
rire, les grosses joues rouges, rebondies comme de belles pommes,
hurlaient la santé et la joie ; les bras, les jambes, les pieds, les épaules,
les mains, le cou, la tête, tout remuait, tout vibrait, tout sautait en
10 eux. Ah ! ils ne pesaient pas lourd aux pieds, les sabots de peuplier,
de tremble ou de noyer, et leur claquement sec sur le chemin durci
était déjà une fière menace pour les Velrans.

Ils se récriaient, s'attendaient, se rappelaient, se bousculaient, se
chipotaient, s'excitaient, tels des chiens de chasse, longtemps tenus
15 à l'attache, qu'on mène enfin courir le lièvre ou le goupil[2], se mor-
dillent les oreilles et les jambes pour se féliciter réciproquement et
se témoigner leur joie.

C'était vraiment un enthousiasme entraînant que le leur. Derrière
leur élan vers la Saute, derrière leur joie en marche, comme à la
20 suite d'une musique guerrière, toute la vie jeune et saine du village semblait happée et emportée : les petites filles timides et rou-
gissantes les suivirent jusqu'au Gros Tilleul, n'osant aller plus loin,
les chiens couraient sur leur flanc en gambadant et en jappant, les
chats eux-mêmes, les prudents matous, s'avançaient sur les murs
25 d'enclos avec une vague idée de les suivre, les gens sur le seuil des
portes les interrogeaient du regard. Ils répondaient en riant qu'ils
allaient s'amuser, mais à quel jeu !

---

1. **Fougue :** ardeur enthousiaste.
2. **Goupil :** renard.

131

Lebrac, dès la carrière à Pepiot, canalisa l'enthousiasme en invitant ses guerriers à bourrer leurs poches de cailloux.

30   – Faudra n'en garder sur soi qu'une demi-douzaine, dit-il, et poser le reste à terre sitôt qu'on sera arrivé, car, pour pousser la charge, il ne s'agit pas de peser comme des sacs de farine. Si on manque de munitions, six des petits prendront chacun deux bérets et partiront les remplir à la carrière du Rat (c'est la plus près du camp).

35   Il désigna ceux qui, le cas échéant[1], seraient chargés du ravitaillement ou plutôt du réapprovisionnement des munitions. Puis il fit exhiber à Tintin les diverses pièces du trésor de guerre afin que les camarades fussent tous tranquilles et bien affermis, et il donna le signal de la marche en avant, lui prenant la tête et comme tou-
40 jours servant d'éclaireur à sa troupe.

Son arrivée fut saluée par le passage d'un caillou qui lui frisa le front et lui fit baisser le crâne ; il se retourna simplement pour indiquer aux autres, par un petit hochement de tête, que l'action était commencée. Aussitôt ses soldats s'écampillèrent[2] et il les
45 laissa se placer à leur convenance, chacun à son poste habituel, assuré qu'il était que leur flair guerroyeur ne serait pas ce soir-là mis en défaut[3].

Quand Camus fut juché sur son arbre, il exposa la situation.

Ils y étaient tous à leur lisière, les Velrans, du plus grand au plus
50 petit, de Touegueule le grimpeur à Migue la Lune l'exécuté.

– Tant mieux ! conclut Lebrac, ce sera au moins une belle bataille.

Pendant un quart d'heure, le flot coutumier d'injures flua et reflua entre les deux camps, mais les Velrans ne bougeaient pas,
55 croyant peut-être que leurs ennemis nus pousseraient encore, comme l'avant-veille, une charge ce soir-là. Aussi les attendaient-ils de pied ferme, bien amunitionnés[4] qu'ils étaient par un service récemment organisé de galopins charriant continuellement et à

---

1. **Le cas échéant :** au cas où cela se produirait.
2. **S'écampillèrent :** se dispersèrent.
3. **Mis en défaut :** mis en échec.
4. **Amunitionnés :** équipés de munitions.

pleins mouchoirs des picotins[1] de cailloux qu'ils allaient quérir aux
roches du milieu du bois et venaient verser à la lisière.

Les Longevernes ne les voyaient que par intermittence derrière
leur mur et derrière leurs arbres.

Cela ne faisait guère l'affaire de Lebrac qui eût voulu les attirer
tous un peu en plaine, afin de diminuer la distance à parcourir
pour les atteindre.

Voyant qu'ils ne se décidaient pas vite, il résolut de prendre l'offensive avec la moitié de sa troupe.

Camus, consulté, descendit et déclara que, pour cette affaire-là,
c'était lui que ça regardait. Tintin, par-derrière, se mangeait les
sangs[2] à les voir ainsi se trémousser et s'agiter.

Camus ne perdit point de temps. La fronde à la main, il fit prendre
quatre cailloux, pas plus, à chacun de ses vingt soldats, et commanda la charge.

C'était entendu : il ne devait pas y avoir de corps-à-corps ; on
devait seulement approcher à bonne portée de l'ennemi qui serait
sans doute ébahi de cette attaque, lancer dans ses rangs une grêle
de moellons[3] et battre en retraite immédiatement pour éviter la
riposte qui serait sûrement dangereuse.

Espacés de quatre ou cinq pas en tirailleurs, Camus en avant,
tous se précipitèrent et, en effet, le feu de l'ennemi cessa un instant
devant ce coup d'audace. Il fallait en profiter. Camus saisissant
son cuir de fronde prit la ligne de mire et visa l'Aztec des Gués,
tandis que ses hommes, faisant tournoyer leurs bras, criblaient de
cailloux la section ennemie.

– Filons, maintenant ! cria Camus, en voyant la bande de l'Aztec
se ramasser pour l'élan.

Une volée de pierres leur arriva sur les talons pendant que
d'effroyables cris, poussés par les Velrans, leur apprenaient qu'ils
étaient poursuivis à leur tour.

L'Aztec, ayant vu qu'ils n'étaient plus dévêtus, avait jugé inutile
et stérile une plus longue défensive.

---

1. **Picotins :** un picotin est une quantité d'environ 2 litres et demi dont on se servait
   pour mesurer la ration d'avoine des chevaux.
2. **Se mangeait les sangs :** se tourmentait.
3. **Moellons :** pierres de grosseur intermédiaire entre le caillou et le bloc.

Camus, entendant ce vacarme et se fiant à ses jambes agiles, se retourna pour voir « comme ça en allait » ; mais le général ennemi avait avec lui ses meilleurs coureurs, Camus était déjà un peu en
95 retard sur les autres, il fallait filer et sec s'il ne voulait pas être pincé. Ses boutons, il le savait, non moins que sa fronde, étaient rudement convoités par la bande de l'Aztec, qui l'avait raté le soir de Lebrac.

Aussi voulut-il jouer des jambes.

100 Malheur ! un caillou lancé terriblement, un caillou de Touegueule, bien sûr ! ah le salaud ! vint lui choquer violemment la poitrine, l'ébranla, et l'arrêta un instant. Les autres allaient lui tomber dessus.

« Ah ! nom de Dieu ! Foutu ! »

105 Et Camus, en moins de temps qu'il ne faut pour le dire et pour l'écrire, porta d'un geste désespéré sa main à sa poitrine et tomba en arrière, sans souffle et la tête inerte.

Les Velrans étaient sur lui.

Ils avaient suivi la trajectoire du projectile de Touegueule et
110 remarqué le geste de Camus, ils le virent, pâle, s'affaler de tout son long sans mot dire ; ils s'arrêtèrent net.

« S'il était tué !... »

Un rugissement terrible, le cri de rage et de vengeance de Longeverne, se fit entendre aussitôt, monta, grandit, emplit la
115 combe[1], et un brandissement fantastique d'épieux et de sabres pointa désespérément sur leur groupe.

En une seconde ils eurent tourné bride et regagné leur abri où ils se tinrent de nouveau sur la défensive, le caillou à la main, tandis que toute l'armée de Longeverne arrivait près de Camus.

120 À travers ses paupières demi-closes et ses cils papillotants, le guerrier tombé avait vu les Velrans s'arrêter court devant lui, puis faire demi-tour et finalement s'enfuir.

Alors, comprenant aux grondements furieux accourant à lui que les siens venaient à la rescousse et les mettaient en fuite, il rouvrit
125 les yeux, s'assit sur son derrière, puis se releva paisiblement, campa ses poings sur ses hanches et fit aux Velrans, dont les têtes inquiètes apparaissaient à niveau du mur d'enceinte, sa plus élégante révérence.

---

1. **Combe :** vallée.

– Cochon ! salaud ! ah traître ! lâche ! beuglait l'Aztec des Gués, voyant que son prisonnier, car il l'était, lui échappait encore par
130 ruse ; ah ! je t'y rechoperai ! je t'y rechoperai ! et tu n'y couperas pas, fainéant !

Lors Camus, très calme et toujours souriant, l'armée de Longeverne étonnée étant derrière lui, porta son index à sa gorge et le passa quatre fois d'arrière en avant, du cou au menton ; puis,
135 pour compléter ce que ce geste avait déjà d'expressif, se souvenant opportunément que son grand frère était artilleur, il se frappa vivement de la dextre[1] sur la cuisse droite, retourna la main, la paume en dehors, le pouce à l'ouverture de la braguette.

– Et çui-là ! reprit-il, quand c'est-y que tu le choperas, hé ! trop
140 bête !

– Bravo, bravo, Camus ! ouhe ! ouhe ! ouhe ! hihan ! bouaou ! meuh ! bê ! couâ ! keureukeukeue.

C'était l'armée de Longeverne qui, par des cris divers, témoignait ainsi son mépris pour la sotte crédulité[2] des Velrans et ses félici-
145 tations au brave Camus, qui venait de l'échapper belle et de leur jouer un si bon tour.

– T'as tout de même reçu le gnon, rugissait Touegueule ballotté de sentiments divers, content au fond de la tournure qu'avaient prise les choses et furieux cependant de ce que ce salaud de
150 Camus, qui lui avait pour rien fichu la frousse, eût échappé au châtiment qu'il méritait si bien.

– Toi, mon petit, répliqua Camus, qui avait son idée, soye tranquille ! je te retrouverai !

Et les cailloux commençant à tomber parmi les rangs découverts
155 des Longevernes armés seulement de leurs triques, ils firent prestement demi-tour et regagnèrent leur camp.

Mais l'élan était donné, la bataille reprit de plus belle, car les Velrans, cernés, furieux de leur déconvenue – avoir été joués, raillés, insultés, ça se paierait et tout de suite !, – voulurent reprendre
160 l'offensive.

On avait déjà chipé le général, ce serait bien le tonnerre de diable si on n'arrivait pas encore à pincer quelques soldats.

---

1. **Dextre :** main droite.
2. **Crédulité :** facilité à croire, naïveté.

La Guerre des boutons

« Ils vont revenir », pensait Lebrac.

Et Tintin, en arrière, ne tenait pas en place. Quel sale métier que
165 d'être trésorier !

Cependant l'Aztec des Gués, ayant de nouveau rassemblé ses
hommes surexcités et furieux et pris conseil, décida d'un assaut
général. Il poussa un sonore et rugissant : « La murie vous crève ![1] »
et triques brandies, bâtons serrés, s'élança dans la carrière, toute
170 son armée avec lui. Lebrac n'hésita pas davantage. Il répliqua par
un « À cul les Velrans ! » aussi sonore que le cri de guerre de son
rival et les épieux et les sabres de Longeverne pointèrent encore
une fois en avant leurs estocs[2] durcis.

« Ah Prussiens[3] ! Ah salauds ! Triples cochons ! Andouilles de
175 merde ! Bâtards de curés ! Enfants de putains ! Charognards !
Pourriture ! Civilités ! Crevures ! Calotins[4] ! Sectaires ! Chats
crevés ! Galeux ! Mélinards[5] ! Combisses[6] ! Pouilleux ! », telles
furent quelques-unes des expressions qui s'entrecroisèrent avant
l'abordage.
180 Non, on peut le dire, les langues ne chômaient pas !

Quelques cailloux passèrent encore en rafales, frondonnant[7] au-
dessus des têtes, et une effroyable mêlée s'ensuivit : on entendit
des triques tomber sur des caboches, des lances et des sabres craquer, des coups de poing sonner sur les poitrines, et des gifles qui
185 claquaient, et des sabots qui cassaient, et des gorges qui hurlaient,
pif ! paf, pan ! zoum ! crac ! zop !

– Ah traître ! ah lâche !

Et l'on vit des hérissements de chevelures, des armes cassées, des
corps se nouer, des bras décrire de grands cercles pour retomber

---

1. **La murie vous crève !** : la peste vous emporte ! (cri de guerre des Velrans). Un passage de *La Guerre des boutons* est consacré à la murie, livre III, chapitre 4.
2. **Estocs** : pointes des épées.
3. **Prussiens** : Allemands (ennemis de la France à l'époque).
4. **Calotins** : mot argotique désignant les partisans des curés (ceux qui portent la
calote, un petit bonnet couvrant le sommet du crâne).
5. **Mélinards** : partisans de Jules Méline, homme politique de droite (conservateur).
6. **Combisses** : partisans d'Émile Combes, homme politique de gauche.
7. **Frondonnant** : lançant avec la fronde.

190 de tout leur élan et des poings projetés en avant comme des bielles[1]
et des gigues[2] à terre, se démenant, s'agitant, se trémoussant pour
lancer des coups de tous côtés.

Ainsi La Crique, jeté bas, dès le début de l'action, par une bour-
rade anonyme, tournant sur une fesse, faisait non pas tête mais
195 pied à tous les assaillants, froissant des tibias, broyant des rotules,
tordant des chevilles, écrasant des orteils, martelant des mollets.

Lebrac, hérissé comme un marcassin, col déboutonné, nu-tête,
la trique cassée, entrait comme un coin d'acier dans le groupe
de l'Aztec des Gués, saisissait à la gorge son ennemi, le secouait
200 comme un prunier malgré une nichée de[3] Velrans suspendus à
ses grègues[4] et lui tirait les poils, le giflait, le calottait[5], le bosselait,
puis ruait comme un étalon fou au centre de la bande et écartait
violemment ce cercle d'ennemis.

– Ah ! Je te tiens ! Nom de Dieu ! rugissait-il, salaud ! tu n'y coupes
205 pas, j'te le jure ! t'y passeras ! quand je devrais te saigner, je t'emmène-
rai au Gros Buisson et t'y passeras, que je te dis, t'y passeras !

Et ce disant, le bourrant de coups de pied et de coups de poing,
aidé par Camus et par Grangibus qui l'avaient suivi, ils emportèrent littéralement le chef ennemi qui se débattait de toutes
210 ses forces. Mais Camus et Grangibus tenaient chacun un pied et
Lebrac, le soulevant sous les bras, lui jurait avec force noms de
Dieu qu'il lui serrerait la vis s'il faisait trop le malin.

Pendant ce temps les gros des deux troupes luttaient avec un
acharnement terrible, mais la victoire décidément souriait aux
215 Longevernes ; dans les corps-à-corps ils étaient bons, étant bien
râblés[6] et robustes ; quelques Velrans, qui avaient été culbutés trop
violemment, reculaient, d'autres lâchaient pied, tant et si bien que,
lorsqu'on vit le général lui-même emporté, ce fut la débandade et
la déroute et la fuite en désordre.

---

1. **Bielles :** tiges rigides, articulées aux deux extrémités, destinées à la transmission
   du mouvement entre deux pièces mobiles, par exemple deux roues.
2. **Gigues :** jambes (argot).
3. **Une nichée de :** une grosse quantité de.
4. **Grègues :** culotte, pantalon.
5. **Le calottait :** lui donnait des calottes, des claques.
6. **Râblés :** trapus et vigoureux.

220   – Chopez-en donc ! chopez-en donc, nom de Dieu ! Mais chopez-en donc, rugissait Lebrac, de loin.

Et les guerriers de Longeverne s'élancèrent sur les pas des vaincus, mais, comme bien on pense, les fuyards ne les attendirent point et les vainqueurs ne poussèrent pas trop loin leur poursuite,
225   trop curieux de voir comment on allait traiter le chef ennemi.

5
Au poteau d'exécution

Les ayant cloués nus aux poteaux de couleurs.
A. Rimbaud *(Le Bateau ivre).*

BIEN QUE de petite taille et d'apparence chétive, ce qui lui avait valu son surnom, l'Aztec des Gués n'était pas un gars à se laisser faire sans résistance ; Lebrac et les deux autres l'apprirent bientôt à leurs dépens.

5   En effet, pendant que le général tournait la tête pour exciter ses soldats à la poursuite, le prisonnier, tel un renard piégé profite d'un instant de relâchement pour se venger d'avance du supplice qui l'attend, saisit entre ses mâchoires le pouce de son porteur et le mordit à si belles dents que cela fit sang. Camus et Grangibus,
10   eux, connurent, en recevant chacun un coup de soulier dans les côtes, ce qu'il en coûtait à desserrer si peu que ce soit l'étreinte de la patte qu'ils avaient à maintenir entre leur bras et leur flanc.

Lorsque Lebrac, d'un maître coup de poing en travers de la gueule de l'Aztec, lui eut fait lâcher son pouce percé jusqu'à l'os, il
15   lui jura derechef à grand renfort de blasphèmes[1] et d'imprécations[2] que tout ça allait se payer et illico[3].

Justement, l'armée revenait à eux sans autre captif. Oui, c'était l'Aztec qui allait payer pour tous.

---

1. **Blasphèmes :** jurons impies.
2. **Imprécations :** malédictions.
3. **Illico :** immédiatement.

Tintin, qui s'approcha pour le dévisager, reçut un crachat en
20 pleine figure, mais il méprisa cette injure et ricana de la belle
manière en reconnaissant le général ennemi.

– Ah ! c'est toi ! ah ben ! mon salaud, tu n'y coupes pas. Cochon !
Si la Marie était seulement là pour te tirer un peu les poils, ça lui
ferait plaisir ; ah ! tu baves, serpent, mais t'as beau baver, c'est pas
25 ça qui te rendra tes boutons, ni doublera tes fesses.

– Trouve la cordelette, Tintin, ordonna Camus, on va le ficeler ce
saucisson-là.

– Attache-lui toutes les pattes, d'abord celles de derrière, celles
de devant après ; pour finir on le liera au gros chêne et on lui fera
30 sa petite affaire. Et je te promets que tu ne mordras plus et que tu
ne baveras plus non plus, saligaud, dégoûtant, fumier !

Les guerriers qui arrivaient prirent part à l'opération : on commença par les pieds ; mais comme l'autre ne cessait point de cracher sur tous ceux qui approchaient à portée de son jet de salive et
35 qu'il essayait même de mordre, Lebrac ordonna à Boulot de fouiller
les poches de ce vilain coco-là et de se servir de son mouchoir
pour lui boucher sa sale gueule.

Boulot obéit : sous les postillons de l'Aztec dont il se garait d'une
main autant que possible, il tira de la poche du prisonnier un carré
40 d'étoffe de couleur indécise qui avait dû être à carreaux rouges, à
moins qu'il ne fût blanc du temps, pas très lointain peut-être, qu'il
était propre. Mais ce tire-jus[1] n'offrait plus maintenant aux yeux
de l'observateur, par suite de contacts avec des objets hétéroclites[2]
très divers et sans doute aussi les multiples usages auxquels il
45 avait été voué : propreté, lien, bâillon, bandeau, baluchon, coiffure[3], bande de pansement, essuie-mains, porte-monnaie, casse-
tête, brosse, plumeau, etc., etc., qu'une teinte pisseuse, verdâtre ou
grisâtre, rien moins qu'attirante.

– Bien, elle est propre, sa guenille, fit Camus ; elle est encore pleine
50 de « chose » ; t'as pas honte, dégoûtant, d'avoir une saleté pareille dans
ta poche ! Et tu dis que t'es riche ? Quelle saloperie ! un mendiant n'en
voudrait point, on ne sait pas par quel bout le prendre.

---

1. **Tire-jus :** mouchoir.
2. **Hétéroclites :** de natures variées.
3. **Coiffure :** chapeau.

– Ça ne fait rien ! décida Lebrac. Mettez-y en travers du meufion[1], s'il y a gras dedans il pourra le rebouffer, y aura rien de perdu.

55 Et des poings énergiques nouèrent en arrière, à la nuque, le bâillon sur les mandibules[2] de l'Aztec des Gués qui fut bientôt réduit à l'immobilité et au silence.

– Tu m'as fait fouailler[3] l'autre jour, tu seras aujord'hui fessé à coups de verge, toi aussi.

60 – Œil pour œil, dent pour dent ! proféra le moraliste La Crique.

– Allez, Grangibus, prends la verge et cingle. Une petite séance avant le déculottage pour le mettre en vibrance[4], ce beau petit « mocieu » qui fait tant le malin.

– Serrez-vous, les autres, écartez le cercle !

65 Et Grangibus, consciencieusement, appliqua d'une baguette verte, flexible et lourde, six coups sifflants sur les fesses de l'autre qui, sous son bâillon, étouffait de colère et de douleur. Quand ce fut fait, Lebrac, après avoir pendant quelques instants conféré à voix basse avec Camus et Gambette, qui s'éloignèrent sans se faire 70 remarquer, s'écria joyeusement :

– Et maintenant, aux boutons ! Tintin, mon vieux, prépare tes poches, c'est le moment, c'est l'instant, et compte bien tout, et ne perds rien !

Lebrac y alla prudemment. Il convenait en effet de ne point 75 détériorer par des mouvements trop brusques et des coups de couteau malhabiles les diverses pièces composant la rançon de l'Aztec, pièces qui devaient grossir le trésor de guerre de l'armée de Longeverne.

Il commença par les souliers.

80 – Oh oh ! fit-il, un cordon neuf ! y a du bon !

« Salaud, reprit-il bientôt, il est noué ! »

Et lentement, l'œil guettant les liens de ficelle qui garantissaient son museau d'un coup de pied vengeur et qui eût été terrible, il défit l'embouélage[5], délaça le soulier et retira le cordon qu'il remit

---

1. **Meufion :** mufle (note de Louis Pergaud). Désigne la figure.
2. **Mandibules :** mâchoires.
3. **Fouailler :** battre à coups de trique (argot).
4. **En vibrance :** en condition.
5. **Embouélage :** embouteillage, nœud.

85 à Tintin. Puis il passa au deuxième et ce fut plus rapide. Ensuite il remonta la jambe du pantalon pour s'emparer des jarretières en élastique qui devaient tenir les bas.

Ici, Lebrac fut volé. L'Aztec n'avait qu'une jarretière, l'autre bas étant maintenu par un méchant bout de tresse qu'il confisqua quand même non sans grommeler :

– Voleur, va ! ça n'a pas même une paire de jarretières, et ça fait le malin. Qu'est-ce qu'il fait donc de ses sous, ton père ? Il les boit ! Enfant de soulaud ! chien d'ivrogne !

Ensuite Lebrac veilla à ne pas oublier un bouton ni une boutonnière. Il eut une joie au pantalon. L'Aztec avait des bretelles à double patte et en bon état.

– Du lusque ![1] fit-il ; sept boutons ce falzar. Ça, c'est bien, l'ami ! T'auras un coup de baguette en plus pour te remercier, ça t'apprendra à narguer le pauv' monde ; tu sais on n'est pas chien non plus à Longeverne, pas chien de rien, pas même de coups de trique. Ce qu'il va être content, le premier de nous qui sera chopé, d'avoir une si chouette paire de bretelles ! Merde ! j'ai quasiment d'envie que ça soye moi !

Pendant ce temps, le pantalon, désustenté[2] de ses boutons, de sa boucle et de ses crochets, dégringolait sur les bas déjà en accordéon.

Le tricot, le gilet, la blouse et la chemise furent à leur tour échenillés[3] méthodiquement ; on trouva même dans le gousset du mecton[4] un sou neuf qui alla, dans la comptabilité de Tintin, se caser au chapitre : « Réserve en cas de malheur. »

Et quand plusieurs inspections minutieuses eurent convaincu les guerriers de Longeverne qu'il n'y avait plus rien, mais rien de rien à gratter, qu'on eut mis de côté pour Gambette, qui n'en avait pas, le couteau de l'Aztec, on se décida enfin avec toute la prudence désirable à délier les mains et les pieds de la victime. Il était temps.

L'Aztec écumait sous son bâillon et, tout vestige de pudeur éteint par la souffrance ou étouffé par la colère, sans songer à remonter

1. **Du lusque ! :** du luxe ! (note de Louis Pergaud).
2. **Désustenté :** privé de ce qui le soutenait.
3. **Échenillés :** inspectés et pillés.
4. **Mecton :** mec, type.

son pantalon tombé qui laissait voir sous la chemise ses fesses rouges de la fessée, son premier soin fut d'arracher de sa bouche son malencontreux et terrible mouchoir.

Ensuite, respirant précipitamment, il rassembla tout de même sur ses reins ses habits et se mit à hurler des injures à ses bourreaux.

D'aucuns s'apprêtaient à lui sauter dessus pour le fouailler de nouveau, mais Lebrac, faisant le généreux et qui avait sans doute pour cela ses raisons, les arrêta en souriant :

– Laissez-le gueuler, ce petit ! si ça l'amuse, fit-il de son air goguenard[1] ; il faut bien que les enfants s'amusent.

L'Aztec partit, traînant les pieds et pleurant de rage. Naturellement, il songea à faire ce qu'avait fait Lebrac le samedi précédent : il se laissa choir derrière le premier buisson venu et, résolu à montrer aux Longevernes qu'il n'était pas plus couillon qu'eux, se dévêtit totalement, même de sa chemise, pour leur montrer son postérieur.

Au camp de Longeverne, on y pensait.

– Y va se fout'e de nous encore, tu vas voir, Lebrac, t'aurais dû le faire rerosser.

– Laissez ! laissez ! fit le général, qui, comme Trochu[2], avait son plan.

– Quand je te le disais, nom de Dieu ! cria Tintin.

Et en effet, l'Aztec, nu, se leva d'un seul bond de derrière son buisson, parut devant le front de bandière[3] des Longevernes, leur montra ce qu'avait dit Tintin, et les traita de lâches, de brigands, de cochons pourris, de couilles molles, de…, puis voyant qu'ils faisaient mine de s'élancer prit son élan vers la lisière et fila comme un lièvre.

Il n'alla pas loin, le malheureux…

D'un seul coup, à quatre pas devant lui, deux silhouettes patibulaires[4] et sinistres se dressèrent, lui barrèrent la voie de leurs

---

1. **Goguenard :** moqueur.
2. **Trochu :** Louis-Jules Trochu, général français qui fut chargé d'assurer la défense de Paris après la défaite de 1870 contre les Prussiens et avant la Commune (soulèvement populaire), tâche qu'il ne mena pas efficacement.
3. **Front de bandière :** ligne de drapeaux devant une troupe de soldats.
4. **Patibulaires :** effrayantes, impressionnantes.

poings projetés en avant, puis violemment se saisirent de sa personne et, tout en le bourrant copieusement de coups de pied, le
ramenèrent de force au Gros Buisson qu'il venait de quitter.

Ce n'était point pour des prunes que Lebrac avait conféré avec
Camus et Gambette ; il voyait clair de loin, comme il disait, et, bien
avant les autres, il avait pensé que son boquezizi[1] lui jouerait le
tour. Aussi l'avait-il bonassement[2] laissé filer, malgré les objurgations[3] des copains, pour mieux le repincer l'instant d'après.

– Ah ! tu veux nous montrer ton cul, mon ami ! ah ! très bien !
faut pas contrarier les enfants ! nous allons le regarder ton cul,
mon petit, et toi tu le sentiras.

– Rattachez-le à son chêne, ce jeune galustreau[4], et toi, Grangibus,
retrouve la verge, qu'on lui marque un peu le bas du dos.

Grangibus, généreux au possible, y alla de ses douze coups, plus
un de rabiot pour lui apprendre à venir les emm...bêter le soir
quand ils rentraient.

– Ce sera aussi pour que ça soye plus tendre et que notre Turc[5]
ne se fasse pas mal aux dents quand il voudra mordre dans ta sale
bidoche, affirma-t-il.

Pendant ce temps, Camus rectifiait le baluchon confisqué au prisonnier. Quand il eut les fesses bien rouges, on le délia de nouveau
et Lebrac, cérémonieusement, lui remit son paquet en disant :

– Bon voyage, monsieur le cul rouge ! et le bonsoir à vos poules.

Puis, revenant au ton naturel :

– Ah ! tu veux nous montrer ton cul, mon ami ! eh bien montre-le,
ton cul ! montre-le tant que tu voudras ; tu le montreras plus qu'à
ton saoul[6], ton cul, va, mon ami, c'est moi, Lebrac, qui te le dis !

Et l'Aztec, délivré, fila cette fois sans mot dire et rejoignit son
armée en déroute.

---

1. **Boquezizi :** zigoto, individu qui fait le malin.
2. **Bonassement :** avec une bonté excessive.
3. **Objurgations :** reproches.
4. **Galustreau :** freluquet, petit prétentieux.
5. **Notre Turc :** nom du chien de Grangibus et Tigibus.
6. **Plus qu'à ton saoul :** plus que tu ne veux.

6
Cruelle énigme

?

SI J'AI CHOISI ce titre emprunté, peut-on croire, à M. Paul Bourget[1]
et si, contrairement à l'usage adopté jusqu'alors, j'ai remplacé le
texte toujours célèbre placé en épigraphe de mes chapitres[2] par
un symbolique point d'interrogation, que le lecteur ou la lectrice
5 veuille bien croire que je n'ai voulu en l'occurrence ni le mystifier[3],
ni surtout emprunter en quoi que ce fût l'inspiration des pages
qui vont suivre au « très illustre écrivain » nommé plus haut. Nul
n'ignore d'ailleurs, et mon excellent maître Octave Mirbeau[4] nous
l'a plus particulièrement et en mainte occurrence fait savoir, qu'on
10 ne commence à être une âme du ressort de M. Paul Bourget qu'à
partir de cent mille francs de rente[5] ; il ne saurait donc, je le répète,
y avoir de rapport entre les héros du distingué et glorieux acadé-
micien et la saine et vigoureuse marmaille dont je me suis fait ici
le très simple et sincère historiographe[6].

15 L'Aztec des Gués, en arrivant parmi ses soldats, n'eut pas besoin
de raconter ce qui s'était passé. Touegueule, perché sur son arbre,
avait tout vu ou à peu près. Les coups de verge, l'embuscade, la
dégradation boutonnière, la fuite, la reprise, la délivrance : les
camarades avaient vécu avec lui au bout de son fil, si l'on peut
20 dire, ces minutes terribles de souffrance, d'angoisse et de rage.

---

1. **Paul Bourget :** écrivain et essayiste français (1852-1935).
2. **En épigraphe de mes chapitres :** Louis Pergaud, dans son roman, place une citation en tête de chaque chapitre pour en suggérer le sujet ou l'esprit.
3. **Mystifier :** duper, tromper.
4. **Mon excellent maître Octave Mirbeau :** Louis Pergaud admire beaucoup l'écrivain, journaliste et critique français Octave Mirbeau (1848-1917), qui refusa
notamment de se plier aux règles bien-pensantes de la littérature. Louis Pergaud
met ici l'accent sur l'indépendance de son inspiration.
5. **On ne commence à être une âme du ressort de M. Paul Bourget qu'à partir
de cent mille francs de rente :** on ne peut se dire un homme d'exception que si
l'on gagne au minimum cent mille francs de rente par an (somme considérable à
l'époque).
6. **Historiographe :** celui qui rapporte un fait historique, qui raconte la vie de
quelqu'un.

– Faut s'en aller ! dit Migue la Lune, rien moins que rassuré et à qui la pénible mésaventure de son chef rappelait, sans qu'il l'avouât, de bien tristes souvenirs.

– Faut d'abord rhabiller l'Aztec, objectèrent quelques voix. Et
25 l'on défit le baluchon. Les manches de blouse déliées, on trouva les souliers, les bas, le gilet, le tricot, la chemise et la casquette, mais le pantalon n'apparut point...

– Mon pantalon ? Qui c'qu'a mon patalon ? demanda l'Aztec.

– Il n'est pas dedans, déclara Touegueule. Tu l'as pas perdu, des
30 fois, en t'ensauvant ?

– Faut aller le sercher.

– Ergardez voir si vous ne le voyez pas ?

On interrogea des yeux le champ de bataille. Aucune loque gisant à terre n'indiquait le pantalon.

35 – Monte sur l'arbre, va, fit l'Aztec à Touegueule, tu verras peut-être ousqu'il a tombé.

Le grimpeur, en silence, escalada son foyard.

– Je ne vois rien, déclara-t-il, après un instant d'examen.

« Rien !... non ! rien... mais es-tu sûr de l'avoir mis dedans quand
40 tu t'es déshabillé au buisson ?

– Bien sûr, que je l'avais, répondit le chef, très inquiet.

– Ousqu'il a pu passer ?

– Ah ! bon diousse[1] ! ah les cochons ! s'exclama tout à coup Touegueule. Écoutez, mais écoutez donc, tas de bredouillards[2] !

45 Les Velrans, l'oreille tendue, entendirent en effet très distincte-ment leurs ennemis s'en retournant, chantant à pleins poumons ce refrain populaire, de circonstance à ce qu'il semblait, et moins révolutionnaire que de coutume :

Mon pantalon
50 *Est décousu !*
Si ça continue
On verra le trou
De mon... pantalon
Qu'est décousu...

---

1. **Bon diousse :** bon Dieu.
2. **Bredouillards :** du verbe « bredouiller », bafouiller (ici péjoratif).

55   Et se penchant, se tortillant, se haussant à travers les branches pour voir au loin, Touegueule hurla, plein de rage :

— Mais ils l'ont, ton pantalon ! ils te l'ont chipé, les sales salauds, les voleurs ! Je les vois, ils l'ont mis au bout d'une grande perche en guise de drapeau. Ils sont bientôt à la carrière.

60   Et le refrain arrivait toujours, narquois, aux oreilles épouvantées de l'Aztec et de sa troupe :

> *Si ça continue*
> *On verra l'trou*
> *De mon...*

65   Les yeux du chef s'agrandirent, papillotèrent, se troublèrent, il pâlit :

— Ben, j'en suis un propre, pour rentrer ! Qu'est-ce que je vais dire ? Comment pourrai-je faire ?... Jamais je n'oserai traverser le village.

70   — Faudra attendre la nuit noire, émit quelqu'un.

— On va tous se faire engueuler si on rentre en retard..., observa Migue la Lune. Faut tâcher de trouver quéque chose.

— Voyons, avec ta blouse, proposa Touegueule, en la fermant bien avec des épingles, peut-être qu'on ne verrait pas grand-chose.

75   On essaya, après avoir remis des ficelles aux souliers et une épingle au col de chemise ; mais va te faire fiche, comme disait Tatti, la blouse ne descendait même pas jusqu'à l'ourlet de la chemise ; de sorte que l'Aztec avait l'air d'avoir mis un surplis[1] noir sur une aube[2] blanche.

80   — On dirait un curé, refit Tatti, sauf que c'est le contraire.

— Voui, mais les curés ne montrent pas non plus leurs guibolles comme ça, objecta Pissefroid ; mon vieux, ça ne va pas. Si tu mettais ta blouse comme un jupon ; en la liant sur tes reins on ne verrait pas ton cul, on ferait tous comme ça, les gens croiraient que

85 c'est pour s'amuser et tu pourrais arriver chez vous.

— Oui, mais en rentrant on me dira de mettre ma blouse comme il faut et on verra. Ah ! mes amis, qu'est-ce que je vais recevoir !

---

1. **Surplis :** vêtement porté par-dessus l'aube et qui descend jusqu'à mi-jambe.
2. **Aube :** longue tunique blanche.

– Allons toujours du côté du pays[1], voilà qu'il se fait tard, on ne pourra pas aller à la prière, on va tous se faire tamiser[2], reprit Migue la Lune.

Le conseil n'était pas mauvais et la troupe, sous bois, chemina triste et lente cherchant une combinaison qui permît au chef de regagner, sans trop d'encombres, ses pénates[3].

Au bord du fossé d'enceinte, après avoir descendu la tranchée transversale qui menait à la lisière du bois, la bande s'arrêta et réfléchit.

… Rien… personne ne trouvait rien…

– Va falloir s'en aller, larmoyaient les timides qui craignaient l'ire pastorale[4] et la raclée paternelle.

– On va pas laisser le chef tout seul ici, se récria Touegueule, énergique devant le désastre.

L'Aztec semblait tantôt affolé, tantôt abruti.

– Ah ! si quelqu'un pouvait seulement aller chez nous, par-derrière, et s'enfiler dans la chambre du fond. Il y a mon vieux falzar qu'est derrière la malle. Si je l'avais au moins !

– Mon vieux, si on allait là-bas et qu'on soit surpris par ta mère ou par ton père, qu'est-ce qu'on z'y dirait ? ils voudraient savoir ce qu'on fait là, ils nous prendraient peut-être pour des voleurs ; c'est pas des coups à faire, ça.

– Bon Dieu de bon Dieu ! Qu'est-ce que je vas faire ici ! Vous allez me laisser tout seul ?

– Jure pas comme ça, tourna Migue la Lune, tu ferais pleurer la Sainte Vierge et ça porte malheur.

– Ah ! la Sainte Vierge ! elle fait des miraques à Lourdes, qu'on dit : si seulement elle me redonnait un pauvre petit vieux patalon !

Ding ! dong ! ding ! dong ! La prière sonna.

– On peut pas rester plus longtemps, ça n'avance à rien ! faut s'en aller ! firent de nombreuses voix.

---

1. **Pays :** village.
2. **Se faire tamiser :** se faire secouer (prendre une raclée).
3. **Regagner ses pénates :** rentrer chez lui.
4. **L'ire pastorale :** la colère du curé.

La Guerre des boutons

Et la moitié de la troupe se débandant[1], lâchant son chef, fila au triple galop vers l'église, pour ne pas être punie par le curé.

– Comment faire, Seigneur ! Comment faire ?

– Attendons qu'il fasse nuit, va, consola Touegueule, je resterai avec toi. On sera tannés tous les deux. C'est pas la peine que ceux-ci soient engueulés avec nous.

– Non ! ce n'est pas la peine, répéta l'Aztec. Allez à la prière, allez-vous-en et priez la Sainte Vierge et saint Nicolas qu'on ne soye pas trop saboulés[2].

Ils ne se le firent pas répéter, et pendant qu'ils s'éloignaient à toute allure, déjà un peu en retard, les deux compères se regardèrent.

Touegueule, tout à coup, se frappa le front.

– Ce qu'on est bête, tout de même, j'ai trouvé !

– Dis ! oh ! dis vite, fit l'Aztec, suspendu aux lèvres de son copain.

– Voici, mon vieux : moi je peux pas aller chez vous, mais toi tu vas y aller, toi !

– !…

– Voui, mais oui, je vas me déculotter, moi, et te passer mon grimpant[3] et ma blouse. Tu vas filer chez vous par-derrière, caler[4] tes nippes déchirées, en remettre des bonnes et me rapporter mes frusques[5]. Après, on s'en retournera. On dira qu'on était allé aux champignons et qu'on était loin par Chasalans, si tellement loin qu'on n'a quasiment pas entendu sonner. Allez !

L'idée parut géniale à l'Aztec et sitôt dit, sitôt fait. Touegueule, d'une taille légèrement supérieure à celle de son ami, lui enfila le pantalon dont il retroussa en dedans les deux jambes un peu longues, il serra d'un cran la pattelette de derrière, ceignit les reins du chef d'une ficelle et lui recommanda de filer dare-dare et surtout de ne pas se faire voir.

Et tandis que l'Aztec, rasant les murs et les haies, filait comme un chevreuil vers son logis pour y conquérir un autre pantalon, lui,

1. **Se débandant :** partant en débandade.
2. **Saboulés :** réprimandés et malmenés.
3. **Grimpant :** pantalon.
4. **Caler :** cacher.
5. **Frusques :** vêtements.

Touegueule, caché dans le fossé du bois, regardait de tous ses yeux et dans toutes les directions pour voir si l'expédition avait quelque chance de réussir.

L'Aztec atteignit son gîte, escalada sa fenêtre, trouva un panta-
155 lon à peu près semblable à celui qu'il avait perdu, des bretelles usagées, une vieille blouse, arracha les cordons de ses souliers du dimanche, puis, sans perdre le temps de se remettre en tenue, ressauta dans le verger et, par le même chemin qu'il était venu, s'en fut à toute bride rejoindre son héroïque compagnon accroupi, gre-
160 lottant derrière son mur et serrant autant qu'il le pouvait sa mince chemise de toile rude sur ses cuisses rougies.

Ils eurent en se revoyant un large rire silencieux comme en ont les bons Peaux-Rouges dans les romans de Fenimore Cooper[1] et, sans perdre une minute, ils échangèrent leurs vêtements.

165 Quand tous deux eurent réintégré leurs pelures[2] personnelles, l'Aztec, ayant enfin une chemise à boutons, une blouse propre et des cordons à ses souliers, jeta un regard inquiet et mélancolique sur ses habits en lambeaux.

Il songea que, le jour où sa mère les découvrirait, il recevrait
170 sûrement la pile[3] et subirait l'engueulade et peut-être la claustra-tion[4] à la chambre et au lit.

Cette dernière considération lui fit aussitôt prendre une résolu-tion énergique.

– As-tu des allumettes ? demanda-t-il à Touegueule.

175 – Oui, fit l'autre, pourquoi ?

– Donne-m'en une, reprit l'Aztec.

Et, ayant frotté le phosphore contre une pierre, après avoir réuni en une sorte de petit bûcher expiatoire[5] la blouse et la chemise, témoins de sa défaite et de sa honte et sujets d'inquiétude pour
180 l'avenir, il y mit le feu sans hésitation afin d'effacer à tout jamais le souvenir de ce jour néfaste et maudit.

---

1. **Fenimore Cooper** : écrivain américain (1789-1851), auteur du roman pour la jeu-nesse *Le Dernier des Mohicans*.
2. **Pelures** : vêtements.
3. **Pile** : correction, râclée.
4. **Claustration** : enfermement.
5. **Expiatoire** : qui sert à expier (réparer) une faute.

La Guerre des boutons

– Je m'arrangerai pour ne pas avoir besoin de changer de pantalon, répondit-il à l'interrogation de Touegueule. Et jamais ma mère
n'aura l'idée de croire qu'il est foutu. Elle pensera plutôt qu'il traîne
185 quelque part, derrière un meuble, avec ma blouse et ma chemise.

Ainsi tranquilles tous deux et rassurés, l'énigme cruelle étant
déchiffrée et le chenilleux[1] problème résolu, ils attendirent le premier coup de l'angélus[2] pour se mêler aux camarades sortant de la
prière qui furent tout surpris de les rencontrer en tenue et ils ren-
190 trèrent chez eux comme s'ils en étaient venus eux aussi.

Si le curé n'avait rien vu, le tour était joué. Il l'était. Pendant ce
temps une autre scène se déroulait à Longeverne. Arrivé au vieux
tilleul, à cinquante pas de la première maison du village, Lebrac fit
stopper sa troupe et demanda le silence.

195 – On va pas traîner cette guenille par les rues, affirma-t-il en
désignant de l'œil le pantalon de l'Aztec. Les gens pourraient bien
nous demander où que c'est qu'on l'a eue, et qu'est-ce qu'on leur
z'y dirait ?

– Faut la foutre dans un trou de purin, conseilla Tigibus. Hein !
200 tout de même, qu'est-ce qu'il va dire à leurs gens, l'Aztec, et qu'est-
ce que va lui repasser sa mère quand elle le verra rentrer cul nu ?
Perdre un mouchoir, égarer sa casquette, casser un sabot, nouer un
cordon, ça va bien, ça se voit tous les jours, ça vaut une ou deux
paires de claques et encore, quand c'est vieux… mais perdre sa
205 culotte, on a beau dire, ça ne se voit pas si souvent.

– Mes vieux, je voudrais pas être que de lui !

– Ça le dressera ! affirma Tintin dont les poches rebondies des
dépouilles opimes[3] attestaient un ample butin.

– Encore deux ou trois secousses comme ça, fit-il en frappant
210 sur ses cuisses, et on pourra se passer de payer la contribution de
guerre ; on pourra faire la fête avec les sous.

– Mais c'te culotte, qu'est-ce qu'on va en faire ?

– La culotte, trancha Lebrac, laissons-la dans la caverne du
tilleul, je m'en sarge[4] ; vous verrez bien demain ; seulement, vous

---

1. **Chenilleux** : complexe.
2. **Angélus** : prière récitée trois fois par jour et annoncée par la cloche de l'église.
3. **Opimes** : riches.
4. **Je m'en sarge** : je m'en charge (note de Louis Pergaud).

215 savez, s'agit pas d'aller rancuser[1], hein, vous n'êtes pas des laveuses de lessive[2], tâchez de tenir vos langues. Je veux vous faire bien rigoler demain matin. Mais si le curé savait que c'est encore moi, y voudrait peut-être pas me faire ma première communion, comme l'année dernière, passe que j'avais lavé mon encrier dedans le
220 bénitier.

Et il ajouta, bravache, en vrai fils d'un père qui lisait *Le Réveil des Campagnes* et *Le Petit Brandon*, organes anticléricaux[3] de la province :

– Vous savez, c'est pas que j'y tienne à sa rondelle[4], mais c'est
225 pour faire comme tout le monde.

– Qu'est-ce que tu veux faire, Lebrac ? interrogèrent les camarades.

– Rien ! que je vous ai dit ! Vous verrez bien demain matin, allons-nous-en chacun chez nous.

Et la dépouille de l'Aztec déposée dans le cœur caverneux du
230 vieux tilleul, ils s'en allèrent.

– Tu reviendras ici après les huit heures, fit Lebrac à Camus. Tu m'aideras !

Et l'autre ayant acquiescé, ils s'en furent souper et étudier leurs leçons.

235 Après le repas, comme son père sommeillait sur l'almanach du *Grand Messager boiteux* de Strasbourg où il cherchait des indications sur le temps qu'il ferait à la prochaine foire de Vercel, Lebrac, qui guettait ce moment, gagna la porte sans façon.

Mais sa mère veillait.

240 – Où vas-tu ? fit-elle.

– Je vais pisser un coup, pardine ! répondit-il naturellement.

Et sans attendre d'autre objection, il passa dehors et ne fit qu'un saut, si l'on peut dire, jusqu'au vieux tilleul. Camus, qui l'attendait, vit, malgré l'obscurité, qu'il avait des épingles piquées dans le
245 devant de sa blouse.

– Qu'est-ce qu'on va faire ? questionna-t-il, prêt à tout.

---

1. **Rancuser :** dénoncer (note de Louis Pergaud).
2. **Laveuses de lessive :** propos misogyne qui suggère que les femmes sont d'incorrigibles bavardes.
3. **Organes anticléricaux :** journaux hostiles à l'Église.
4. **Rondelle :** hostie.

La Guerre des boutons

– Viens, commanda l'autre après avoir pris le pantalon dont il fendit de haut en bas le derrière et les deux jambes. Ils arrivèrent sur la place de l'église absolument déserte et silencieuse.

250 – Tu me passeras la guenille, fit Lebrac en montant sur le coin du mur où se trouvait la grille de fer entourant le saint lieu.

Il y avait à l'endroit où était le chef une statue de saint (saint Joseph, croyait-il) aux jambes demi-nues, posée sur un petit pié- destal de pierre que le hardi gamin escalada en une seconde et sur
255 lequel il se campa tant bien que mal à côté de l'époux de la Vierge. Camus lui tendit à bout de bras le grimpant[1] de l'Aztec et Lebrac se mit en devoir de culotter prestement « le petit homme de fer ». Il étendit sur les membres inférieurs de la statue les jambes du pan- talon, les recousit par-derrière avec quelques épingles et assura la
260 ceinture trop large et fendue comme on sait, en ceignant les reins de saint Joseph d'un double bout de vieille ficelle.

Puis, satisfait de son œuvre, il redescendit.

– Les nuits sont fraîches, émit-il sentencieusement. Comme ça, saint Joseph n'aura plus froid aux guibolles. Le père bon Dieu
265 sera content et pour nous remercier il nous fera encore chiper des prisonniers.

– Allons nous coucher, ma vieille !

Le lendemain, les bonnes femmes, la vieille du Potte, la Grande Phémie, la Griotte et les autres qui venaient comme d'habitude à
270 la messe de sept heures, se signèrent en arrivant sur la place de l'église, scandalisées d'une pareille profanation[2].

On avait mis une culotte à saint Joseph !

Le sacristain[3], qui dévêtit la statue, après avoir constaté que l'entre- jambe n'en était pas des plus propres et qu'elle avait servi tout
275 récemment, ne reconnut pourtant point dans ce vêtement un pan- talon porté par un gosse de la paroisse.

Son enquête, menée avec toute la vigueur et la promptitude désirables, n'eut pas de résultats. Les gamins interrogés furent

---

1. **Grimpant :** culotte, pantalon (argot).
2. **Profanation :** outrage envers l'Église et la religion.
3. **Sacristain :** employé qui s'occupe de l'annexe d'une église où l'on conserve les vases sacrés, les ornements d'église et où les curés se préparent pour célébrer le service divin.

muets comme des poissons ou ahuris comme de jeunes veaux, et
280 le dimanche suivant, le curé, convaincu que cela venait de quelque
sinistre association secrète, tonna du haut de la chaire contre les
impies[1] et les sectaires[2] qui, non contents de persécuter les gens de
bien, poussaient plus loin encore le sacrilège en essayant de ridi-
culiser les saints jusque dans leur propre maison.

285 Les gens de Longeverne étaient aussi étonnés que leur curé et
nul au pays ne se douta que saint Joseph avait été culotté avec le
pantalon de l'Aztec des Gués, conquis en combat loyal par l'armée
de Longeverne sur les peigne-culs de Velrans.

---

1. **Impies :** qui ne croient pas en Dieu.
2. **Sectaires :** membres d'une secte (ici, un groupe insoumis à la religion chrétienne).

Clefs d'analyse

Action et personnages

1. Comment se traduit la joie des Longevernes avant la bataille (chap. 4) ? Pourquoi les guerriers sont-ils heureux et rassurés ?

2. Repérez les principaux moments de la bataille (chap. 4). Par quelle ruse Camus incite-t-il les Velrans à faire marche arrière et à regagner leur abri ?

3. Par quelle manœuvre Lebrac s'empare-t-il de l'Aztec des Gués ? De quelle manière le prisonnier se défend-il (chap. 5) ? Que pensez-vous de sa résistance ?

4. Faites la liste des tortures psychologiques et physiques infligées à l'Aztec. Dans quel piège tombe-t-il après avoir été rossé une fois ? Comment expliquez-vous la violence de Lebrac ?

5. Une fois rentré dans son camp, quelle catastrophe attend l'Aztec ? Pourquoi semble-t-il « tantôt affolé, tantôt abruti » (chap. 6, l. 102) ?

6. Comment s'exprime la solidarité de Touegueule envers l'Aztec ? Quelle idée géniale lui vient à l'esprit ?

7. Pourquoi l'Aztec brûle-t-il ses vêtements ? Dans quel esprit se rend-il finalement à la messe ?

8. Que devient le pantalon de l'Aztec ? Pourquoi, au village, parle-t-on de « profanation » ? Évaluez le comique dans la réaction du curé.

Langue

9. Analysez le comique dans la phrase : « les langues ne chômaient pas » (chap. 4, l. 180).

10. Relevez les onomatopées (cri, son, groupement de sons, accompagnant habituellement certains gestes) dans le récit de l'abordage (chap. 4) : que suggèrent-elles ?

11. Pourquoi peut-on dire que l'évocation du mouchoir de l'Aztec frappe par son réalisme ? Quelle réaction le narrateur veut-il éveiller chez le lecteur ? Trouvez au moins un autre trait de réalisme dans le chapitre 6.

12. Expliquez la phrase : « Œil pour œil, dent pour dent » (chap. 5, l. 60) : quelle morale appliquent les Longevernes ?

13. Le terme « bourreaux » (chap. 5, l. 122) vous semble-t-il approprié pour désigner les Longevernes en train de dépouiller l'Aztec ? Justifiez votre point de vue.

Genre ou thèmes

14. Repérez au moins une énumération dans le récit de la bataille (chap. 4) et justifiez ce choix d'écriture en vous fondant sur l'impression que veut créer le narrateur.

15. « Il n'alla pas loin, le malheureux » : quel jugement et quelle émotion traduit l'emploi de « malheureux » ? Qui s'exprime ici ?

Écriture

16. « L'armée revenait à eux sans autre captif. Oui, c'était l'Aztec qui allait payer pour tous. » Approuvez-vous cette vengeance qui consiste à faire payer à un seul la faute commise par plusieurs ? Exposez votre point de vue à l'aide d'arguments et d'exemples.

17. Dans son adresse au lecteur (1er paragraphe, chap. 6), l'auteur qualifie les enfants de « saine et vigoureuse marmaille » : que pensez-vous de ces termes pour désigner les deux armées ?

Pour aller plus loin

18. Le narrateur compare l'Aztec et Touegueule aux Peaux-Rouges des romans de Fenimore Cooper. Présentez cet écrivain.

✳ À retenir

Le **réalisme** consiste à **montrer la réalité sans l'idéaliser**. Louis Pergaud décrit le milieu paysan sans en masquer les aspects les plus sordides ; il met en scène la **violence physique et psychologique** des enfants sans essayer de l'atténuer ; il n'hésite pas à choquer la sensibilité du lecteur, s'attardant volontiers sur des **objets révélateurs** d'un caractère ou d'un milieu social, comme le mouchoir dégoûtant de l'Aztec.

7
Les malheurs d'un trésorier

> *Il n'est pas toujours bon d'avoir un haut emploi.*
> La Fontaine *(Les Deux Mulets).*

DÈS LE LENDEMAIN matin le trésorier, installé à sa place dans un banc du fond et qui avait déjà cent fois et plus compté, recompté et récapitulé les diverses pièces du trésor commis[1] à sa garde, se prépara à mettre à jour son grand livre.

5   Il commença donc, de mémoire, à transcrire dans la colonne des recettes ces comptes détaillés :

LUNDI

REÇU DE GUIGNARD :
Un bouton de pantalon.
10   *Grand comme le bras de « fisselle » de fouet.*
REÇU DE GUERREUILLAS :
Une vieille jarretière de sa mère pour en faire une paire de rechange.
Trois boutons de chemise.
REÇU DE BATI :
15   *Une épingle de sûreté.*
Un vieux cordon de soulier en cuir.
REÇU DE FÉLI :
Deux bouts de ficelle, en tout grand comme moi.
Un bouton de veste.
20   *Deux boutons de chemise.*

MARDI

CONQUIS À LA BATAILLE DE LA SAUTE SUR LE PRISONNIER L'AZTEC DES GUÉS CHOPÉ PAR LEBRAC, CAMUS ET GRANGIBUS :
Une bonne paire de cordons de souliers.
25   *Une jarretière.*
Un bout de tresse.
Sept boutons de pantalon.
Une boucle de derrière.
Une paire de bretelles.

---

1. **Commis :** confié.

30 *Une agrafe de blouse.*
Deux boutons de blouse en verre noir.
Trois boutons de tricot.
Cinq boutons de chemise.
Quatre boutons de gilet.
35 *Un sou.*

TOTAL DU TRÉSOR :
Trois sous de réserve en cas de malheur !
Soixante boutons de chemise !

« Voyons, pensa-t-il, est-ce que c'est bien soixante boutons ? Le
40 vieux ne me voit pas ! Si je recomptais ? »

Et il porta la main à sa poche, que gonflait la cagnotte éparse
et mêlée à ses possessions personnelles, car la Marie n'avait pas
encore eu le temps, le travail devant se faire en cachette et son
frère étant rentré trop tard la veille, de confectionner le sac à cou-
45 lisses qu'elle avait promis à l'armée.

Le mouchoir de Tintin formait tampon sur la poche des boutons. Il le tira sans trop réfléchir, brusquement, pressé qu'il était de
vérifier l'exactitude de ses comptes et... patatras... de tous côtés
roulant sur le plancher ainsi que des noisettes ou des billes, les
50 boutons du trésor s'éparpillèrent dans la salle.

Il y eut une rumeur étouffée, une houle de têtes se détournant.

– Qu'est-ce que c'est que ça ? questionna sèchement le père
Simon, qui avait déjà remarqué depuis deux jours les étranges allures
de son élève.

55 Et il se précipita pour constater de ses propres yeux la nature du
délit, peu confiant qu'il était, malgré toutes ses leçons de morale et
l'histoire de George Washington et de la hachette[1], dans la sincérité
de Tintin ni des autres compères.

Lebrac n'eut que le temps, son camarade trop ému n'y pensant
60 guère, de rafler d'une main frémissante le carnet de caisse et de le
fourrer vivement dans sa case.

---

1. **L'histoire de George Washington et de la hachette** : premier président des États-
Unis, George Washington est cité comme un modèle de vertu patriotique. On
raconte ainsi qu'il s'accusa lui-même d'avoir abattu un cerisier avec sa hachette
pour sauver un jeune Noir du fouet.

La Guerre des boutons

Mais ce geste n'avait point échappé à l'œil vigilant du maître.

– Qu'est-ce que vous cachez, Lebrac ? Montrez-moi ça tout de suite ou je vous fiche huit jours de retenue !

Montrer le grand livre, mettre à découvert le secret qui faisait la force et la gloire de l'armée de Longeverne : allons donc, Lebrac eût mieux aimé en ch... faire des ronds de chapeau[1], comme disait élégamment le frère de Camus. Pourtant huit jours de retenue !...

Les camarades, anxieusement, suivaient ce duel.

Lebrac fut héroïque, simplement.

Il souleva derechef le couvercle de sa case, ouvrit son histoire de France et tendit au père Simon – sacrifiant sur l'autel[2] de la petite patrie longevernoise le premier gage, si cher à son cœur, de ses jeunes amours –, il tendit à cette sinistre fripouille de maître d'école l'image que la sœur de Tintin lui avait donnée comme emblème de sa foi, une tulipe ou une pensée écarlate sur champ d'azur avec, on s'en souvient, ce mot passionné : souvenir.

Lebrac se jura d'ailleurs, si l'autre ne la déchirait pas immédiatement, d'aller la rechiper dans son bureau, la première fois qu'il serait de balayage ou que le maître tournerait le pied pour une raison ou pour une autre.

Quelles émotions n'éprouva-t-il pas l'instant d'après quand l'instituteur regagna son estrade !

Mais la chute des boutons ne s'expliquait guère.

Lebrac dut avouer, en bafouillant, qu'il troquait l'image contre des boutons... Ce genre de négoce n'en restait pas moins bizarre et mystérieux.

– Qu'est-ce que vous faites de tous ces boutons dans votre poche ? fit le père Simon à Tintin. Je parierais que vous les avez volés à votre maman. Je vais la prévenir par un petit mot... Attendez un peu, nous verrons. Pour commencer, puisque vous troublez la classe, vous resterez ce soir une heure en retenue, tous les deux.

« Une heure de retenue, pensèrent les autres. Ah bien, oui ! c'était du propre. Le chef et le trésorier pincés. Comment se battre ? »

Depuis le jour de sa mésaventure et de sa défaite, Camus, on le comprend, hésitait à assumer de nouveau les responsabilités de

---

1. **Faire des ronds de chapeau** : souffrir.
2. **Autel** : sorte de table à l'usage des sacrifices.

général en chef. Si les Velrans venaient quand même !... ma foi, m...iel pour eux !

100 Il est vrai qu'ils avaient reçu la veille une telle pile qu'il était fort peu probable qu'ils revinssent ce jour-là ; mais est-ce qu'on sait jamais avec des tocbloches[1] pareils !

– Où sont-ils donc ces boutons ? reprit le père Simon.

Il eut beau se baisser et assujettir[2] ses lunettes et regarder entre les bancs, aucun bouton ne tomba dans son champ visuel ; pen-
105 dant l'algarade[3], les copains, prudents, les avaient tous soigneusement et subrepticement ramassés et cachés au plus profond de leurs poches. Impossible au maître de reconnaître la nature et la quantité des fameux boutons, de sorte qu'il resta dans le doute.

Mais en regagnant sa place, sans doute pour se venger, la vieille
110 rosse ! il déchira en deux la belle image de la Marie Tintin, et Lebrac en devint pourpre de rage et de douleur. Négligemment le maître en laissa tomber un à un les deux débris dans sa corbeille à papier et reprit sa leçon interrompue.

La Crique, qui savait à quel point Lebrac tenait à son image,
115 laissa fort opportunément tomber son porte-plume et, se baissant pour le ramasser, chipa prestement les deux précieux morceaux qu'il cacha dans un livre.

Puis, voulant faire plaisir à son chef, il recolla en cachette, avec des rognures de timbre-poste, les deux fragments désunis et, à la
120 récréation même, les remit à Lebrac qui, surpris au suprême degré, faillit en pleurer de joie et d'émotion et ne sut comment remercier ce bon La Crique, ce vrai copain.

Mais l'affaire de la retenue était bien embêtante tout de même.

« Pourvu qu'il ne dise rien chez nous », pensait Tintin, et il confia
125 son angoisse à Lebrac.

– Oh ! fit le chef, il n'y veut plus penser[4]. Seulement fais attention, tiens-toi bien ! ne touche pas tes poches. S'il savait que tu en as encore...

Dès qu'ils furent dans la cour de récréation, les détenteurs de
130 boutons remirent au trésorier les unités éparses qu'ils avaient

---

1. **Tocbloches :** toqués (note de Louis Pergaud).
2. **Assujettir :** ajuster.
3. **Algarade :** scène inattendue.
4. **Il n'y veut plus penser :** il ne va plus y penser.

ramassées ; nul ne lui fit de reproches sur son imprudence, chacun sentant trop bien quelle lourde responsabilité il avait assumée
et tout ce que son poste, qui lui avait déjà valu une retenue sans
compter la raclée qu'il pouvait encore bien ramasser en rentrant
135 chez soi, lui pourrait revaloir dans l'avenir.

Lui-même le sentit et se plaignit :

– Non, tu sais ! faudra trouver quelqu'un d'autre pour être trésorier, c'est trop embêtant et dangereux : je ne me suis déjà pas battu
hier soir et aujourd'hui je suis puni !…

140 – Moi aussi, fit Lebrac pour le consoler, je suis en retenue.

– Oui, mais hier au soir, en as-tu, oui z'ou non, foutu des gnons
et des cailloux et des coups de trique !

– Ça ne fait rien, va, le soir on te remplacera de temps en temps
pour que tu puisses te battre aussi.

145 – Si je savais, je cacherais les boutons maintenant pour ne pas
avoir à les emporter ce soir chez nous.

– Si quelqu'un te voyait, par exemple le père Gugu à travers les
planches de sa grange, et puis qu'il vienne nous les chiper ou le
dire au maître, nous serions de beaux cocos, après.

150 – Mais non ! tu ne risques rien, Tintin, reprirent en chœur les
autres camarades pour le consoler, le rassurer et l'engager à conserver par-devers soi[1] ce capital de guerre, source à la fois d'ennuis
et de confiance, de vicissitudes[2] et d'orgueil.

La dernière heure d'école fut triste, la fin de la récréation sombra
155 dans l'immobilité et le demi-silence semé de colloques mystérieux
et de conférences à voix basse qui intriguèrent le maître. C'était
une journée perdue, la perspective des retenues ayant tari net leur
enthousiasme juvénile et apaisé leur soif de mouvement.

– Qu'est-ce qu'on pourrait bien faire ce soir ? se demandèrent ceux
160 du village, après que Gambette et les deux Gibus, désemparés, se
furent retirés dans leurs foyers, l'un sur la Côte et les autres au Vernois.

Camus proposa une partie de billes, car on ne voulait pas jouer
aux barres[3], ce semblant de guerre paraissant si fade après les peignées de la Saute.

---

1. **Par-devers soi :** en sa possession.
2. **Vicissitudes :** épreuves, soucis.
3. **Jouer aux barres :** jeu de course-poursuite.

165   On se rendit donc sur la place et on joua au carré[1] à une bille la mise, « pour de bon et non pour de rire », tandis que les punis charmaient l'heure supplémentaire qui leur était imposée en copiant une lecture de l'*Histoire* de France Blanchet[2] qui commençait ainsi : « Mirabeau[3], en naissant, avait le pied tordu et la langue
170 enchaînée ; deux dents molaires formées dans sa bouche annonçaient sa force… », etc., ce dont ils se fichaient pas mal.

    Pendant qu'ils copiaient, leur attention vagabonde cueillait par les fenêtres ouvertes les exclamations des joueurs : – Tout !

    – Rien !

175   – J'ai dit avant toi !

    – Menteur !

    – T'as pas but !

    – Vise le Camus !

    – Pan ! t'es tué ! Combien que t'as de billes ?

180   – Trois !

    – C'est pas vrai, t'en as au moins deux de plus ! allez, renaque-les[4], sale voleur !

    – Remets-en une au carré si tu veux jouer, mon petit.

    – Je m'en fous, j'vas m'approcher du tas et pis tout nettoyer.

185   « Ce que c'est chic, tout de même, une partie de billes », pensaient Tintin et Lebrac copiant pour la troisième fois : « Mirabeau, en naissant, avait le pied tordu et la langue enchaînée… »

    – Y devait avoir une sale gueule, ce Mirabeau, émit Lebrac ! Quand c'est-y que l'heure sera passée !

190   – Vous n'avez pas vu mon frère ? demanda la Marie qui passait aux joueurs de billes disputant avec acharnement un coup douteux.

---

1. **On joua au carré :** on place des billes dans un carré et on en chasse le plus grand nombre possible en les tirant à l'aide de sa propre bille.
2. **France Blanchet :** auteur d'un manuel d'histoire destiné aux futurs candidats au certificat d'études (diplôme qui sanctionnait la fin des études primaires).
3. **Mirabeau :** orateur de la Révolution française (1749-1791) ; réputé pour sa laideur et son intelligence.
4. **Renaque-les :** recrache-les.

La Guerre des boutons

Son interrogation les calma net, les petits intérêts suscités par la partie s'évanouissant devant toute chose se rattachant à la grande œuvre[1].

195 – J'ai fait le sac, ajouta-t-elle.

– Ah ! oh ! viens voir !

Et la Marie Tintin exhiba aux guerriers ébahis et figés d'admiration un sac à coulisses en grisette[2] neuve, grand comme deux sacs de billes ordinaires, un sac solide, bien cousu, avec deux tresses
200 neuves qui permettaient de serrer l'ouverture si étroitement que rien n'en pourrait couler.

– C'est salement bien ! jugea Camus, exprimant ainsi le summum de l'admiration, tandis que ses yeux luisaient de reconnaissance. Avec ça, on est bons !

205 – Est-ce qu'ils veulent[3] bientôt sortir ? interrogea la fillette qu'on avait mise au courant de la situation de son frère et de son bon ami.

– Dedans dix minutes, un petit quart d'heure, fixa La Crique après avoir consulté la tour du clocher ; veux-tu les attendre ?

– Non, répondit-elle, j'ai peur qu'on me voie près de vous et
210 qu'on dise à ma mère que je suis une garçonnière[4] ; je vais m'en aller, mais vous direz à mon frère qu'il s'en vienne sitôt qu'il sera sorti.

– Oui, oui ! on z'y dira, tu peux être tranquille.

– Je serai devant la porte, acheva-t-elle en filant vers leur logis.

215 La partie continua, languissante, dans l'attente des retenus.

Dix minutes après, en effet, Lebrac et Tintin, entièrement dégoûtés de Mirabeau jeune au pied tordu et... etc., arrivaient près des joueurs, qui se partagèrent pour en finir les billes du carré.

Dès qu'on les eut mis au courant, Tintin n'hésita pas.

220 – Je file, s'écria-t-il, passe que ces sacrés boutons ça me tale[5] la cuisse, sans compter que j'ai toujours peur de les perdre.

– Si tu peux, tâche de revenir quand ils seront dans le sac, hein ! demanda Camus.

Tintin promit et s'en fut au galop rejoindre sa sœur.

---

1. **La grande oeuvre :** la grande activité ; ici, la guerre contre les Velrans.
2. **Grisette :** étoffe grise.
3. **Veulent :** vont.
4. **Garçonnière :** garçon manqué.
5. **Ça me tale :** ça me meurtrit, ça me fait mal.

225 Il arriva juste au moment précis où son père, claquant du fouet, sortait de l'écurie, chassant les bêtes à l'abreuvoir.

– Tu n'as donc rien à faire ? non ! fit-il en le voyant s'installer près de la Marie ostensiblement occupée à ravauder[1] un bas.

– Oh ! j'sais mes leçons, répliqua-t-il.

230 – Ah ! tiens ! tiens ! tiens !

Et le père, sur ces exclamations équivoques, les laissa pour courir sus au Grivé qui se frottait violemment le cou contre la clôture du Grand Coulas.

– Iche-te ![2] rosse ! gueulait-il en lui tapant du manche de fouet 235 sur les naseaux humides.

Dès qu'il eut dépassé la première maison, Marie sortit enfin le fameux sac et Tintin, vidant ses poches, étala sur le tablier de sa sœur tout le trésor qui les gonflait.

Alors ils introduisirent dans les profondeurs et méthodiquement, 240 d'abord les boutons, puis les agrafes et les boucles et le paquet d'aiguilles soigneusement piquées dans un morceau d'étoffe, pour finir par les cordons, l'élastique, les tresses et la ficelle.

Il restait encore de la place pour le cas où l'on ferait de nouveaux prisonniers. C'était vraiment très bien !

245 Tintin, les coulisses serrées, levait à hauteur de son œil, comme un ivrogne son verre, le sac rempli, soupesant le trésor et oubliant dans sa joie les punitions et les soucis que lui avait déjà valus sa situation, quand le « tac, tac, tac, tac, tac » des sabots de La Crique, frappant le sol à coups redoublés, lui fit baisser le nez et interroger le chemin.

250 La Crique, très essoufflé, les yeux inquiets, arriva tout droit à eux et s'écria d'une voix sépulcrale[3] :

– Fais attention aux boutons ! Il y a ton père qui jabote[4] avec le père Simon. Je n'ai rien que peur que ce vieux sagouin[5] ne lui dise qu'il t'a puni aujourd'hui pour ça et qu'on ne te fouille. Tâche de 255 les caler[6] en cas que cela n'arrive, hein ! moi je me barre ; s'il me voyait il se douterait peut-être que je t'ai prévenu.

---

1. **Ravauder :** repriser, raccommoder.
2. **Iche-te ! :** recule-toi ! (note de Louis Pergaud).
3. **Sépulcrale :** qui semble être sortie d'un tombeau.
4. **Jabote :** bavarde.
5. **Sagouin :** ancien nom du ouistiti (ici, insulte).
6. **Caler :** cacher.

La Guerre des boutons

On entendait déjà au contour les claquements de fouet du père Tintin. La Crique se glissa entre les clôtures des vergers et disparut comme une ombre, tandis que la Marie, intéressée autant que les
260 gars dans l'aventure, prenant fort opportunément une résolution aussi subite qu'énergique, troussait son tablier, le liait solidement derrière son dos pour former devant une sorte de poche et enfouissait dans cette cachette, sous son ouvrage, le sac et les boutons de l'armée de Longeverne.

265 – Rentre ! dit-elle à son frère, et fais semblant de travailler, moi je vais rester à ravauder mon bas.

Tout en ayant l'air de ne s'intéresser qu'à son travail, la sœur de Tintin ne manqua pas d'observer en dessous la mine de son père, et elle ne douta nullement qu'il y aurait du grabuge[1] quand elle
270 eut saisi le coup d'œil qu'il lança pour savoir si son fils se trouvait encore à fainéanter au seuil de la porte.

Les bœufs et les vaches se pressaient, se bousculaient pour rentrer vite à l'étable et tâcher, en longeant la crèche[2], de voler une partie du lécher[3] déposé pour le voisin avant de manger leurs
275 parts respectives. Mais le paysan fit claquer en menace son fouet, affirmant ainsi sa volonté de ne point tolérer ces vols quotidiens et coutumiers, et, dès qu'il eut entouré le cou de chaque bête de son lien de fer, les sabots noirs de fumier et de purin, il poussa la porte de communication qui ouvrait sur la cuisine où il trouva son
280 fils occupé à préparer, avec une attention inaccoutumée et de trop bon aloi[4], une leçon d'arithmétique pour le lendemain.

Il en était à la définition de la soustraction.

– La soustraction est une opération qui a pour but..., marmottait-il.

– Qu'est-ce que tu fais maintenant ? dit le père.

285 – J'apprends mon arithmétique pour demain !

– Tu savais tes leçons tout à l'heure ?

– J'avais oublié celle-là !

– Sur quoi ?

– Sur la soustraction !

---

1. **Grabuge :** bagarre.
2. **Crèche :** mangeoire pour le bétail.
3. **Lécher :** mélange de céréales moulues donné en nourriture au bétail.
4. **De trop bon aloi :** trop peu vraisemblable.

290 – La soustraction !... Tiens ! mais il me semble que tu la connais, la soustraction, petite rosse !

Et il ajouta brusquement :

– Viens voir ici près de moi !

Tintin obéit en prenant un air aussi surpris et aussi innocent que 295 possible.

– Fais voir tes poches ! ordonna le père.

– Mais j'ai rien fait, j'ai rien pris, objecta Tintin.

– J'te dis de me montrer ce qu'il y a dedans tes poches, n... d. D... ! et plus vite que ça !

300 – Y a rien, pardine !

Et Tintin, noblement, en victime odieusement calomniée, plongea sa main dans sa poche droite d'où il retira un bout de guenille sale servant de mouchoir, un couteau ébréché dont le ressort ne fonctionnait plus, un bout de tresse, une bille et un morceau de 305 charbon qui servait à tracer le carré quand on jouait aux billes sur un plancher.

– C'est tout ? demanda le père.

Tintin retourna la doublure noire de crasse pour bien montrer que rien ne restait.

310 – Fais voir l'autre !

La même opération recommença : Tintin successivement aveignit[1] un bout de réglisse de bois à moitié rongé, un croûton de pain, un trognon de pomme, un noyau de pruneau, des coquilles de noisette et un caillou rond (un bon caillou pour la fronde).

315 – Et tes boutons ? fit le père.

La mère Tintin rentrait à ce moment. En entendant parler de boutons, ses instincts économes de bonne ménagère s'émurent.

– Des boutons ! répondit Tintin. J'en ai pas !

– T'en as pas ?

320 – Non ! J'ai pas de boutons ! quels boutons ?

– Et ceux que tu avais cette après-midi ?

– Cette après-midi ? reprit Tintin, l'air vague, cherchant à rassembler ses souvenirs.

– Fais pas la bête, nom de Dieu ! s'exclama le père, ou je te 325 calotte, sacré petit morveux, t'avais des boutons cette après-midi,

---

1. **Aveignit :** du verbe « aveindre », tirer un objet de l'endroit où il est pour l'apporter à la personne qui le demande.

puisque tu en as perdu une poignée en classe ; le maître vient de me dire que tu en avais plein tes poches ! Qu'en as-tu fait ? Où les avais-tu pris ?

330 — J'avais pas de boutons ! C'est pas moi, c'est... c'est Lebrac qui voulait m'en vendre contre une image.

— Ah ! pardié ! fit la mère. C'est donc pour ça qu'il n'y a jamais plus rien dans ma corbeille à ouvrage et dans les tiroirs de ma machine à coudre ; c'est ce sapré[1] petit cochon-là qui me les

335 prend : on ne trouve jamais rien ici, on a beau tous les jours acheter et racheter, c'est comme si on chantait, ils en voleraient bien autant qu'un curé en pourrait bénir ! Et quand ils ne prennent pas ce qu'il y a ici, ils déchirent ce qu'ils ont sur le dos, ils cassent leurs sabots, perdent leurs casquettes, sèment leurs mouchoirs de

340 poche, n'ont jamais de cordons de souliers entiers. Ah ! mon Dieu ! Jésus ! Marie ! Joseph ! qu'est-ce qu'on veut[2] devenir avec des gouillands[3] comme ça ? Mais qu'est-ce qu'ils peuvent bien faire de ces boutons ?

— Ah ! sacré arsouille[4] ! Je vais t'apprendre un peu l'ordre et l'éco

345 nomie, et pisse que les mots ne servent de rien, c'est à coups de pied au derrière que je vais t'instruire, moi, tu vas voir ça, gronda le père Tintin.

Aussitôt, joignant le geste à la parole, saisissant son rejeton par le bras et le faisant pivoter devant lui, il lui imprima sur le bas du

350 dos, avec ses sabots noirs de purin, quelques cachets de garantie[5] qui, pensait-il, le guériraient pendant quelque temps du désir et de la manie de chiper des boutons dans le catrignot[6] de sa mère.

Tintin, selon les principes formulés par Lebrac les jours d'avant, gueula et hurla de toutes ses forces avant même que son père

355 ne l'eût touché, il piailla encore plus haut et plus effroyablement quand les semelles de bois prirent contact avec son postère[7], il poussa même des cris si aigus que la Marie, tout émue et effarée,

---

1. **Sapré :** sacré.
2. **Veut :** va.
3. **Gouillands :** débauchés, bons à rien.
4. **Arsouille :** voyou, canaille.
5. **Cachets de garantie :** marques durables.
6. **Catrignot :** corbeille à ouvrage (note de Louis Pergaud).
7. **Postère :** postérieur, derrière.

rentra les larmes aux yeux et que la mère, elle-même, surprise, pria son époux de ne pas taper si fort, croyant que son fils souffrait
360 vraiment le martyre ou presque.

– Je ne l'ai presque pas touché, ce salaud-là, répliqua le père. Une autre fois je lui apprendrai à gueuler pour quelque chose.

– Que je t'y reprenne un peu, ajouta-t-il, à feuner[1] dans les tiroirs de ta mère, et que j'en retrouve des boutons dans tes poches !

8
Autres combinaisons

Plus j'ai cherché, Madame, et plus je cherche encor...
Racine (*Britannicus*, acte II, sc. 3).

– Non, non, je n'en veux plus du trésor ! J'en ai assez, moi, de ne pas me battre, de copier des conneries sur Mirabeau, de faire des retenues et de recevoir des piles ! Merde pour les boutons ! Les prendra qui voudra. C'est pas toujours aux mêmes d'être taugnés[2].
5 Si mon père retrouve un bouton dans mes poches, il a dit qu'il me refoutrait une danse comme j'en ai encore jamais reçu.

Ainsi parla Tintin le trésorier, le lendemain matin, en remettant ès[3] mains du général le joli sac rebondi, confectionné par sa sœur.

– Faut pourtant que quelqu'un les garde, ces boutons, affirma
10 Lebrac. C'est vrai que Tintin ne peut plus guère les conserver puisqu'on le soupçonne. À tout moment il pourrait s'attendre à être fouillé et pincé. Grangibus, il te faut les prendre, toi ! Tu ne restes[4] pas au village, ton père ne se doutera jamais que tu les as.

– Traîner ce sac d'ici au Vernois et du Vernois ici, deux fois par
15 jour aller et retour, et ne pas me battre, moi, un des plus forts, un des meilleurs soldats de Longeverne, est-ce que tu te foutrais de ma gueule, par hasard ? riposta Grangibus.

---

1. **Feuner :** fureter, ou mieux fouiner (note de Louis Pergaud).
2. **Taugnés :** battus.
3. **Ès :** en les, dans les.
4. **Restes :** vis.

La Guerre des boutons

– Tintin aussi est un bon soldat, et il avait bien accepté !

– Pour me faire chiper en classe ou en retournant à la maison.
Tu vois pas que les Velrans nous attendent un soir que Narcisse
aura oublié de lâcher Turc ! Et les jours où nous ne viendrons pas,
qu'est-ce que vous ferez ? Vous coïonnerez[1], hein !

– On pourrait cacher le sac dans une case en classe, émit Boulot.

– Sacrée gourde ! railla La Crique. Quand c'est-y que tu les met-
tras en classe, tes boutons ? C'est après quatre heures qu'il nous les
faut justement, cucu, c'est pas pendant la classe. Alors comment
veux-tu rentrer pour les y cacher ? Dis-le voir un peu, tout malin !

– Non, non, personne n'y est ! C'est pas ça ! rumina Lebrac.

– Ousqu'est Camus et Gambette ? demanda un petit.

– T'en occupe pas, répondit le chef vertement, ils sont dans leur
peau et moi dans la mienne et m... pour la tienne, as-tu compris ?

– Oh ! je demandais ça passe que Camus pourrait peut-être le
prendre, le sac. De son arbre, ça ne le gênerait guère.

– Non ! Non ! reprit violemment Lebrac. Pas plus Camus qu'un
autre : j'ai trouvé, il faut tout simplement chercher une cachette
pour y caler le fourbi.

– Pas au village, par exemple ! Si on la trouvait...

– Non, concéda le chef, c'est à la Saute qu'il faudra trouver un
coin, dans les vieilles carrières du haut, par exemple.

– Il faut que ce soit un endroit sec, passe que les aiguilles si c'est
rouillé ça ne va plus, et puis à l'humidité le fil se pourrit.

– Si on pouvait trouver aussi une cachette pour les sabres et pour les
lances et pour les triques ! On risque toujours de se les faire prendre.

– Hier, mon père m'a foutu mon sabre au feu après me l'avoir
cassé, gémit Boulot, j'ai rien que pu ravoir un petit bout de ficelle
de la poignée et encore il est tout roussi.

– Oui, conclut Tintin, c'est ça ; il faut trouver un coin, une cache,
un trou pour y mettre tout le fourbi.

– Si on faisait une cabane, proposa La Crique, une chouette
cabane dans une vieille carrière bien abritée, bien cachée ; il y en
a où il y a déjà de grandes cavernes toutes prêtes, on la finirait en
bâtissant des murs et on trouverait des perches et des bouts de
planches pour faire le toit.

---

1. **Coïonnerez :** direz des âneries.

– Ce serait rudement bien, reprit Tintin, une vraie cabane, avec
55 des lits de feuilles sèches pour s'y reposer, un foyer pour faire du
feu, et faire la fête, quand on aura des sous.

– C'est ça, affirma Lebrac, on va faire une cabane à la Saute. On
y cachera le trésor, les minitions, les frondes, une réserve de beaux
cailloux. On fera des assetottes[1] pour s'asseoir, des lits pour se cou-
60 cher, des râteliers pour poser les sabres, on élèvera une cheminée,
on ramassera du bois sec pour faire du feu. Ce que ça va être bien !

– Il faut trouver l'endroit tout de suite, fit Tintin, qui tenait à être
le plus tôt possible fixé sur les destinées de son sac.

– Ce soir, ce soir, oui, ce soir on cherchera, conclut toute la
65 bande enthousiaste.

– Si les Velrans ne viennent pas, rectifia Lebrac ; mais Camus et
Gambette leur arrangent quelque chose pour qu'ils nous foutent la
paix ; si ça va bien, on sera tranquilles tertous[2], si ça ne réussit pas,
eh bien ! on en nommera deux pour aller chercher l'endroit qui
70 conviendra le mieux.

– Qu'est-ce qu'il fait, Camus ? dis-nous-le, va, Lebrac, interrogea
Bacaillé.

– Ne lui dis pas, souffla Tintin en le poussant du coude pour lui
remettre en mémoire une ancienne suspicion[3].

75 – T'as le temps de le voir, toi. J'en sais rien, d'abord ! En dehors
de la guerre et des batailles, chacun est bien libre. Camus fait ce
qu'il veut et moi aussi, et toi itou, et tout le monde. On est en
république, quoi, nom de Dieu ! comme dit le père.

L'entrée en classe se fit sans Camus et Gambette. Le maître, inter-
80 rogeant ses camarades sur les causes présumées de leur absence,
apprit des initiés[4] que le premier était resté chez lui pour assister
une vache qui était en train de vêler, tandis que l'autre menait
encore au bouc une cabe qui s'obstinait à ne pas… prendre[5].

---

1. **Assetottes :** sièges.
2. **Tertous :** tous.
3. **Suspicion :** doute.
4. **Initiés :** ceux qui sont au courant.
5. **Ne pas prendre :** ne pas porter de petit.

La Guerre des boutons

Il n'insista pas pour avoir des détails et les gaillards le savaient
bien. Aussi, quand l'un d'eux fripait[1] l'école, ne manquaient-ils pas,
pour l'excuser, d'évoquer innocemment un petit motif bien sca-
breux sur lequel ils étaient d'avance certains que le père Simon ne
solliciterait pas d'explications complémentaires.

Cependant Camus et Gambette étaient fort loin de se soucier de
la fécondité respective de leurs vaches ou de leurs chèvres.

Camus, on s'en souvient, avait en effet promis à Touegueule de
le retenir ; il avait depuis ruminé sa petite vengeance et il était en
train de mettre son plan à exécution, aidé par son féal et complice
Gambette.

Tous deux, dès les sept heures, avaient vu Lebrac avec qui ils
s'étaient entendus et qu'ils avaient mis au courant de tout.

L'excuse étant trouvée, ils avaient quitté le village. Se dissimulant
pour que personne ne les vît ni ne les reconnût, ils avaient gagné
le chemin de la Saute et le Gros Buisson d'abord, puis la lisière
ennemie, dépourvue à cette heure de ses défenseurs habituels.

Le foyard de Touegueule s'élevait là, à quelques pas du mur
d'enceinte, avec son tronc lisse et droit et poli depuis quelques
semaines par le frottement du pantalon de la vigie[2] des Velrans.
Les branches en fourche, premières ramifications du fût, prenaient
à quelques brasses au-dessus de la tête des grimpeurs. En trois
secousses, Camus atteignait une branche, se rétablissait sur les
avant-bras et se dressait sur les genoux, puis sur les pieds.

Une fois là, il s'orienta. Il s'agissait, en effet, de découvrir à quelle
fourche et sur quelle branche s'installait son rival, afin de ne point
s'exposer à accomplir un travail inutile qui les aurait de plus ridi-
culisés aux yeux de leurs ennemis et fait baisser dans l'estime de
leurs camarades.

Camus regarda le Gros Buisson et plus particulièrement son
chêne pour être fixé sur la hauteur approximative du poste de
Touegueule, puis il examina soigneusement les éraflures des branches
afin de découvrir les points où l'autre posait les pieds. Ensuite, par
cette sorte d'escalier naturel, de sente aérienne, il grimpa. Tel un

---

1. **Fripait** : manquait.
2. **Vigie** : guetteur.

Sioux ou un Delaware[1] relevant une piste de Visage Pâle, il explora de bas en haut tous les rameaux de l'arbre et dépassa même en hauteur l'altitude du poste de l'ennemi, afin de distinguer les branches foulées par le soulier de Touegueule de celles où il ne se posait pas. Puis il détermina exactement le point de la fourche d'où le frondeur lançait sur l'armée de Longeverne ses cailloux meurtriers, s'installa commodément à côté, regarda en dessous pour bien juger de la culbute qu'il méditait de faire prendre à son ennemi et tira enfin son eustache de sa poche.

C'était un couteau double, comme les muscles de Tartarin[2] ; du moins l'appelait-on ainsi parce qu'à côté de la lame il y avait une petite scie à grosses dents, peu coupante et aussi incommode que possible.

Avec cet outil rudimentaire, Camus, qui ne doutait de rien, se mit en devoir de trancher, à un fil près, une branche vivante et dure de foyard, grosse au moins comme sa cuisse. Dur travail et qui devait être mené habilement si l'on voulait que rien ne vînt, au moment fatal, éveiller les soupçons de l'adversaire.

Pour éviter les sauts de scie et un éraflement trop visible de la branche, Camus, qui était descendu sur la fourche inférieure et serrait le fût de l'arbre entre ses genoux, commença par marquer avec la lame de son couteau la place à entailler et à creuser d'abord une légère rainure où la scie s'engagerait.

Ensuite de quoi il se mit à manier le poignet d'avant en arrière et d'arrière en avant.

Gambette, pendant ce temps, était monté sur l'arbre et surveillait l'opération. Quand Camus fut fatigué, son complice le remplaça. Au bout d'une demi-heure, le couteau était chaud à n'en plus pouvoir toucher les lames. Ils se reposèrent un moment, puis ils reprirent leur travail.

Deux heures durant, ils se relayèrent dans ce maniement de scie. Leurs doigts à la fin étaient raides, leurs poignets engourdis, leur cou cassé, leurs yeux troubles et pleins de larmes, mais une flamme inextinguible[3] les ranimait, et la scie grattait encore et rongeait toujours, comme une impitoyable souris.

---

1. **Delaware :** Indien de la tribu des Delawares.
2. **Tartarin :** Tartarin de Tarascon, héros de Alphonse Daudet.
3. **Inextinguible :** qui ne peut s'éteindre.

La Guerre des boutons

Quand il ne resta plus qu'un centimètre et demi à raser, ils essayèrent, en s'appuyant dessus, prudemment, puis plus fort, la solidité de la branche.

155 — Encore un peu, conclut Camus.

Gambette réfléchissait. « Il ne faut pas que la branche reste attachée au fût, pensait-il, sans quoi il s'y raccrochera et en sera quitte pour la peur. Il faut qu'elle casse net. » Et il proposa à Camus de recommencer à scier d'en dessous, l'épaisseur d'un doigt, pour
160 obtenir une rupture franche, ce qu'ils firent. Camus, s'appuyant de nouveau assez fortement sur la branche, entendit un craquement de bon augure. « Encore quelques petits coups, jugea-t-il. »

— Maintenant ça va. Il pourra monter dessus sans qu'elle ne casse, mais une fois qu'il sera en train de gigoter avec sa fronde…
165 ah ! ah ! ce qu'on va rigoler !

Et après avoir soufflé sur la sciure qui sablait les rameaux pour la faire disparaître, poli de leurs mains les bords de la fente pour rapprocher les éraflures d'écorce et rendre invisible leur travail, ils descendirent du foyard de Touegueule en ayant conscience d'avoir
170 bien rempli leur matinée.

— M'sieu, fit Gambette au maître en arrivant en classe à une heure moins dix, je viens vous dire que mon père m'a dit de vous dire que j'ai pas pu venir ce matin à l'école passe que j'ai mené not' cabe…

— C'est bon, c'est bon, je sais, interrompit le père Simon, qui
175 n'aimait pas voir ses élèves se complaire à ces sortes de descriptions pour lesquelles tous faisaient cercle, dans l'assurance qu'un malin demanderait le plus innocemment du monde des explications complémentaires.

— Ça va bien ! ça va bien, répondit-il de même et d'avance à
180 Camus qui s'approchait, le béret à la main. Allez, dispersez-vous ou je vous fais rentrer.

Et en dedans il pensait, maugréant : « Je ne comprends pas que des parents soient aussi insoucieux que ça de la moralité de leurs gosses pour leur flanquer des spectacles pareils sous les yeux.
185 « C'est une rage. Chaque fois que l'étalon passe dans le village, tous assistent à l'opération ; ils font le cercle autour du groupe, ils voient tout, ils entendent tout, et on les laisse. Et après ça on vient se plaindre de ce qu'ils échangent des billets doux avec les gamines ! »

190 Brave homme qui gémissait sur la morale et s'affligeait de bien peu de chose.

Comme si l'acte d'amour, dans la nature, n'était pas partout visible ! Fallait-il mettre un écriteau pour défendre aux mouches de se che-

195 vaucher, aux coqs de sauter sur les poules, enfermer les génisses en chaleur, flanquer des coups de fusil aux moineaux amoureux, démolir les nids d'hirondelles, mettre des pagnes ou des caleçons aux chiens et des jupes aux chiennes et ne jamais envoyer un petit berger garder les moutons, parce que les béliers en oublient de manger quand une brebis émet l'odeur propitiatoire[1] à l'acte et

200 qu'elle est entourée d'une cour de galants !

D'ailleurs les gosses accordent à ce spectacle coutumier beau-coup moins d'importance qu'on ne le suppose. Ce qui les amuse là-dedans, c'est le mouvement qui a l'air d'une lutte ou qu'ils assi-milent quelquefois, témoin ce récit de Tigibus, à la désustentation

205 intestinale qui suit les repas.

– Y poussait comme quand il a besoin de ch..., disait-il, en par-lant de leur gros Turc qui avait couvert la chienne du maire après avoir rossé tous ses rivaux.

« Ce que c'était rigolo ! Il s'était tellement baissé pour arriver

210 juste qu'il en était presque sur ses genoux de derrière et il faisait un dos comme la bossue d'Orsans. Et puis quand il a eu assez poussé en la retenant entre ses pattes de devant, eh bien ! il s'a redressé et puis, mes vieux, pas moyen de sortir. Ils étaient attachés et la Follette, qui est petite, elle, avait le cul en l'air et ses pattes de

215 derrière ne touchaient plus par terre.

« À ce moment-là, le maire est sorti de chez nous : « – Jetez-y de l'eau ! Jetez-y de l'eau ! bon Dieu ! » qu'il gueulait. Mais la chienne braillait et Turc qu'est le plus fort la tirait par le derrière, même que ses... affaires étaient toutes retournées. Vous savez, ça a dû lui faire

220 salement mal à Turc ; quand on a pu les faire se décoller, c'était tout rouge et il s'a léché la machine pendant au moins une demi-heure.

« Pis Narcisse a dit : «Ah ! m'sieu le Maire, j'crois bien qu'elle en tient pour ses quat' sous[2], vot' Folette !...»

Et il est parti en jurant les n... d. D... ! »

---

1. **Propitiatoire :** favorable.
2. **Elle en tient pour ses quat'sous :** elle en a pour son argent.

Livre III
La cabane

1
La construction de la cabane

> *Nous aurons des lits pleins d'odeurs légères,*
> *Des divans profonds comme des tombeaux.*
> Charles Baudelaire *(La Mort des amants).*

L'ABSENCE de Gambette et de Camus et la réserve mystérieuse du général n'avaient pas été sans intriguer fortement les guerriers de Longeverne qui, individuellement et sous le sceau du secret, étaient venus, pour une raison ou pour une autre, demander à
5 Lebrac des explications.

Mais tout ce que les plus favorisés avaient pu obtenir comme renseignement tenait dans cette phrase :

– Vous regarderez bien Touegueule ce soir.

Aussi, à quatre heures dix minutes, des munitions en quantité
10 imposante devant eux et le quignon de pain au poing, étaient-ils chacun à son poste, attendant impatiemment la venue des Velrans et plus attentifs que jamais.

– Vous vous tiendrez cachés, avait expliqué Camus, il faut qu'il monte à son arbre si l'on veut que ça soit rigolo.

15 Tous les Longevernes, les yeux écarquillés, suivirent bientôt chacun des mouvements du grimpeur ennemi gagnant son poste de vigie au haut du foyard de lisière.

Ils regardèrent et regardèrent encore, se frottant de minute en minute les yeux qui s'embuaient d'eau et ne virent absolument
20 rien de particulier, mais là, rien du tout ! Touegueule s'installa comme d'habitude, dénombra les ennemis, puis saisit sa fronde et se mit à acaillener[1] consciencieusement les adversaires qu'il pouvait distinguer.

---

1. **Acaillener :** jeter des cailloux sur, lapider ; « caillasser ».

Mais au moment où un geste trop brusque du franc-tireur[1] le
penchait de côté afin d'éviter un projectile de Camus, impatienté
de voir que nulle catastrophe n'advenait, un craquement sec et de
sinistre augure déchira l'air. La grosse branche sur laquelle était
juché le Velrans cassait net, d'un seul coup, et lui dégringolait
avec elle sur les soldats qui se trouvaient en dessous. La senti-
nelle aérienne essaya bien de se raccrocher aux autres rameaux,
mais cognée de-ci, meurtrie de-là sur les branches inférieures qui
craquaient à leur tour, la repoussaient ou se dérobaient traîtreusement, elle arriva à terre on ne sait trop comment, mais à coup sûr
plus vite qu'elle n'était montée.

– Ouais ! ouais ! oille ! ouille ! oh ! oh là là ! La jambe ! La tête !
Le bras !

Un homérique[2] éclat de rire répondit du Gros Buisson à ce
concert de lamentations.

– C'est moi qui te rechope encore, hein ! railla Camus, voilà ce
que c'est que de faire le malin et de menacer les autres. Ça t'apprendra, sale peigne-cul, à me viser avec ta fronde. T'as pas cassé
ton verre de montre des fois ? Non ! Il est bon le cadran !

– Lâches ! assassins ! crapules ! ripostaient les rescapés de l'armée
des Velrans. Vous nous le paierez, bandits, voui ! vous le paierez !

– Tout de suite, répondit Lebrac ; et, s'adressant aux siens :

– Hein ! si on poussait une petite charge ?[3]

– Allez ! approuva-t-on.

Et le hurlement du lancer des quarante-cinq Longevernes apprit
aux ennemis déjà déroutés et en désarroi qu'il fallait vivement
déguerpir si l'on ne voulait pas s'exposer à la grande honte d'une
nouvelle et désastreuse confiscation de boutons. Le camp retranché de Velrans fut dégarni en un clin d'œil. Les blessés, par
enchantement, retrouvèrent leurs jambes, même Touegueule, qui
avait eu plus de peur que de mal et s'en tirait à bon marché avec
des égratignures aux mains, des meurtrissures aux reins et aux
cuisses, plus un œil au beurre noir.

– Nous voilà au moins bien tranquilles ! constata Lebrac l'instant
d'après. Allons chercher l'emplacement de la cabane.

---

1. **Franc-tireur :** combattant isolé qui tire sans appartenir à une armée régulière.

2. **Homérique :** gigantesque.

3. **Si on poussait une petite charge ? :** si on attaquait ? si on donnait l'assaut ?

La Guerre des boutons

Toute l'armée revint près de Camus, lequel était descendu de l'arbre pour garder momentanément le sac confectionné par la Marie Tintin et qui contenait le trésor deux fois sauvé déjà et quatorze fois cher de l'armée de Longeverne.

Les gars se renfoncèrent dans les profondeurs du Gros Buisson afin de regagner sans être vus l'abri découvert par Camus, la « chambre du conseil », comme l'avait baptisé La Crique, et, de là, diverger vers le haut par petits groupes pour rechercher, parmi les nombreux emplacements utilisables, celui qui paraîtrait le plus propice et répondrait le mieux aux besoins de l'heure et de la cause.

Cinq ou six bandes s'agglomérèrent spontanément, conduites chacune par un guerrier important et immédiatement se dispersèrent parmi les vieilles carrières abandonnées, examinant, cherchant, furetant, discutant, jugeant, s'interpellant.

Il ne fallait pas être trop près du chemin ni trop loin du Gros Buisson. Il fallait également ménager à la troupe un chemin de retraite parfaitement dissimulé, afin de pouvoir se rendre sans danger du camp à la forteresse.

Ce fut La Crique qui trouva.

Au centre d'un labyrinthe de carrières, une excavation comme une petite grotte offrait son abri naturel qu'un rien suffirait à consolider, à fermer et à rendre invisible aux profanes[1].

Il appela par le signal d'usage Lebrac et Camus et les autres, et bientôt tous furent devant la caverne que le camarade venait de redécouvrir, car tous, parbleu, la connaissaient déjà. Comment ne s'en étaient-ils pas souvenus ?

Pardié, ce sacré La Crique, avec sa mémoire de chien, il se l'était rappelée tout de suite. Vingt fois, en effet, ils avaient passé là au cours d'incursions dans le canton en quête de nids de merles, de noisettes mûres, de prunelles gelées ou de guilleris boutons rintris[2].

Les carrières précédentes faisaient comme une espèce de chemin creux qui aboutissait à une sorte de carrefour ou de terre-plein bordé du côté du haut par une bande de bois rejoignant le Teuré, et semé vers le bas de buissons entre lesquels des sentiers de bêtes

---

1. **Profanes :** ceux qui ne savent pas.
2. **Guilleris boutons rintris :** fruits de l'églantier ridés par le gel (note de Louis Pergaud).

se rattachaient, en coupant le chemin, aux prés-bois qui se trouvaient derrière le Gros Buisson.

95 Toute l'armée entra dans la caverne. Elle était, en réalité, peu profonde, mais se trouvait prolongée ou plutôt précédée par un large couloir de roc, de sorte que rien n'était plus facile que d'agrandir son abri naturel en plaçant sur ces deux murs, distants de quelques mètres, un toit de branches et de feuillage. Elle était d'autre part
100 admirablement protégée, entourée de tous côtés, sauf vers l'entrée, d'un épais rideau d'arbres et de buissons.

On rétrécirait l'ouverture en élevant une muraille large et solide avec les belles pierres plates qui abondaient et on serait là-dedans absolument chez soi. Quand le dehors serait fait, on s'occuperait
105 de l'intérieur.

Ici, les instincts bâtisseurs de Lebrac se révélèrent dans toute leur plénitude. Son cerveau concevait, ordonnait, distribuait la besogne avec une admirable sûreté et une irréfutable[1] logique.

– Il faudra, dit-il, ramasser dès ce soir tous les morceaux de planches
110 que l'on trouvera, les lattes, les baudrions[2], les vieux clous, les bouts de fer.

Il chargea l'un des guerriers de trouver un marteau, un autre des tenailles, un troisième un marteau de maçon ; lui, apporterait une hachette, Camus une serpe, Tintin un mètre (en pieds et en pouces)
115 et tous, ceci était obligatoire, tous devaient chiper dans la boîte à ferraille de la famille au moins cinq clous chacun, de préférence de forte taille, pour parer[3] immédiatement aux plus pressantes nécessités de construction, savoir[4] entre autres l'édification du toit.

C'était à peu près tout ce qu'on pouvait faire ce soir-là. En fait de
120 matériaux, il fallait surtout de grosses perches et des planches. Or le bois offrait suffisamment de fortes coudres droites et solides qui feraient joliment l'affaire. Pour le reste, Lebrac avait appris à dresser des palissades pour barrer les pâtures, tous savaient tresser des claies[5] et, quant aux pierres, il y en avait, dit-il, en veux-tu, n'en voilà !

---

1. **Irréfutable :** incontestable.
2. **Baudrions :** petites poutrelles soutenant les lattes du toit (note de Louis Pergaud).
3. **Parer :** faire face.
4. **Savoir :** à savoir, c'est-à-dire.
5. **Claies :** clôtures.

125   – N'oubliez pas les clous surtout, recommanda-t-il.

– On laisse le sac ici ? interrogea Tintin.

– Mais oui, fit La Crique : on va bâtir tout de suite, là au fond, avec des pierres, un petit coffre, et on va l'y mettre bien au sec, bien à l'abri ; personne ne veut venir l'y trouver.

130   Lebrac choisit une grande pierre plate qu'il posa horizontale-ment, non loin de la paroi du rocher ; avec quatre autres plus épaisses, il édifia quatre petits murs, mit au centre le trésor de guerre, recouvrit le tout d'une nouvelle pierre plate et disposa alentour et irrégulièrement des cailloux quelconques afin de mas-
135   quer ce que sa construction pouvait avoir de trop géométrique pour le cas, bien improbable, où un visiteur inopiné eût été intri-gué par ce cube de pierres.

Là-dessus, joyeuse, la bande s'en retourna lentement au village, faisant mille projets, prête à tous les vols domestiques, aux travaux
140   les plus rudes, aux sacrifices les plus complets.

Ils réaliseraient leur volonté : leur personnalité naissait de cet acte fait par eux et pour eux. Ils auraient une maison, un palais, une forteresse, un temple, un panthéon[1], où ils seraient chez eux, où les parents, le maître d'école et le curé, grands contrecarreurs[2]
145   de projets, ne mettraient pas le nez, où ils pourraient faire en toute tranquillité ce qu'on leur défendait à l'église, en classe et dans la famille, savoir : se tenir mal, se mettre pieds nus ou en manches de chemise, ou à poil, allumer du feu, faire cuire des pommes de terre, fumer de la viorne[3] et surtout cacher les boutons et les armes.

150   – On fera une cheminée, disait Tintin.

– Des lits de mousse et de feuilles, ajoutait Camus.

– Et des bancs et des fauteuils, renchérissait Grangibus.

– Surtout, calez tout ce que vous pourrez en fait de planches et de clous, recommanda le chef ; tâchez d'apporter vos provisions
155   derrière le mur ou dans la haie du chemin de la Saute : on repren-dra tout, demain, en venant à la besogne.

---

1. **Panthéon :** temple dédié par les Anciens, notamment les Grecs et les Romains, à l'ensemble de leurs dieux.

2. **Contrecarreurs :** qui font obstacle.

3. **Viorne :** clématite (fleur qui faisait office de tabac pour les enfants de la campagne).

Ils s'endormirent fort tard, ce soir-là. Le palais, la forteresse, le temple, la cabane hantaient leur cerveau en ébullition. Leurs imaginations vagabondaient, leurs têtes bourdonnaient, leurs
160 yeux fixaient le noir, les bras s'énervaient, les jambes gigotaient, les doigts de pieds s'agitaient. Qu'il leur tardait de voir poindre l'aurore du jour suivant et de commencer la grande œuvre.

On n'eut pas besoin de les appeler pour les faire lever ce matin-là et, bien avant l'heure de la soupe, ils rôdaient par l'écurie, la
165 grange, la cuisine, le chari[1], afin de mettre de côté les bouts de planches et de ferrailles qui devaient grossir le trésor commun.

Les boîtes à clous paternelles subirent un terrible assaut. Chacun voulant se distinguer et montrer ce qu'il pouvait faire, ce ne fut pas seulement deux cents clous que Lebrac eut le soir à sa disposi-
170 tion, mais cinq cent vingt-trois bien comptés. Toute la journée, il y eut, du village au gros tilleul et aux murs de la Saute, des allées et venues mystérieuses de gaillards aux blouses gonflées, à la démarche pénible, aux pantalons raides, dissimulant entre toile et cuir des objets hétéroclites qu'il eût été fort ennuyeux de laisser voir aux
175 passants.

Et le soir, lentement, très lentement, Lebrac arriva par le chemin de derrière au carrefour du vieux tilleul. Il avait la jambe gauche raide lui aussi et semblait boiter.

– Tu t'as fais mal ? interrogea Tintin.
180 – T'as tombé ? reprit La Crique.

Le général sourit du sourire mystérieux de Bas de Cuir[2], ou d'un autre, d'un sourire qui disait à ses hommes : « Vous n'y êtes point. »

Et il continua à bancaler[3] jusqu'à ce qu'ils fussent tous entièrement dissimulés derrière les haies vives du chemin de la Saute.
185 Alors il s'arrêta, déboutonna sa culotte, saisit contre sa peau la hache à main qu'il avait promis d'apporter et dont le manche enfilé dans une de ses jambes de pantalon donnait à sa démarche cette roideur claudicante[4] et disgracieuse. Ce fait, il se reboutonna et,

---

1. **Chari :** remise, hangar (note de Louis Pergaud).
2. **Bas de Cuir :** héros du roman *Les Pionniers* (1823) de l'écrivain américain Fenimore Cooper, spécialiste des romans d'aventure.
3. **Bancaler :** boiter.
4. **Roideur claudicante :** raideur boitante.

pour montrer aux amis qu'il était aussi ingambe[1] que n'importe
180 lequel d'entre eux, il entama, brandissant sa hachette au centre de
la bande, une sorte de danse du scalp[2] qui n'aurait pas été déplacée
au milieu d'un chapitre du *Dernier des Mohicans*[3] ou du *Coureur
des bois*[4].

Tout le monde avait ses outils : on allait s'y mettre. Deux senti-
185 nelles toutefois furent postées au chêne de Camus pour prévenir la
petite armée dans le cas où la bande de l'Aztec serait venue porter
la guerre au camp de Longeverne, et l'on répartit les équipes.

– Moi, je ferai le charpentier, déclara Lebrac.

– Et moi, je serai le maître maçon, affirma Camus.

190 – C'est moi « que je poserai » les pierres avec Grangibus. Les
autres les choisiront pour nous les passer.

L'équipe de Lebrac devait avant tout chercher les poutres et les
perches nécessaires à la toiture de l'édifice. Le chef, de sa hachette,
les couperait à la taille voulue et on assemblerait ensuite quand le
195 mur de Cantus serait bâti.

Les autres s'occuperaient à faire des claies que l'on disposerait
sur la première charpente pour former un treillage analogue au
lattis[5] qui supporte les tuiles. Ce lattis-là, en guise de produits de
Montchanin[6], supporterait tout simplement un ample lit de feuilles
200 sèches qui seraient maintenues en place, car il fallait prévoir les
coups de vent, par un treillage de bâtons.

Les clous du trésor, soigneusement recomptés, allèrent se joindre
aux boutons du sac. Et l'on se mit à l'œuvre.

Jamais Celtes narguant le tonnerre à coups de flèches, compa-
205 gnons glorieux du siècle des cathédrales sculptant leur rêve de
pierre, volontaires de la grande Révolution[7] s'enrôlant à la voix de

---

1. **Ingambe :** en bonne forme.

2. **Danse du scalp :** les sauvages enlèvent au cadavre de l'ennemi la partie de sa tête
qui porte les cheveux (le scalp) et célèbrent l'événement par une danse enthousiaste.

3. *Le Dernier des Mohicans :* un des romans les plus célèbres de Fenimore Cooper
qui met en scène le héros Bas de cuir.

4. *Coureur des Bois :* roman-western de Gabriel Ferry (1853).

5. **Lattis :** treillage en lattes de bois.

6. **Montchanin :** les briques et les tuiles de Montchanin sont célèbres.

7. **La grande Révolution :** la Révolution française de 1789.

Danton[1], quarante-huitards[2] plantant l'arbre de la Liberté[3] n'entreprirent leur besogne avec plus de fougue joyeuse et de frénétique enthousiasme que les quarante-cinq soldats de Lebrac édifiant,
210 dans une carrière perdue des prés-bois de la Saute, la maison commune de leur rêve et de leur espoir.

Les idées jaillissaient comme des sources aux flancs d'une montagne boisée, les matériaux s'accumulaient en monceaux ; Camus empilait des cailloux ; Lebrac, poussant des han ! formidables,
215 cognait et tranchait déjà à grands coups, ayant trouvé plus pratique, au lieu de fouiller le taillis pour y trouver des poutrelles, de faire enlever dans les tas voisins de la coupe une quarantaine de fortes perches qu'une corvée[4] de vingt volontaires était allée voler sans hésitation.

220 Pendant ce temps, une équipe coupait des rameaux, une autre tressait des claies et lui, la hache ou le marteau à la main, entaillait, creusait, clouait, consolidait la partie inférieure de sa toiture.

Pour que la charpente fût solidement arrimée, il avait fait creuser le sol afin d'emboîter ses poutres dans la terre : il les entoure-
225 rait, pensait-il, de cailloux enfoncés de force et destinés autant à les maintenir en place qu'à les protéger de l'humidité de la terre. Après avoir pris ses mesures, il avait ébauché son châssis et maintenant il l'assemblait à force de clous avant de l'ajuster dans les entailles creusées par Tintin.

230 Ah ! c'était solide, et il l'avait éprouvé en posant l'ensemble sur quatre grosses pierres. Il avait marché, sauté, dansé dessus, rien n'avait bougé, rien n'avait frémi, rien n'avait craqué : C'était de la belle ouvrage vraiment !

Et jusqu'à la nuit, jusqu'à la nuit noire, même après le départ du
235 gros de la bande, il resta là encore avec Camus, La Crique et Tintin pour tout mettre en ordre et tout prévoir.

Le lendemain on poserait le toit et on ferait un bouquet, parbleu ! tout comme les charpentiers lorsque la charpente est

---

1. **Danton :** célèbre révolutionnaire (1759-1794) qui mourut guillotiné.
2. **Quarante-huitards :** ceux qui participèrent à la Révolution française de 1848.
3. **L'arbre de la Liberté :** pour célébrer la IIe République, on planta des arbres sur toutes les places publiques.
4. **Corvée :** groupe.

achevée et qu'ils « prennent le chat[1] ». L'embêtement, c'est qu'on
240 n'aurait pas un litre ou deux à boire pour commémorer dignement
cette cérémonie.

— Allons-nous-en, fit Tintin.

Et ils rejoignirent le bas de la Saute et la carrière à Pepiot en passant par la « chambre du conseil ».

245 — Tu m'as toujours pas dit comment que t'avais trouvé ce coin-là,
hé ! Camus, rappela le général.

— Ah ! ah ! repartit l'autre. Eh ben, voilà ! Cet été nous étions aux
champs avec la Titine de chez Jean-Claude et puis le berger du
Poron, tu sais celui de Laiviron, qui miguait[2] tout le temps. Et puis
250 y avait encore les deux Ronfous de sur la Côte, qui sont à maître[3]
maintenant. Alors on a songé : Si on s'amusait à dire la messe !
Le berger du Poron[4] a voulu faire le curé ; il a ôté sa chemise et il
l'a passée sur ses habits pour avoir comme qui dirait un surplis ;
on a fait un autel avec des cailloux et des bancs aussi : les deux
255 Ronfous étaient les servants, mais ils n'ont pas voulu mettre leur
chemise sur leur tricot. Ils ont dit que c'était passe qu'elles étaient
déchirées, mais je parierais bien que c'est parce qu'ils avaient ch...
fait dedans ; enfin, bref, le berger nous a mariés, la Titine et moi. »

— T'avais pas de bagues pour y mettre au doigt ?

260 — J'y ai mis des bouts de tresse.

— Et la couronne ?

— On avait du chèvrefeuille.

— Ah !

— Oui, et puis l'autre avait un paroissien, il a dit des Dominus
265 vobiscum, oremus prends tes puces, secundum secula, un tas de
chichis, quoi, comme le noir, kifkifre[5] ! puis après « Ite, missa est »,
allez en paix, mes enfants !

« Alors on est parti les deux la Titine, et on leur a dit de ne pas
venir, que c'était la nuit de noce, que ça ne les regardait pas, qu'on

---

1. **Ils prennent le chat :** formule régionale qui traduit l'achèvement d'une charpente.
2. **Miguait :** clignait de l'œil (note de Louis Pergaud).
3. **À maître :** au service comme berger (note de Louis Pergaud).
4. **Poron :** parrain (note de Louis Pergaud).
5. **Le noir, kifkifre :** le curé, pareil.

270 resterait pas longtemps et qu'on reviendrait le lendemain matin pour la messe des parents défunts.

« On a foutu le camp par les buissons et on est venu juste tomber là à c'te carrière où que nous venons de passer. Alors on s'a couché sur les cailloux. »

275 – Et puis ?

– Et puis, je l'ai embrassée, pardine !

– C'est tout ! Tu y as pas mis ton doigt au... ?

– Penses-tu, mon vieux, pour me l'emplir de jus, c'est bien trop sale ; ben y avait pas de danger, et puis qu'est-ce qu'aurait pensé la 280 Tavie ?

– C'est vrai que c'est sale, les femmes !

– Et encore ce n'est rien quand elles sont petites, mais quand elles viennent grandes, leurs pantets[1] sont pleins de fourbi...

– Pouah ! fit Tintin, tu vas me faire dégobiller.

285 – Filons, filons ! coupa Lebrac, voilà six heures et demie qui sonnent à la tour ; on va se faire attraper !

Et sur ces réflexions misogynes, ils regagnèrent leurs pénates.

---

1. **Pantets :** culottes.

Clefs d'analyse

Action et personnages

1. Que fait Tintin en classe ? Quelle catastrophe intervient et comment Lebrac sauve-t-il la situation ? Justifiez l'adjectif « héroïque » que lui attribue le narrateur.

2. Comment s'explique l'indulgence des copains de Tintin qui, loin d'adresser des reproches au trésorier, l'aident à récupérer le trésor ?

3. Pourquoi les copains de Tintin et de Lebrac renoncent-ils au plaisir de la bagarre après la classe ? À quoi passent-ils leur soirée ?

4. Quel avertissement La Crique donne-t-il à Tintin ? Comment Tintin tente-t-il d'échapper au sort qui l'attend chez lui ? Finalement, que lui arrive-t-il ?

5. Comment se comportent la Marie et la mère de Tintin pendant cet épisode ? Expliquez la ruse de Tintin.

6. Pourquoi personne ne veut plus se charger du trésor ? Qui a finalement l'idée de la cabane ? Comment cette idée est-elle accueillie ?

7. Quel piège Camus et Gambette préparent-ils ? Relevez une phrase montrant qu'ils n'ont aucune conscience du danger qu'ils font courir à l'ennemi.

8. Comment fonctionne le piège (III, 1) ? Qui sont les vainqueurs ?

9. Qui trouve l'emplacement de la cabane ? Quels avantages présente cet endroit ?

10. Décrivez le sommeil des Longevernes : à quels indices voit-on l'impatience et le bonheur des enfants ?

11. Dans quelle humeur la cabane est-elle construite ? Montrez que c'est un ouvrage de belle qualité.

Langue

12. Comment s'expriment les talents de bâtisseur de Lebrac ? À quels indices voit-on qu'il sait construire méthodiquement un projet et gérer un groupe ?

13. « Et le soir, lentement, très lentement, Lebrac arriva » (III, l, l. 176) : commentez l'effet de la répétition.

Genre ou thèmes

14. « Ce bon La Crique, ce vrai copain » : expliquez ces mots
    du narrateur pour décrire la belle action de La Crique qui recolle
    l'image déchirée par le maître (II, 7).

15. Le maître juge les parents « insoucieux de la moralité
    de leurs gosses » (II, 8). Selon vous, pour quelle raison laissent-ils
    leurs enfants regarder les animaux se reproduire ? Que pense
    le narrateur de « l'acte d'amour » ? Et les enfants ?

16. Que représentent, aux yeux des enfants, l'église, la classe
    et la famille (III, 1, l. 144-145) ?

17. Qu'apprenons-nous des amours de Camus et de la Titine ? Quel
    trait de caractère découvrons-nous chez le guerrier Camus ?

18. Que révèlent, en fait, les « réflexions misogynes » de Camus
    et de Lebrac ?

Écriture

19. Qu'est-ce qu'un « vrai copain » (ou une vraie copine), selon
    vous ? Développez une définition en citant des exemples
    empruntés à votre vie personnelle, à vos lectures ou aux films
    qui vous ont marqué.

Pour aller plus loin

20. Que raconte le roman de Fenimore Cooper *Le Dernier des Mohicans* ?

✳ À retenir

L'amitié est un thème essentiel de *La Guerre des boutons*.
À l'école comme dans leurs affrontements avec les Velrans,
les quarante-cinq Longevernes partagent tout : leurs biens,
leurs soucis, leurs projets. Ils sont toujours **solidaires**
les uns des autres : ainsi voit-on les copains de la classe
ramasser habilement les éléments du trésor que Tintin
vient de laisser tomber, La Crique recoller la précieuse
image de Lebrac déchirée par le maître puis avertir
Tintin qu'il va être fouillé par son père.

2
Les grands jours de Longeverne

...Qui considérera aussi la grande prévoyance dont il usa pour l'amunitionner[1] et y établir vivres, munitions, réglementez[2], polices... qui mettra aussi devant les yeux le bel ordre de guerre qu'il y ordonna...
Brantôme *(Grands Capitaines françois, M. de Guise).*

« Ho, hisse ! ho, hisse ! » ahanait[3] la corvée des dix charpentiers de Lebrac soulevant, pour la mettre en place, la première et lourde charpente du toit de la forteresse. Et au rythme imprimé par ce commandement réciproque, vingt bras crispant ensemble leurs muscles vigoureux enlevaient l'assemblage et le portaient au-dessus de la carrière, afin de bien poser les poutrelles dans les entailles creusées par Tintin.

– Doucement ! doucement ! disait Lebrac ; bien ensemble ! ne cassons rien ! Attention ! Avance encore un peu, Bébert ! Là, ça va bien ! Non ! Tintin, élargis un peu le premier trou, il est trop en arrière ! Prends la hache ; allez, vas-y !

– Très bien, ça entre !

– As pas peur, c'est solide !

Et Lebrac, pour bien montrer que son œuvre était bonne, se coucha en travers de ce bâti surplombant le vide. Pas une pièce du bloc ne broncha.

– Hein ! crâna-t-il fièrement en se redressant. Maintenant, posons les claies.

De son côté, Camus, par le moyen rudimentaire d'escaliers de pierres, réalisant une sorte de plan incliné, posait au-dessus de son mur les derniers matériaux ; c'était un mur large de plus de trois pieds[4], hérissé en dehors de par la volonté du constructeur qui voulait, pour cacher l'entrée, dissimuler la régularité de sa maçonnerie, mais, au dedans, rectiligne autant que s'il eût été édifié

---

1. *Amunitionner :* pourvoir une place en munitions nécessaires à sa défense.
2. *Réglementez :* règlements.
3. **Ahanait :** s'essoufflait sous l'effort.
4. **Trois pieds :** environ 90 cm.

25 à l'aide du fil à plomb[1] et soigné, poli, fignolé, léché, dressé tout entier avec des pierres de choix.

Les blousées[2] de feuilles mortes, apportées par les petits devant la caverne, formaient à côté d'un matelas de mousse un tas respectable ; les claies s'alignaient propres et bien tressées ; ça avait
30 marché rondement[3] et on n'était pas des fainéants à Longeverne... quand on voulait.

L'ajustement des claies fut l'affaire d'une minute et bientôt une épaisse toiture de feuilles sèches fermait complètement en haut l'ouverture de la cabane. Un seul trou fut ménagé à droite de la
35 porte, afin de permettre à la fumée (car on allumerait du feu dans la maison) de monter et de s'échapper.

Avant de procéder à l'aménagement intérieur, Lebrac et Camus, devant toutes leurs troupes réunies, massées face à la porte, suspendirent par un bout de ficelle une touffe énorme de beau gui
40 d'un vert doré et patiné[4], dans les feuilles duquel luisaient les graines ainsi que des perles énormes. Les Gaulois faisaient comme ça, prétendait La Crique, et on dit que ça porte bonheur.

On poussa des hourrah !

– Vive la cabane !
45 – Vive nous !

– Vive Longeverne !

– À cul les Velrans ! Enlevez-les !

– C'est des peigne-culs !

Ceci fait, et l'enthousiasme un peu calmé, on nettoya l'intérieur
50 de la bâtisse. Les cailloux inégaux furent enlevés et remplacés par d'autres. Chacun eut sa besogne. Lebrac distribuait les rôles et dirigeait, tout en travaillant comme quatre.

– Ici au fond, contre le rocher, on mettra le trésor et les armes ; du côté gauche, dans un emplacement limité par des planches, en
55 face du foyer, une espèce de litière de feuilles et de mousses formant un lit douillet pour les blessés et les éreintés, puis quelques sièges. De l'autre côté, de part et d'autre du foyer, des bancs et des sièges de pierre ; au milieu, un passage.

---

1. **Fil à plomb :** outil qui permet d'obtenir des lignes verticales parfaites.
2. **Blousées :** quantités qu'on peut enfouir dans la blouse retroussée.
3. **Rondement :** efficacement.
4. **Patiné :** vieilli par le temps.

Chacun voulut avoir sa pierre et sa place attitrée à un banc. La Crique, fixé sur les questions de préséance[1], marqua les sièges de pierre avec du charbon et les bancs avec de la craie, afin qu'aucune discussion ne vînt à jaillir plus tard à ce sujet. La place de Lebrac était au fond, devant le trésor et les triques.

Une perche hérissée de clous fut tendue entre les parois de la muraille, derrière la pierre du général. Là, chacun y eut aussi son clou, matriculé[2], pour mettre son sabre et y appuyer sa lance ou son bâton. Les Longevernes, on le voit, étaient partisans d'une forte discipline et savaient s'y soumettre.

L'affaire de Camus, la semaine d'avant, n'avait pas été non plus pour ne point contenir ni calmer les velléités anarchiques[3] de quelques guerriers, et la supériorité de Lebrac était vraiment incontestable.

Camus avait installé le foyer en posant sur le sol une immense pierre plate, une lave, comme on disait ; il avait élevé à l'arrière et sur les côtés trois petits murs, puis posé sur les deux murs des côtés une autre pierre plate, laissant en arrière, juste en dessous du trou ménagé dans le toit, une ouverture libre qui favorisait le tirage.

Quant au sac, il y fut déposé par Lebrac, tout au fond, comme un ciboire[4] sacré dans un tabernacle[5] de roc, et muré solennellement jusqu'à l'heure où l'on aurait besoin d'y recourir.

Avant de le déposer dans le caveau, il l'offrit une dernière fois à l'adoration des fidèles, vérifia les livres de Tintin, compta minutieusement toutes les pièces, les laissa regarder et palper par tous ceux qui le désirèrent et remit sacerdotalement[6] le tout dans son autel de pierre.

— Ça manque un peu d'images par ici, remarqua, en plissant les paupières, La Crique chez qui s'éveillait un certain sens esthétique et le goût de la couleur.

---

1. **Préséance** : droit de précéder quelqu'un, selon le rang qu'occupe chacun dans la bande.
2. **Matriculé** : marqué avec un numéro d'ordre.
3. **Velléités anarchiques** : vagues désirs de pouvoir se passer de chef.
4. **Ciboire** : coupe sacrée dans laquelle on conserve les hosties destinées à la communion.
5. **Tabernacle** : petite armoire contenant le ciboire.
6. **Sacerdotalement** : à la manière d'un prêtre.

La Crique avait dans sa poche un miroir de deux sous qu'il sacri-
fia à la cause commune et déposa sur un entablement de roc[1]. Ce
90 fut le premier ornement de la cabane.

Et tandis que les uns préparaient le lit et bâtissaient les sièges, les
autres partaient en expédition pour chercher dans le sous-bois de
nouveaux matelas de feuilles mortes et des provisions de bois sec.

Comme on ne pouvait pas encombrer la maison d'une si grande
95 quantité de combustible, on décida immédiatement de bâtir, tout à
côté, une remise basse et assez vaste pour y entasser de suffisantes
provisions de bois. À dix pas de là, sous un abri de roc, on eut vite fait
de monter trois murailles laissant du côté de la bise un trou libre et
entre lesquelles on pouvait faire tenir plus de deux stères[2] de quarte-
100 lage[3]. On fit trois tas distincts : du gros, du moyen, du fin. Comme ça,
on était paré, on pouvait attendre et narguer les mauvais jours.

Le lendemain, l'œuvre fut parachevée. Lebrac avait apporté
des suppléments illustrés du *Petit Parisien* et du *Petit Journal*[4],
La Crique de vieux calendriers, d'autres des images diverses. Le
105 président Félix Faure[5] regardait de son air fat[6] et niais l'histoire
de Barbe Bleue[7]. Une rentière[8] égorgée faisait face à un suicide
de cheval enjambant un parapet, et un vieux Gambetta[9], déniché,
est-il besoin de le dire, par Gambette, fixait étrangement de son
puissant œil de borgne une jolie fille décolletée, la cigarette aux
110 lèvres et qui ne fumait, affirmait la légende, que du Nil ou du Riz
la +, à moins que ce ne fût du Job[10].

---

1. **Entablement de roc :** corniche de pierre.
2. **Stères :** un stère est un volume correspondant à un mètre cube.
3. **Quartelage :** grosses bûches fendues en quartiers.
4. *Petit Parisien [...] Petit Journal :* journaux de l'époque.
5. **Félix Faure :** président de la IIIe République de 1895 à 1899.
6. **Fat :** prétentieux.
7. **Barbe Bleue :** ogre d'un conte de Perrault.
8. **Rentière :** femme qui vit de ses rentes c'est-à-dire des revenus que lui rapportent
   ses biens.
9. **Gambetta :** Léon Gambetta (1838-1882), homme politique français, républicain. Il
   fut président du Conseil et ministre des Affaires étrangères.
10. **Du Nil ou du Riz la +, à moins que ce ne fût du Job :** trois marques de papier à rou-
    ler les cigarettes. « J'espère bien que ces trois maisons, reconnaissantes de la réclame
    spontanée que je leur fais ici, vont m'envoyer chacune une caisse de leur meilleur
    produit » (note de Louis Pergaud).

La Guerre des boutons

C'était chatoyant et gai ; les couleurs crues s'harmonisaient à la sauvagerie de ce cadre dans lequel la Joconde[1] apâlie, et si lointaine maintenant sans doute, eût été tout à fait déplacée.

115 Un bout de balai, chipé parmi les vieux qui ne servaient plus en classe, trouvait là son emploi et dressait dans un coin son manche noirci par la crasse des mains.

Enfin, comme il restait des planches disponibles, on bâtit, en les clouant ensemble, une feuille de table[2]. Quatre piquets, fichés en 120 terre devant le siège de Lebrac et consolidés à grand renfort de cailloutis, servirent de pieds. Des clous scellèrent la feuille à ces supports et l'on eut ainsi quelque chose qui n'était peut-être pas de la première élégance, mais qui tenait bon comme tout ce qu'on avait fait jusqu'alors.

125 Pendant ce temps, que devenaient les Velrans ?

Chaque jour on avait renouvelé les sentinelles au camp du Gros Buisson et, à aucun moment, les vigies n'avaient eu à signaler, par les trois coups de sifflet convenus, l'attaque des ennemis.

Ils étaient venus pourtant, les peigne-culs ; pas le premier jour, 130 mais le second.

Oui, le deuxième jour, un groupe était apparu aux yeux de Tigibus, chef de patrouille ; ils avaient soigneusement épié, lui et ses hommes, les faits et gestes de ces niguedouilles[3], mais les autres avaient disparu mystérieusement. Le lendemain, deux ou trois 135 guerriers de Velrans vinrent encore, passifs, se poster à la lisière et firent face continuellement aux sentinelles de Longeverne.

Il se passait quelque chose de pas ordinaire au camp de l'Aztec ! La pile[4] du chef, la dégringolade de Touegueule n'avaient pas été sûrement pour arrêter leur ardeur guerrière. Que pouvaient-ils 140 bien méditer ? Et les sentinelles ruminaient, imaginaient, n'ayant rien d'autre à faire ; quant à Lebrac, il était trop heureux de profiter du répit laissé par les ennemis pour se soucier ou s'enquérir de la façon dont ils passaient ces heures habituellement consacrées à la guerre.

---

1. **La Joconde :** célèbre tableau de Léonard de Vinci. Il fut volé en 1911, ce qui fit scandale.
2. **Feuille de table :** en menuiserie, une feuille est une mince lame de bois, qui forme ici le plateau d'une table.
3. **Niguedouilles :** nigauds et andouilles.
4. **Pile :** correction, raclée.

145   Pourtant, vers le quatrième jour, comme on établissait l'itinéraire
le plus court pour se rendre en se dissimulant de la cabane au
Gros Buisson, on apprit par un homme de communication dépêché
par le chef éclaireur, que les vigies ennemies venaient de proférer
des menaces sur l'importance desquelles on ne pouvait point se
150   méprendre[1].

Évidemment le gros de leur troupe avait été, lui aussi, occupé
ailleurs ; peut-être avait-elle édifié de son côté un repaire, fortifié
ses positions, creusé des chausse-trapes[2] dans la tranchée, on ne
savait quoi ? La supposition la plus logique était encore pour la
155   construction d'une cabane. Mais qui avait bien pu leur donner
cette idée ? Il est vrai que les idées, quand elles sont dans l'air,
circulent mystérieusement. Le fait certain, c'est qu'ils mijotaient
quelque chose, car, autrement, comment expliquer pourquoi ils ne
s'étaient pas élancés sur les gardiens du Gros Buisson ?
160   On verrait bien.

La semaine passa ; la forteresse s'approvisionna de pommes de
terre chipées, de vieilles casseroles bien nettoyées et récurées pour
la circonstance, et on se tint sur la défensive, on attendit, car, malgré la proposition de Grangibus, nul ne voulut se charger d'une
165   périlleuse reconnaissance[3] au sein de la forêt ennemie.

Mais le dimanche après-midi, les deux armées au grand complet échangèrent force injures et force cailloux. Il y avait de part
et d'autre le redoublement d'énergie et l'intransigeante[4] arrogance que donnent seules une forte organisation et une absolue
170   confiance en soi. La journée du lundi serait chaude.

– Apprenons bien nos leçons, avait recommandé Lebrac ; s'agit
pas de se faire mettre en retenue demain, y aura du grabuge[5].

Et jamais en effet leçons ne furent récitées comme ce lundi,
au grand ébahissement de l'instituteur, dont ces alternatives de
175   paresse et de travail, d'attention et de rêvasserie, bouleversaient
tous les préjugés pédagogiques. Allez donc bâtir des théories sur

---

1. **Se méprendre :** se tromper.
2. **Chausse-trapes :** trous recouverts de feuilles et de branches et cachant des pièges.
3. **Reconnaissance :** exploration.
4. **Intransigeante :** sans concession, rigide.
5. **Grabuge :** bagarre.

la prétendue expérience des faits quand les véritables causes, les mobiles profonds vous sont aussi cachés que la face d'Isis[1] sous son voile de pierre.

180   Mais cela allait barder[2].

Camus, en accrochant sa première branche pour se rétablir, commença par dégringoler de son chêne, de pas très haut heureusement, et sur ses pattes encore. C'était la revanche de Touegueule : il s'y devait attendre, mais il pensait que l'autre s'attaquerait

185   lui aussi à une branche de son assetotte[3]. N'empêche que sitôt remonté il vérifia soigneusement la solidité de chacune d'elles avant de s'installer ; d'ailleurs il allait redescendre pour prendre part à l'assaut et au corps-à-corps, et s'il pinçait Touegueule il ne manquerait pas de lui faire payer cette petite tournée-là.

190   À part ceci, ce fut une bataille franche.

Quand chacun des camps en présence eut épuisé sa réserve de cailloux, les guerriers s'avancèrent résolument de part et d'autre, les armes à la main, pour se cogner en toute conscience.

Les Velrans avançaient en coin, les Longevernes en trois petits

195   groupes : au centre Lebrac, à droite Camus, à gauche Grangibus.

Pas un ne disait mot. Ils avançaient au pas, lentement, comme des chats qui se guettent, les sourcils froncés, les yeux terribles, les fronts plissés, les gueules tordues, les dents serrées, les poings raidis sur le gourdin, les sabres ou les lances.

200   Et la distance diminuait et, au fur et à mesure, les pas se rapetissaient encore ; les trois groupes de Longeverne se concentraient sur la masse triangulaire de Velrans.

Et quand les deux chefs furent presque nez à nez, à deux pas l'un de l'autre, ils s'arrêtèrent. Les deux troupes étaient immobiles,

205   mais de l'immobilité d'une eau qui va bouillir, hérissées, terribles ; des colères grondaient sourdement en tous, les yeux décochaient des éclairs, les poings tremblaient de rage, les lèvres frémissaient.

Qui le premier, de l'Aztec ou de Lebrac, allait s'élancer ? On sentait qu'un geste, un cri, allait déchaîner ces colères, débrider[4] ces

---

1. **Isis :** divinité égyptienne.
2. **Barder :** chauffer, prendre une tournure violente.
3. **Assetotte :** siège.
4. **Débrider :** libérer.

192

210 rages, affoler ces énergies, et le geste ne se faisait pas et le cri ne sortait point et il planait sur les deux armées un grand silence tragique et sombre que rien ne rompait.

Couâ, couâ, croâ ! Une bande de corbeaux rentrant en forêt passèrent sur le champ de bataille en jetant, étonnés, une rafale de cris.

215 Cela déclencha tout.

Un hurlement sans nom jaillit de la gorge de Lebrac, un cri terrible sauta des lèvres de l'Aztec, et ce fut des deux côtés une ruée impitoyable et fantastique.

Impossible de rien distinguer. Les deux armées s'étaient enfon-
220 cées l'une dans l'autre, le coin des Velrans dans le groupe de Lebrac, les ailes de Camus et de Grangibus dans les flancs de la troupe ennemie. Les triques ne servaient à rien. On s'étreignait, on s'étranglait, on se déchirait, on se griffait, on s'assommait, on se mordait, on arrachait des cheveux ; des manches de blouses et de
225 chemises volaient au bout des doigts crispés, et les coffres des poitrines, heurtés de coups de poing, sonnaient comme des tambours, les nez saignaient, les yeux pleuraient.

C'était sourd et haletant, on n'entendait que des grognements, des hurlements, des cris rauques, inarticulés : han ! ahi ! ran ! pan !
230 rah ! crac ! ahan ! charogne ! mêlés de plaintes étouffées : euh ! oille ! ah ! et cela se mêlait effroyablement.

C'était un immense torchis[1] hurlant de croupes et de têtes, hérissé de bras et de jambes qui se nouaient et se dénouaient. Et tout ce bloc se roulait et se déroulait et se massait et s'étalait pour
235 recommencer encore.

La victoire serait aux plus forts et aux plus brutaux. Elle devait sourire encore à Lebrac et à son armée.

Les plus atteints partirent individuellement. Boulot, le nez écrasé par un anonyme coup de sabot, regagna le Gros Buisson
240 en s'épongeant comme il pouvait ; mais du côté des Velrans c'était la débandade : Tatti, Pissefroid, Lataupe, Bousbot, et sept ou huit autres filaient à cloche-pied ou le bras en écharpe ou la gueule en compote et d'autres encore les suivirent et encore quelques-uns, de sorte que les valides, se voyant petit à petit abandonnés et
245 presque sûrs de leur perte, cherchèrent eux aussi leur salut dans la

---

1. **Torchis :** terre mélangée de paille ; ici, le mot prend le sens d'amas, de tas.

fuite, mais pas assez vite cependant pour que Touegueule, Migue la Lune et quatre autres ne fussent bel et bien enveloppés, chipés, empoignés et emmenés tout vifs au camp du Gros Buisson, à grand renfort de coups de pied au cul.

250   Ce fut vraiment une belle journée.

La Marie, prévenue, était à la cabane. Gambette y conduisit Boulot pour le faire panser. Lui-même prit une casserole et fila dare-dare à la source la plus proche puiser de l'eau fraîche pour laver le pif endommagé de son vaillant compaing, tandis que,
255 durant ce temps, les vainqueurs désustentaient[1] leurs prisonniers des objets divers encombrant leurs poches et tranchaient impitoyablement tous les boutons.

Ils y passèrent chacun à son tour. Ce fut Touegueule qui eut les honneurs de la soirée ; Camus le soigna particulièrement, n'omit
260 point[2] de lui confisquer sa fronde et l'obligea à rester à cul nu devant tout le monde, jusqu'à la fin de l'exécution.

Les quatre autres, qui n'avaient pas encore été pincés, furent échenillés[3] à leur tour simplement, froidement, sans barbarie inutile.

265   On avait réservé Migue la Lune pour le dernier, pour la bonne bouche, comme on disait. N'avait-il pas dernièrement porté une griffe sacrilège sur le général après l'avoir fait trébucher traîtreusement ! Oui, c'était ce pleurnicheur, ce jean-grognard[4], cette mort aux rats qui avait osé frapper d'une baguette les fesses d'un guer-
270 rier désarmé qu'il était bien incapable de prendre. La réciproque s'imposait. Il serait fessé d'importance. Mais une odeur caractéristique émanait de sa personne, une odeur insupportable, infecte, qui, malgré leur endurance, fit se boucher le nez aux exécuteurs des hautes œuvres[5] de Longeverne.

275   Ce salaud-là pétait comme un ronsin[6] ! Ah ! il se permettait de péter !

Migue la Lune balbutiait des syllabes inintelligibles, larmoyant et pleurnichant, la gorge secouée de sanglots. Mais quand, tous les

---

1. **Désustentaient :** privaient, confisquaient.
2. **N'omit point :** n'oublia pas.
3. **Échenillés :** dépouillés.
4. **Jean-grognard :** qui ne cesse de grogner.
5. **Exécuteurs des hautes œuvres :** bourreaux.
6. **Ronsin :** étalon (note de Louis Pergaud).

boutons étant tranchés, le pantalon tomba et qu'on découvrit la
source d'infection, on s'aperçut, en effet, que l'odeur pouvait per-
280 durer[1] avec tant de véhémence. Le malheureux avait fait dans sa
culotte et ses maigres fesses conchiées[2] répandaient tout alentour
un parfum pénétrant et épouvantable, tant que, généreux quand
même, le général Lebrac renonça aux coups de verge vengeurs et
renvoya son prisonnier comme les autres, sans plus de dépens[3],
285 heureux, au fond, et jubilant de cette punition naturelle infligée,
par sa couardise[4], au plus sale guerrier que les Velrans comptaient
dans leurs rangs de peigne-culs et de foireux[5].

3
Le festin dans la forêt

Qu'on boute du vin en la tasse, Soumelier ! Qu'on en verse tant Qu'il
se respande dans la place[6] ! Qu'on mange, qu'on boive d'autant !
                                                    Ronsard *(Odes)*.

QU'ALLAIT-IL se passer dans la troupe de l'Aztec rossée, meurtrie,
pillée et abattue ? Lebrac, après tout, s'en f...ichait et son armée
aussi. On avait la victoire, on avait fait six prisonniers. Jamais ça
ne s'était vu depuis des temps et des temps. La tradition des hauts
5 faits de guerre, religieusement conservée et transmise, ne signalait,
La Crique s'en portait garant, aucune de ces prises fabuleuses et
de ces rossées fantastiques. Lebrac pouvait se considérer comme le
plus grand capitaine qui eût jamais commandé à Longeverne, et son
armée comme la phalange[7] la plus vaillante et la plus éprouvée.
10 Le butin était là en tas : amas de boutons et de tresses, de cordons et de boucles et d'objets hétéroclites très divers, car on avait

---

1. **Perdurer :** durer.
2. **Conchiées :** souillées d'excrément.
3. **Dépens :** frais.
4. **Couardise :** lâcheté.
5. **Foireux :** peureux.
6. ***Boute [...] soumelier [...] se respande dans la place :*** mette [...] sommelier [...] se
répande partout.
7. **Phalange :** bataillon.

fait main basse sur tout ce que renfermaient les poches, les mouchoirs exceptés. On voyait de petits os de cochon percés au milieu, traversés d'un double cordon de laine qui faisait en se roulant et se
15 déroulant tourner en frondonnant l'osselet : on appelait ce joujou un fredot ; on voyait aussi des billes, des couteaux, ou, pour être plus juste, de vagues lames mal emmanchées ; il s'y trouvait également quelques clés de boîtes de sardines, un père La Colique en plomb accroupi dans une posture intime, et des tubes chalumeaux
20 pour lancer des pois. Tout cela, entassé pêle-mêle, devait aller grossir le trésor commun ou serait tiré au sort.

Mais le trésor, du coup, serait certainement doublé. Et c'était le surlendemain qu'on devait justement payer au trésorier la seconde contribution de guerre.
25 La première idée de Lebrac lui revint à l'esprit. Si on employait cet argent à faire la fête ?

Comme il était homme de réalisation, il s'enquit immédiatement auprès de ses soldats des sommes que pourrait récupérer le trésorier.
30 – Qui c'est qui n'a pas son sou pour payer l'impôt de guerre ? Personne ne dit mot ! Tout le monde a bien compris. Levez la main ceusses qui n'ont pas leur sou d'impôt ?

Aucune main ne se leva. Un silence religieux planait. Était-ce possible ? Ils avaient tous trouvé le moyen d'acquérir leur rond !
35 Les bons conseils du général avaient porté leurs fruits : aussi félicita-t-il chaudement ses troupes :

– Vous voyez bien que vous n'êtes pas si bêtes que vous croyiez, hein ! Il suffit de vouloir, on trouve toujours. Mais il ne faut pas être une nouille, pardine, sans quoi on est toujours roulé dans la
40 vie du monde. Ici dedans, fit-il en désignant les dépouilles opimes[1], il y a au moins pour quarante sous de fourbi, eh bien ! mes petits, puisqu'on a été assez courageux pour le conquérir avec nos poings, il n'y a pas besoin de dépenser nos sous à en acheter d'autre.

« Nous allons avoir demain quarante-cinq sous. Pour fêter la
45 victoire et prendre le chat[2] de la construction de la cabane, on va

1. **Dépouilles opimes :** butin que remportait un général romain qui avait tué de sa main le général de l'armée ennemie.
2. **Prendre le chat :** formule régionale qui traduit l'achèvement d'une charpente.

faire la bringue tous ensemble jeudi prochain après-midi. Qu'en dites-vous ? »

– Oui, oui, oui ! bravo, bravo ! c'est ça ! crièrent, beuglèrent, hurlèrent quarante voix, c'est ça, vive la fête, vive la noce !

50 – Et maintenant, à la cabane ! reprit le chef. Tintin, passe-moi ton béret que je l'emplisse de butin, pour le joindre à notre cagnotte. Il n'y a plus personne là-bas ? questionna-t-il en désignant la lisière du bois de Velrans.

Camus grimpa au chêne pour s'en assurer.

55 – Penses-tu, fit-il au bout d'un instant d'examen, après une pareille tatouille[1] ils ont filé comme des lièvres.

L'armée de Longeverne rejoignit à la cabane Boulot, Gambette et la Marie qui s'apprêtait à partir. Le blessé, qui avait abondamment saigné, avait le nez tout bleu et enflé comme une pomme de terre, 60 mais il ne se plaignait pas trop tout de même, songeant au nombre de tignasses crêpées par ses doigts et à la quantité respectable de coups de poing qu'il avait équitablement distribués de côté et d'autre.

On s'arrangea pour raconter qu'en courant il était tombé sur une bille de bois et qu'il n'avait pas eu le temps de porter les mains en 65 avant pour protéger sa face.

Jeudi, il serait guéri, il pourrait faire la fête avec les autres, et comme c'était lui qui avait, en l'occurrence, été le plus malmené, on lui revaudrait ça en nature à l'heure du partage des provisions.

Le lendemain, Lebrac et Tintin, ayant perçu l'argent, discutèrent 70 avec les camarades de la façon dont on devrait l'employer.

On fit des propositions.

– Du chocolat.

Tout le monde était d'accord pour cet achat.

– Comptons, fit La Crique. La tablette de dix raies coûte huit sous : 75 il en faut à chacun un assez gros morceau : avec trois tablettes, trente raies, on en aura chacun plus d'une demie ; oui, reprit-il après calcul, cela fera juste deux tiers de raie à chacun, c'est très bien.

« On le mangera comme ça, sec ou avec son pain. Trois tablettes à huit sous, ça fait vingt-quatre sous. De quarante-cinq, il restera 80 vingt et un ronds.

« Qu'est-ce qu'on va acheter avec ?

---

1. **Tatouille :** raclée.

— Des croquets[1] !

— Des biscuits !

— Des bonbons !

85 — Des sardines !

— Nous n'avons que vingt et un sous, souligna Lebrac.

— Faut acheter des sardines, insinua Tintin. C'est bon les sardines. Ah ! tu sais pas ce que c'est, Guerreuillas ! Eh bien mon vieux, c'est des petits poissons sans tête cuits dedans une boîte
90 en fer-blanc, mais tu sais, c'est salement bon ! Seulement on n'en achète pas souvent chez nous passe que c'est cher. Achetons-en une boîte, voulez-vous ? Il y en a dix, douze, même quelquefois tienze[2] par boîte, on partagera.

— Ah oui ! que c'est bon, renchérit Tigibus, et l'huile aussi, mes
95 amis ; moi, ce que je l'aime l'huile de sardine ! je relèche les boîtes quand on en achète ; c'est pas comme l'huile à salade.

On vota d'enthousiasme l'achat d'une boîte de sardines de onze sous. Restaient dix sous de disponibles. La Crique, en le faisant remarquer, crut devoir ajouter cet avis :
100 — On ferait bien de prendre quelque chose qu'on puisse partager plus facilement et dont on aurait plusieurs morceaux pour un sou.

Les bonbons s'imposaient : les petits bonbons ronds et aussi la réglisse en bois qu'il faisait si bon sucer et mâcher en classe, derrière le paravent des pupitres ouverts.
105 — Partageons donc, conclut Lebrac, cinq sous de bonbons, cinq sous de réglisse en bois. C'est réglé comme ça ; mais ce n'est pas tout, vous savez. Il faudra chiper des pommes et des poires à la cave, on fera aussi cuire des pommes de terre, Camus fera des cigares de véllie.
110 — Faudra boire aussi, déclara Grangibus.

— Si on pouvait avoir du vin ?

— Et de la goutte[3] ?

— Du cassis ?

— Du sirop ?
115 — De la gueurnadine ?

---

1. **Croquets :** petits gâteaux secs à base d'amandes.

2. **Tienze :** quinze.

3. **Goutte :** alcool fort.

– C'est bien difficile !

– Je sais ousqu'est la bonbonne de goutte à la chambre haute, fit Lebrac, si y a moyen d'en prendre un maillet[1], as pas peur, on en aura, mais du vin, bernique[2] !

120 – Et puis, on n'a pas de verres.

– Faudra au moins avoir de l'eau dans quelque chose.

– Il y a des casseroles là-bas !

– C'est pas assez grand !

– Si on pouvait avoir un petit tonneau ou même un vieil arrosoir.

125 – Un arrosoir ! Il y a le vieux de l'école qu'est au fond du collidor[3] ; si on le chipait ! Il y a bien un trou au fond et il est plein de poussière, mais c'est pas une affaire, on bouchera le poutiu[4] avec une cheville et on récurera le fer-blanc avec du sable ! Ça y est-il ?

– Oui, acquiesça Lebrac, c'est une bonne idée. À quatre heures 130 ce soir, j'suis de balayage, je le foutrai derrière le mur de la cour en venant vider le chenit[5] ; le soir, à la nuit, je viendrai le prendre et j'irai le cacher en attendant dans la caverne du Tilleul ; on le récurera demain. Pour les achats, voici comment il faudra faire : moi j'achèterai une plaque de chocolat, Grangibus une autre, Tintin la 135 troisième ; La Crique ira chercher les sardines, Boulot les bonbons et Gambette la réglisse. Personne ne pourra se douter de rien. On portera tout le fourbi à la cabane avec les pommes et les « patates » et tout ce qu'on pourra rabioter.

« Ah ! j'oubliais ! Du sucre ! Tâchez de chiper du sucre pour 140 manger avec la goutte… si on en a. On fera des canards[6] ! C'est facile à prendre, du sucre, quand la vieille tourne le pied. »

Aucune de ces excellentes recommandations ne fut oubliée ; chacun s'était chargé d'une tâche particulière et s'appliquait à la remplir consciencieusement. Aussi le jeudi après-midi, Lebrac, 145 Camus, Tintin, La Crique et Grangibus, lesquels avaient pris les devants, reçurent-ils leurs camarades qui arrivaient l'un après

---

1. **Maillet :** litre, bouteille (note de Louis Pergaud).
2. **Bernique :** non, impossible.
3. **Collidor :** corridor ; passage, couloir.
4. **Poutiu :** pertuis, trou (note de Louis Pergaud).
5. **Chenit :** balayures (note de Louis Pergaud).
6. **Canards :** sucres trempés dans l'alcool.

l'autre ou par petites bandes avec les poches garnies et bourrées, mais bourrées à taper[1].

Eux, les chefs, avaient aussi des surprises à faire à leurs invités.

150 Un feu clair, dont la flamme montait à plus d'un mètre de haut, emplissait la cabane d'une clarté chaude et faisait chatoyer les couleurs violentes des gravures.

Sur la table rustique, où les journaux étendus remplaçaient la nappe, les provisions achetées, en bel ordre, s'alignaient ; et derrière, ô joie ! ô triomphe ! trois bouteilles pleines, trois bouteilles
155 mystérieuses, dérobées à coup de génie par les Gibus et par Lebrac, dressaient leurs formes élégantes.

L'une renfermait de l'eau-de-vie, les deux autres du vin.

Sur une sorte de piédestal[2] de pierre, l'arrosoir récuré, neuf, dont
160 les cabossures brillaient, brandissait en avant son goulot poli qui déverserait une eau limpide et pure puisée à la source voisine ; des tas de pommes de terre pétaient sous la cendre chaude.

Quelle belle journée !

Il avait été entendu qu'on partageait tout, chacun devant seule-
165 ment garder son pain. Aussi, à côté des plaques de chocolat et de la boîte de sardines, une pile de morceaux de sucre monta bientôt, que La Crique dénombra avec soin.

Il était impossible de faire tenir les pommes sur la table, il y en avait plus de trois doubles[3]. On avait vraiment bien fait les choses,
170 mais ici encore le général, avec sa bouteille de goutte, battait tous les records.

– Chacun aura son cigare, affirma Camus, désignant d'un geste large une pile régulière et serrée de bouts de clématite, soigneuse-ment choisis, sans nœuds, lisses, avec de beaux petits trous ronds
175 qui disaient que cela tirerait bien.

Les uns se tenaient dans la cabane, d'autres ne faisaient qu'y passer ; on entrait, on sortait, on riait, on se tapait sur le ventre, on se fichait pour rire de grands coups de poing dans le dos, on se congratulait[4].

---

1. **Bourrées à taper :** pleines à craquer du fruit de leurs vols (« taper » signifie voler).
2. **Piédestal :** sorte d'estrade.
3. **Doubles :** mesure ancienne de 20 litres pour mesurer le grain.
4. **Congratulait :** félicitait.

180 – Ben, mon vieux, ça biche[1] ?

– Crois-tu qu'on est des types[2], hein ?

– Ce qu'on va rigoler !

Il était entendu que l'on commencerait dès que les pommes de terre seraient prêtes : Camus et Tigibus en surveillaient la cuisson, 185 repoussaient les cendres, rejetaient les braises, tirant de temps à autre avec un petit bâton les savoureux tubercules et les tâtant du bout des doigts ; ils se brûlaient et secouaient les mains, soufflaient sur leurs ongles, puis rechargeaient le feu continuellement. Pendant ce temps, Lebrac, Tintin, Grangibus et La Crique, après 190 avoir calculé le nombre de pommes et de morceaux de sucre auxquels chacun aurait droit, s'occupaient à un équitable partage des tablettes de chocolat, des petits bonbons et des bouts de réglisse.

Une grosse émotion les étreignit en ouvrant la boîte de sardines : seraient-ce des petites ou des grosses ? Pourrait-on répartir égale195 ment le contenu entre tous ?

Avec la pointe de son couteau, détournant celles du dessus, La Crique compta :

– Huit, neuf, dix, onze ! Onze, répéta-t-il. Voyons, trois fois onze trente-trois, quatre fois onze quarante-quatre !

200 – Merde ! bon diousse ! nous sommes quarante-cinq, un de trop ! Il y en a un qui s'en passera.

Tigibus, à croupetons devant son brasier, entendit cette exclamation sinistre et, d'un geste et d'un mot, trancha la difficulté et résolut le problème :

205 – Ce sera moi qui n'en aurai point si vous voulez, s'écria-t-il ; vous me donnerez la boîte avec l'huile pour la relécher, j'aime autant ça ! Est-ce que ça ira ?

Si ça irait ? c'était même épatant !

– Je crois bien que les pommes de terre sont cuites, émit Camus, 210 repoussant vers le fond, avec une fourche en coudre plus qu'à moitié brûlée, le brasier rougeoyant, afin d'aveindre[3] son butin.

– À table alors ! rugit Lebrac.

Et se portant à l'entrée :

---

1. **Ça biche ?** : ça va bien ?

2. **Types** : sacrés gars.

3. **Aveindre** : atteindre avec effort ; ici, retirer les pommes de terre des braises.

La Guerre des boutons

– Eh bien, la coterie[1], on n'entend rien ? À table qu'on vous dit !
215 Amenez-vous ! Y a pus d'amour, quoi ! y a pus moyen ! Faut-il aller
chercher la bannière[2] ?

Et l'on se massa dans la cabane.

– Que chacun s'asseye à sa place, ordonna le chef ; on va partager. Les patates d'abord, faut commencer par quéque chose de
220 chaud, c'est mieux, c'est plus chic, c'est comme ça qu'on fait dans
les grands dîners.

Et les quarante gaillards, alignés sur leurs sièges, les jambes serrées, les genoux à angle droit comme des statues égyptiennes, le
quignon de pain au poing, attendirent la distribution.

225 Elle se fit dans un religieux silence : les derniers servis lorgnaient
les boules grises dont la chair d'une blancheur mate[3] fumait en
épandant un bon parfum sain et vigoureux qui aiguisait les appétits.

On éventrait la croûte, on mordait à même, on se brûlait, on se
retirait vivement et la pomme de terre roulait quelquefois sur les
230 genoux où une main leste la rattrapait à temps ; c'était si bon ! Et
l'on riait, et l'on se regardait, et une contagion de joie les secouait
tous, et les langues commençaient à se délier.

De temps en temps on allait boire à l'arrosoir. Le buveur ajustait
sa bouche comme un suçoir au goulot de fer-blanc, aspirait un
235 bon coup et, la bouche pleine et les joues gonflées, avalait tout,
hoquetant sa gorgée ou recrachait l'eau en gerbe, en éclatant de
rire sous les lazzi[4] des camarades.

– Boira ! boira pas ! parie que si ! parie que ni[5] !

C'était le tour des sardines. La Crique, religieusement, avait
240 partagé chaque poisson en quatre ; il avait opéré avec tout le soin

---

1. **La coterie** : appellation familière que les ouvriers du bâtiment utilisent pour
s'interpeller, ou désigner un ou plusieurs de leurs camarades ; ici « les gars », « la
bande ».
2. **Faut-il aller chercher la bannière ?** : déformation de l'expression « c'est la croix et
la bannière » qui fait référence aux processions du Moyen Âge, lesquelles nécessi-
taient un protocole très contraignant, beaucoup de formalités, de règles à suivre.
3. **Mate :** qui ne brille pas.
4. **Lazzi :** plaisanteries.
5. **Ni :** non.

et la précision désirables, afin que les fractions ne s'émiettassent point et il s'occupait à remettre à chacun la part qui lui revenait. Délicatement, avec le couteau, il prenait dans la boîte que portait Tintin et mettait sur le pain de chacun la portion légale. Il avait l'air d'un prêtre faisant communier les fidèles.

245

Pas un ne toucha à son morceau avant que tous ne fussent servis : Tigibus, comme il était convenu, eut la boîte avec l'huile ainsi que quelques petits bouts de peau qui nageaient dedans.

Il n'y en avait pas gros, mais c'était du bon ! Il fallait en jouir. Et tous flairaient, reniflaient, palpaient, léchaient le morceau qu'ils avaient sur leur pain, se félicitant de l'aubaine, se réjouissant au plaisir qu'ils allaient prendre à le mastiquer, s'attristant à penser que cela durerait si peu de temps. Un coup d'engouloir[1] et tout serait fini ! Pas un ne se décidait à attaquer franchement. C'était si minime. Il fallait jouir, jouir, et l'on jouissait par les yeux, par les mains, par le bout de la langue, par le nez, par le nez surtout, jusqu'au moment où Tigibus, qui pompait, torchait, épongeait son reste de sauce avec de la mie de pain fraîche, leur demanda ironiquement s'ils voulaient faire des reliques de leur poisson, qu'ils n'avaient dans ce cas qu'à porter leurs morceaux au curé pour qu'il pût les joindre aux os de lapins qu'il faisait baiser aux vieilles gribiches[2] en leur disant : « Passe tes cornes ! »[3]

250

260

Et l'on mangea lentement, sans pain, par petites portions égales, épuisant le suc, pompant par chaque papille, arrêtant au passage le morceau délayé, noyé, submergé dans un flux de salive pour le ramener encore sous la langue, le remastiquer de nouveau et ne le laisser filer enfin qu'à regret.

265

Et cela finit ainsi religieusement. Ensuite Guerreuillas confessa qu'en effet c'était rudement bon, mais qu'il n'y en avait guère !

270

Les bonbons étaient pour le dessert et la réglisse pour ronger[4] en s'en retournant. Restaient les pommes et le chocolat.

---

1. **Engouloir :** entonnoir ; un coup d'engouloir traduit le fait fait d'avaler, de déglutir.
2. **Gribiches :** commères.
3. **Passe tes cornes ! :** sans doute « Pax tecum ! » (note de Louis Pergaud), c'est-à-dire « La paix soit avec toi ».
4. **La réglisse pour ronger :** la réglisse se présente sous la forme d'un bâtonnet de bois que l'on ronge.

– Voui, mais va-t-on pas boire bientôt ? réclama Boulot.

– Il y a l'arrosoir, répondit Grangibus, facétieux[1].

275 – Tout à l'heure, régla Lebrac, le vin et la gniaule[2] c'est pour la fin, pour le cigare.

– Au chocolat, maintenant !

Chacun eut sa part, les uns en deux morceaux, les autres en un seul. C'était le plat de résistance, on le mangea avec le pain ; toutefois, quelques-uns, des raffinés, sans doute, préférèrent manger 280 leur pain sec d'abord et le chocolat ensuite. Les dents croquaient et mastiquaient, les yeux pétillaient. La flamme du foyer, ravivée par une brassée de brandes[3], enluminait les joues et rougissait les lèvres. On parlait des batailles passées, des combats futurs, des conquêtes prochaines, et les bras commençaient à s'agiter et les 285 pieds se trémoussaient et les torses se tortillaient. C'était l'heure des pommes et du vin.

– On boira chacun à son tour dans la petite casserole, proposa Camus.

Mais La Crique, dédaigneusement, répliqua :

290 – Pas du tout ! Chacun aura son verre !

Une telle affirmation bouleversa les convives.

– Des verres ! T'as des verres ? Chacun son verre ! T'es pas fou, La Crique ! Comment ça ?

– Ah ! ah ! ricana le compère. Voilà ce que c'est que d'être malin ! 295 Et ces pommes pour qui que vous les prenez ?

Personne ne voyait où La Crique en voulait venir.

– Tas de gourdes ! reprit-il, sans respect pour la société, prenez vos couteaux et faites comme moi.

Ce disant, l'inventeur, l'eustache à la main, creusa immédiate- 300 ment dans les chairs rebondies d'une belle pomme rouge un trou qu'il évida avec soin, transformant en coupe originale le beau fruit qu'il avait entaillé.

– C'est vrai tout de même : sacré La Crique ! C'est épatant ! s'exclama Lebrac.

305 Et immédiatement il fit faire la distribution des pommes. Chacun

---

1. **Facétieux :** farceur, moqueur.

2. **Gniaule :** eau-de-vie, alcool très puissant.

3. **Brandes :** bruyères.

se mit à la taille de son gobelet, tandis que La Crique, loquace et triomphant, expliquait :

– Quand j'allais aux champs et que j'avais soif, je creusais une grosse pomme et je trayais une vache et voilà, je m'enfilais comme
310 ça mon petit bol de lait chaudot.

Chacun ayant confectionné son gobelet, Grangibus et Lebrac débouchèrent les litres de vin. Ils se partagèrent les convives. Le litre de Grangibus, plus grand que l'autre, devait contenter vingt-trois guerriers, celui de son chef vingt-deux. Les verres heureuse-
315 ment étaient petits et le partage fut équitable, du moins il faut le croire, car il ne donna lieu à aucune récrimination[1].

Quand chacun fut servi, Lebrac, levant sa pomme pleine, formula le toast d'usage, simple et bref :

– Et maintenant, à la nôtre, mes vieux, et à cul les Velrans !
320 – À la tienne !
– À la nôtre !
– Vive nous !
– Vivent les Longevernes !

On choqua les pommes, on brandit les coupes, on beugla des
325 injures aux ennemis, on exalta le courage, la force, l'héroïsme de Longeverne, et on but, on lécha, on suça la pomme jusqu'au tréfonds des chairs.

– Si on en poussait une[2], maintenant ! proposa Tigibus.
– Allez, Camus ! Ta chanson !
330 Camus entonna :

> *Rien n'est si beau*
> *Qu'un artilleur sur un chameau...*

– C'est pas assez long ! C'est dommage ! Elle est belle.
– Alors on va tous chanter ensemble : *Auprès de ma blonde.* Tout
335 le monde la sait. Allons-y. Une ! deusse !

Et toutes les voix juvéniles lancèrent à pleins poumons la vieille chanson :

---

1. **Récrimination :** protestation.
2. **Si on en poussait une :** si on chantait une chanson.

La Guerre des boutons

Au jardin de mon père
Les lauriers sont fleuris, (bis)
Tous les oiseaux du monde

Viennent faire leur nid,
Oui !

Auprès de ma blonde
Qu'il fait bon, fait bon, fait bon !
Auprès de ma blonde
Qu'il fait bon dormir !

Tous les oiseaux du monde
Viennent faire leur nid,
La caill', la tourterelle
Et la jolie perdrix,
Oui !

Auprès de ma blonde...

La caille, la tourterelle
Et la jolie perdrix,
Et la blanche colombe
Qui chante jour et nuit,
Oui !

Auprès de ma blonde...

Et la blanche colombe
Qui chante jour et nuit,
Qui chante pour les belles
Qui n'ont pas de mari,
Oui !

Auprès de ma blonde...

...

Quand on eut fini celle-là, on en voulut recommencer une autre et ce fut Tintin qui entonna :

Petit tambour s'en revenant de guerre (bis)
S'en revenant de guerre
Pan plan ra-ta-plan...

206

Mais on la lâcha en cours de route, car maintenant qu'on avait bu, il fallait autre chose, quelque chose de mieux.

– Allez, Camus ! Dis-nous *Madeleine s'en fut à Rome.*

– Oh ! j'sais rien que deux morceaux de deux couplets, c'est pas la peine ; personne ne la sait ! Quand les conscrits[1] voient qu'on approche pour écouter, ils s'arrêtent et ils nous disent de foutre le camp.

– C'est passe que c'est rigolo.

– Non, j'crois que c'est passe que c'est des cochoncetés ! Y a un sacré truc, mais j'sais pas ce que c'est, ousqu'on y fourre la Madeleine, l'Estitut[2] et le Patéon[3], un régiment d'infanterie la baïonnette au canon et encore un tas d'aut' fourbis que je peux pas me raviser[4].

– Plus tard, quand on sera conscrit, on le saura nous aussi, va, affirma Tigibus, pour exhorter[5] ses camarades à la patience.

On essaya alors de se rappeler la chanson de Débiez quand il est saoul :

Soupe à l'oignon, bouillon démocratique...

On écorcha encore tant bien que mal le refrain de Kinkin le braconnier :

Car le Paradis laïri,
Car le Paradis laïri,
Car le Paradis
Aux ivrogn' est promis.

Puis, de guerre lasse, l'ensemble manquant, il y eut un court silence étonné.

Alors Boulot, pour le rompre, proposa :

– Si on faisait des tours ?

– Faire voir le diable dans une manche de veste !

– Si on jouait à pigeon vole ? reprit un autre.

– Penses-tu ! un jeu de gamines ça ; pourquoi pas sauter à la corde !

– Et notre goutte, nom de Dieu ! rugit Lebrac.

– Et mes cigares ! beugla Camus.

---

1. **Conscrits :** jeunes soldats récemment appelés sous les drapeaux.
2. **L'Estitut :** l'Institut de France, qui regroupe les cinq Académies.
3. **Le Patéon :** le Panthéon.
4. **Raviser :** rappeler.
5. **Exhorter :** encourager.

4
Récits des temps héroïques

En ces temps, époque lointaine, merveilleuse...
Charles Callet *(Contes anciens).*

CHACUN, à l'exclamation des chefs, reprit sa pomme, et tandis que Camus, passant entre les rangs, offrait avec une nonchalante élégance les cigares de véllie, Grangibus, lui, distribuait les morceaux de sucre.

5   – Tout de même, quelle noce !
   – M'en parle pas, quelle bringue !
   – Quel gueuleton !
   – Quelle bombe !

Lebrac, en connaisseur, agitait son litre d'eau-de-vie où des
10 bulles d'air se formaient qui venaient s'épanouir et crever en couronne au goulot.

   – C'est de la bonne, affirma-t-il. Elle a de la religion, elle fait le chapelet[1]. Attention, j'vas passer ; que personne ne bouge !

Et, lentement, il partagea entre les quarante-cinq convives le litre
15 d'alcool. Cela dura bien dix minutes, mais personne ne but avant le signal. On porta alors de nouveaux toasts plus verts et plus violents que jamais ; ensuite on trempa les morceaux de sucre et on pompa le liquide à petits coups.

Vingt dieux ! ce qu'elle était forte ! Les petits en éternuaient,
20 toussaient, crachaient, devenaient rouges, violets, cramoisis, mais pas un ne voulait avouer que cela lui brûlait la gorge et que ça lui tordait les tripes.

C'était chipé, donc c'était bon : c'était même délicieux, exquis, et il n'en fallait pas perdre une goutte.

25 Aussi, dût-on en crever, on avala la gniaule jusqu'à la dernière molécule, et on lécha la pomme et on la mangea pour ne rien perdre du jus qui avait pu pénétrer à l'intérieur des chairs.

   – Et maintenant, allumons ! proposa Camus.

---

1. **Elle fait le chapelet :** elle laisse des larmes sur les parois du verre, tout comme s'égrènent les perles du chapelet.

Tigibus le chauffeur fit passer des tisons enflammés. On embou-
30 cha[1] les morceaux de véllie et tous, fermant à demi les yeux, tordant les bajoues, pinçant les lèvres, plissant le front, se mirent à
tirer de toute leur énergie. Parfois même, tant on y mettait d'ardeur,
il arrivait que la clématite, bien sèche, s'enflammait et alors on
admirait et tous s'appliquaient à réaliser cet exploit.

35 — Pendant que nous avons les pattes au chaud et le ventre plein,
qu'on est bien tranquille en train de fumer un bon cigare, si on
disait des racontottes[2] ?

— Ah ! oui, c'est ça, ou bien des devinettes ? Pour rigoler, on donnerait des gages.

40 — Mes vieux, coupa La Crique, les jambes croisées, grave, le
cigare aux dents, moi, si vous voulez, j'vas vous dire quelque
chose, quéque chose de sérieux, de vrai, que j'ai appris y a pas
longtemps. C'est même presque de l'histoire. Oui, je l'ai entendu
du vieux Jean-Claude qui le racontait à mon parrain.

45 — Ah ! quoi ? quoi donc ? interrogèrent plusieurs voix.

— C'est la cause pourquoi qu'on se bat avec les Velrans. Vous
savez, mes petits, c'est pas d'aujourd'hui ni d'hier que ça dure : il y
a des années et des années.

— C'est depuis le commencement du monde, pardié, interrompit
50 Gambette, parce qu'ils ont toujours été des peigne-culs ! et voilà !

— C'est des peigne-culs tant que tu voudras, pourtant c'est pas
depuis le moment que tu dis quand même, Gambette, c'est après,
bien après, mais il y a tout de même une belle lurette depuis ce
temps-là au jour d'aujord'hui.

55 — Ben, puisque tu le sais, dis-nous ça, ma vieille, ça doit être sûrement passe que c'est rien qu'une sale bande de foutus cochons.

— Tout juste des fainéants et des gouris[3] ! Et ils ont osé traiter les Longevernes de voleurs encore par-dessus le marché ces
salauds-là.

60 — Ah ! par exemple, quel toupet !

— Oui, fit La Crique continuant. Quant à pouvoir dire au juste
l'année où que c'est arrivé, je peux pas, le vieux Jean-Claude y

---

1. **Emboucha :** mit à la bouche.

2. **Racontottes :** histoires (note de Louis Pergaud).

3. **Gouris :** gorets (note de Louis Pergaud).

sait pas non plus, personne ne se rappelle ; pour savoir, il faudrait regarder dans les vieux papiers, dans les archives, qu'ils disent, et
65 je sais pas ce que c'est que ces cochonneries-là.

« C'était au temps où qu'on parlait de la murie. La murie, voilà, on ne sait plus bien ce que c'est ; peut-être une sale maladie, quelque chose comme un fantôme qui sortait tout vivant du ventre des bêtes crevées qu'on laissait pourrir dans les coins et qui voyageait,
70 qui se baladait dans les champs, dans les bois, dans les rues des villages, la nuit. On ne la voyait pas : on la sentait, on la reniflait ; les bêtes meuglaient, les chiens jappaient à la mort quand elle était par là, aux alentours, à rôder. Les gens, eux, se signaient et disaient : « Y a un malheur qu'est en route ! » Alors, au matin, quand
75 on l'avait sentie passer, les bêtes qu'elle avait touchées dans leurs étables tombaient et périssaient, et les gens aussi crevaient comme des mouches.

« La murie venait surtout quand il faisait chaud.

« Voilà : on était bien, on riait, on mangeait, on buvait, et puis,
80 sans savoir pourquoi ni comment, une ou deux heures après, on devenait tout noir, on vomissait du sang pourri et on claquait. Rien à faire et rien à dire. Personne n'arrêtait la murie, les malades étaient fichus. On avait beau jeter de l'eau bénite, dire toutes sortes de prières, faire venir le curé pour marmonner ses oremus[1], invoquer
85 tous les saints du paradis, la Vierge, Jésus-Christ, le père Bon Dieu, c'était comme si on avait pissé dans un violon ou puisé de l'eau avec une écumoire, tout crevait quand même et le pays était ruiné et les gens étaient foutus.

« Aussi, quand une bête venait à périr, vous pouvez croire qu'on
90 l'encrottait[2] vivement. C'est la murie qui a amené la guerre entre les Velrans et les Longevernes. »

Le conteur ici fit une pause, savourant son préambule[3], jouissant de l'attention éveillée, puis il tira quelques bouffées de son cigare de clématite et reprit, les yeux des camarades dardés sur lui :

---

1. **Oremus :** prières dites à la messe par le prêtre et dont le premier mot, *oremus,* est une invitation à prier.
2. **Encrottait :** enterrait.
3. **Préambule :** introduction avant le récit principal.

95 – Savoir au juste comment que c'est arrivé, c'est pas possible, on n'a pas assez de renseignements. On croit pourtant que des espèces de maquignons[1], peut-être bien des voleurs, étaient venus aux foires de Morteau ou de Maîche et s'en retournaient dans le pays bas. Ils voyageaient la nuit ; peut-être se cachaient-ils, surtout
100 s'ils avaient volé des bêtes. Toujours est-il que comme ils passaient là-haut par les pâtures de Chasalans, une des vaches qu'ils emmenaient s'est mise à meugler, à meugler, puis elle n'a plus voulu marcher ; elle s'est accoulé[2] le cul contre un murot[3] et elle est restée là à meugler toujours. Les autres ont eu beau tirer sur
105 la longe et lui flanquer des coups de trique, rien n'y a fait, elle n'a plus bougé ; au bout d'un moment elle s'est fichue par terre, s'est allongée toute raide ; elle était crevée, foutue.

« Les "types" ne pouvaient pas l'emporter, à quoi leur aurait-elle servi ? Ils n'ont rien dit du tout, et comme c'était la nuit, loin des
110 villages – ni vu, ni connu je t'embrouille – ils ont fichu le camp et on ne les a jamais revus et on n'a jamais su ni qui ils étaient, ni d'où ils venaient.

« Faut dire que c'était en été que ça se passait. À ce moment-là c'étaient les Velrans qui pâturaient les communaux de Chasalans et
115 qui faisaient les coupes du bois qu'on a toujours appelé depuis bois de Velrans, le bois ousqu'ils viennent pour nous attaquer, pardié ! »

– Ah ! ah ! interrompirent des voix. C'est bien le nôtre pourtant, ce bois-là, nom d. D… !

– Oui, c'est le nôtre et vous allez bien le voir, mais écoutez.
120 Comme il faisait très chaud cet été-là, bientôt la vache crevée a commencé de sentir mauvais ; au bout de trois ou quatre jours, elle empoisonnait ; elle était pleine de mouches, de sales mouches vertes, de mouches à murie, comme on disait. Alors les gens qui ont eu l'occasion de passer par là ont bien reniflé l'odeur, ils se sont
125 approchés et ils ont vu la charogne[4] qui pourrissait là, sur place.

« Ça pressait ! Ils n'ont fait ni une ni deusse, ils ont filé subito trouver les anciens de Velrans et ils leur z'ont dit :

---

1. **Maquignons :** marchands de chevaux.

2. **Accoulé :** appuyé.

3. **Murot :** petit mur bas.

4. **Charogne :** cadavre en décomposition.

« – Voilà, y a une charogne qui pourrit dedans vot' pâturage de Chasalans et ça empoisonne jusqu'au milieu du Chanet, faut vite
130 aller l'encrotter avant que les bêtes n'attrapent la murie.

« – La murie, qu'ils ont répondu, mais c'est nous qu'on l'attraperait peut-être en enfouissant la bête : encrottez-la vous-mêmes puisque vous l'avez trouvée ; d'abord, qu'est-ce qui prouve qu'elle est sur not' territoire ? La pâture[1] est autant à vous qu'à nous ; à
135 preuve, c'est que vos bêtes y sont tout le temps fourrées.

« – Quand par hasard elles y vont, vous savez bien nous gueuler après et les acaillener[2], qu'ont répondu les Longevernes (ce qui était la pure vérité). Vous n'avez point de temps à perdre ou bien, autant à Velrans qu'à Longeverne, les bêtes vont bientôt crever par
140 la murie, et les gens itou[3].

« – murie vous-même ! qu'ont répondu les Velrans.

« – Ah ! vous ne voulez pas l'encrotter, ah ben ! on verra voir ; d'abord vous n'êtes que des propres-à-rien et des peigne-culs !

« – C'est vous qui n'êtes que des jean-foutres[4] ; puisque vous
145 avez trouvé la charogne, eh ben ! c'est la vôtre, gardez-la, on vous la donne. »

– Salauds ! interrompirent quelques auditeurs, furieux de retrouver l'antique mauvaise foi des Velrans.

– Alors, qu'est-ce qui s'est passé ?

150 – Ce qui s'est passé, reprit La Crique. Eh bien ! voici : « Les Longevernes sont revenus au pays ; ils sont allés trouver tous les anciens et le curé et ceusses qui avaient du bien[5] et qu'auraient fait comme qui dirait le conseil municipal d'aujourd'hui, et ils leur ont raconté ce qu'ils avaient vu et "senti" et ce qu'avaient dit les Velrans…

155 « Quand les femmes ont su ce qu'il y avait, elles ont commencé à chougner[6] et à gueuler ; elles ont dit que tout était foutu et qu'on allait périr. Alors les vieux ont décidé de foutre le camp à Besançon

---

1. **Pâture :** pâturage.
2. **Acaillener :** attaquer à coups de pierres.
3. **Itou :** aussi.
4. **Jean-foutres :** incapables.
5. **Ceusses qui avaient du bien :** ceux qui avaient le l'argent et des propriétés ; les notables.
6. **Chougner :** pleurer (note de Louis Pergaud).

que je crois, ou ailleurs, je sais pas trop au juste, trouver les grosses légumes[1], les juges et le gouverneur. Comme c'était pressant, 160 toute la grande séquelle[2] a rappliqué aussitôt, et ils ont fait venir à Chasalans les Longevernes et les Velrans pour qu'ils s'essepliquent.

« Les Velrans ont dit : «Messeigneurs, la pâture n'est pas à nous, nous le jurons devant le Bon Dieu et la Sainte Vierge qu'est notre sainte patronne à tertous[3] ; elle est aux Longevernes, c'est à eusses 165 d'encrotter la bête.»

« Les Longevernes ont dit : «Sauf vot' respect, Messeigneurs, c'est pas vrai, c'est des menteurs ! À preuve c'est qu'ils la pâturent toute l'année et qu'ils font les coupes de bois.»

« Là-dessus, les autres ont rejuré en crachant par terre que le 170 terrain n'était pas à eux. Les gens de la haute[4] étaient bien embêtés. Tout de même, comme ça ne sentait pas bon et qu'il fallait en finir, ils ont jugé sur place et ont dit : «Puisque c'est comme ça, comme les Velrans jurent que la propriété ne leur appartient pas, les Longevernes encrotteront la bête...»

175 Alors les Velrans ont ri, passe que, vous savez, ce qu'elle empoisonnait, la vache ! Et les beaux messieurs ils ne s'en approchaient que de loin...

«Mais, qu'ils ont ajouté, puisqu'ils l'encrotteront, la pâture et le bois seront acquis définitivement à Longeverne attendu que les 180 Velrans n'en veulent pas.»

« Alors, après ça, les Velrans ont ri jaune et ça les emm... bêtait bien, mais ils avaient juré en crachant par terre, ils ne pouvaient pas se dédire[5] devant le curé et les messieurs.

« Les gens de Longeverne ont tiré à la courte bûche[6] qui c'est 185 qu'encrotterait la vache et ceux-là ont eu double affouage[7] de bois

---

1. **Les grosses légumes :** les gens puissants.
2. **Séquelle :** section, dans le vocabulaire militaire.
3. **À tertous :** à tout le monde.
4. **De la haute :** de la haute société. Allusion aux « grosses légumes » mentionnés plus haut.
5. **Se dédire :** revenir sur ce qu'ils avaient dit.
6. **À la courte bûche :** à la courte paille.
7. **Affouage :** lots de bois de chauffage que les habitants des communes forestières reçoivent gratuitement après le partage des coupes annuelles (par tirage au sort).

pendant les quatre coupes qu'on a faites ! Seulement sitôt que la bête a été encrottée et qu'on n'a plus eu peur de la murie, les Velrans ont prétendu que le bois était toujours à eux et ils ne voulaient pas que les gens de Longeverne fassent les coupes.

190 « Ils traitaient nos vieux de voleurs et de relèche-murie, ces fainéants-là qu'avaient pas eu le courage d'enterrer leur pourriture.

« Ils ont fait un procès à Longeverne, un procès qu'a duré long-temps, longtemps, et ils ont dépensé des tas de sous ; mais ils ont perdu à Baume, ils ont perdu à Besançon, ils ont perdu à Dijon, ils

195 ont perdu à Paris : paraît qu'ils ont mis plus de cent ans à en définir[1].

« Et ça les houkssait[2] salement de voir les Longevernes venir leur couper le bois à leur nez ; à chaque coup ils les appelaient voleurs de bois ; seulement nos vieux qu'avaient des bonnes poignes ne se laissaient pas dire deux fois : ils leur tombaient sur le râb'e[3] et ils

200 leur foutaient des peignées[4], des peignées ! ah, quelles peignées !

« À toutes les foires de Vercel, de Baume, de Sancey, de Belleherbe, de Maîche, sitôt qu'ils avaient bu un petit coup, ils se reprenaient de gueule[5] et pan ! aïe donc ! Ils s'en foutaient, ils s'en foutaient jusqu'à ce que le sang coule comme vache qui pisse, et c'étaient pas des fei-

205 gnants, ceux-là, ils savaient cogner. Aussi, pendant deux cents ans, trois cents ans peut-être, jamais un Longeverne ne s'est marié avec une Velrans et jamais un Velrans n'est venu à la fête à Longeverne.

« Mais c'était le dimanche de la fête de la Paroisse qu'ils se retrouvaient régulièrement. Tout le monde y allait en bande, tous

210 les hommes de Longeverne et tous ceux de Velrans.

« Ils faisaient d'abord le tour du pays pour prendre le vent[6], ensuite de quoi ils entraient dans les auberges et commençaient à boire pour se mettre en vibrance[7]. Alors, dès qu'on voyait qu'ils commençaient à être saouls, tout le monde foutait le camp et se

215 cachait. Ça ne manquait jamais.

---

1. **En définir :** en sortir (de leurs problèmes judiciaires).
2. **Houkssait :** énervait.
3. **Sur le râb'e :** sur le râble, dessus.
4. **Peignées :** raclées, volées de coups.
5. **Ils se reprenaient de gueule :** la dispute recommençait.
6. **Prendre le vent :** prendre l'air.
7. **En vibrance :** en condition.

« Les Longevernes allaient s'enfiler dans le bouchon[1] où étaient les Velrans, ils mettaient bas[2] leurs vestes et leurs blaudes[3] et allez-y, ça commençait.

« Les tables, les bancs, les chaises, les verres, les bouteilles, tout
220 sautait, tout dansait, tout volait, tout ronflait. On cognait à un bout, pan ! par-ci, pan ! par-là ! à grands coups de pied et de poing, de tabourets et de litres ; tout était bientôt cassé, les chandelles roulaient et s'éteignaient ; on cognait quand même dans la nuit, on roulait sur les tessons de bouteilles et les débris de verre, le sang coulait
225 comme du vin et quand on n'y voyait plus rien, rien du tout, qu'il y en avait deux ou trois qui râlaient et criaient miséricorde[4], tous ceux qui pouvaient encore se traîner foutaient le camp.

« Il y en avait toujours un ou deux de cabés[5], il y en avait des éborgnés, des autres qu'avaient les bras cassés, les guibolles érein-
230 tées, le nez écrabouillé, les oreilles arrachées ; quant à savoir celui ou ceusses qui avaient tué, jamais, jamais on ne l'a su et tous les ans, pendant cent ans et plus, il y en a eu au moins un d'esquinté par fête patronale.

« Quand il n'y avait point de morts, nos vieux disaient : "Nous
235 n'avons pas bien fait la fête !"

« C'étaient des bougres[6], et tous y allaient, tous se battaient, les jeunes comme les vieux ; c'était le bon temps ; plus tard ça n'a plus été que les conscrits[7] qui se rossaient[8] le jour du tirage au sort[9] et du conseil de révision[10], et maintenant… maintenant il n'y a plus que nous
240 pour défendre l'honneur de Longeverne. C'est triste d'y songer ! »

---

1. **Bouchon :** petit restaurant populaire et sans façons (à l'origine, dans la région lyonnaise).
2. **Ils mettaient bas :** ils ôtaient.
3. **Blaudes :** blouses, tuniques.
4. **Criaient miséricorde :** demandaient grâce.
5. **Cabés :** tués (note de Louis Pergaud).
6. **Bougres :** sales types. Terme injurieux dans le langage populaire.
7. **Conscrits :** jeunes soldats récemment appelés sous les drapeaux.
8. **Rossaient :** battaient.
9. **Tirage au sort :** la loi du 29 décembre 1804 annonçait que 30 à 35 % des conscrits céli-bataires ou veufs sans enfant devaient effectuer leur service militaire, par tirage au sort.
10. **Conseil de révision** : assemblée qui déterminait l'aptitude militaire des jeunes gens et qui étudiait les demandes de dispense. Les décisions du conseil étaient définitives et sans appel.

La Guerre des boutons

Les yeux, dans la fumée bleue des cigares de clématite, flamboyaient comme les tisons du foyer[1]. Le conteur, très excité, continua :

— Et puis ça n'est pas là toute l'affaire. Non, le plus beau de l'histoire et le plus rigolo, ça a été le pèlerinage à la Sainte Vierge de Ranguelle ; Ranguelle... vous savez, c'est la chapelle qui se trouve du côté de Baume, derrière le bois de Vaudrivillers.

« Vous vous rappelez, c'est là que nous sommes allés l'année dernière avec le curé et la vieille Pauline : c'était au moment des z'hannetons ; on en secouait tout le long du bois et on les mettait sur la soutane du noir[2] et sur la caule[3] de la vieille. Ils étaient tout fleuris de cancoines[4] qui gonflaient leurs ailes pour s'essayer et qui partaient de temps en temps en zonzonnant[5]. C'était bien rigolo.

« Oui, mes amis, eh bien, un jour du vieux temps, au moment où l'herbe allait devenir bonne à faucher et à rentrer, les Longevernes, conduits par leur curé, s'en sont tous allés, hommes, femmes et enfants, en pèlerinage à la Notre-Dame de Ranguelle demander à la Sainte Vierge qu'elle leur fasse avoir du soleil pour bien faire les foins.

« Malheureusement, le même jour, le curé de Velrans avait décidé de conduire ses oies, – c'est comme ça qu'on dit, je crois... »

— Non, c'est ses oilles[6], rectifia Camus.

— Ses oilles, alors, si tu veux, reprit La Crique, à la même Sainte Vierge, passe que y en a pas des chiées[7] de saintes vierges dans le pays, avec tous les trucs de saint sacrement et autres fourbis : eux ils voulaient de la pluie pour leurs choux qui ne têtaient pas[8]...

---

1. **Tisons du foyer :** les restes des morceaux de bois en partie consumés dans la cheminée (le foyer).
2. **Le noir :** le curé ; appelé ainsi car il portait une soutane noire.
3. **Caule :** coiffe (note de Louis Pergaud).
4. **Cancoines :** hannetons.
5. **En zonzonnant :** du verbe « zonzonner », qui désigne le bourdonnement que fait le hanneton.
6. **Oilles :** c'est « ouailles » que voulait dire Camus (note de Louis Pergaud). C'est-à-dire les paroissiens.
7. **Y en a pas des chiées :** il y en a peu.
8. **Qui ne têtaient pas :** dont la tête ne se formait pas.

« Alors bon ! les voilà partis de bonne heure, le curé en tête avec ses surplis et son calice, les servants[1] avec le goupillon[2] et l'ostensoir[3], le marguillier[4] avec ses livres de Kyrie[5] ; derrière eux venaient les gosses, puis les hommes et pour finir les gamines et
270 les femmes.

« Quand les Longevernes ont passé le bois, qu'est-ce qu'ils voient ?

« Pardié ! toute cette bande de grands dépendeurs d'andouilles[6] de Velrans qui beuglaient des litanies[7] en demandant de l'eau.

« Vous pensez si ça leur a fait plaisir aux Longevernes, eux qui
275 venaient justement pour demander du soleil.

« Alors, ils se sont mis de toutes leurs forces à gueuler les prières qu'il faut dire pour avoir le beau temps, tandis que les autres râlaient comme des veaux pour avoir la pluie.

« Les Longevernes ont voulu arriver les premiers et ils ont
280 allongé le pas ; quand les Velrans s'en sont aperçus ils se sont mis à courir.

« Il n'y avait plus bien loin pour arriver à la chapelle, peut-être deux cents cambées[8], alors ils ont couru eux aussi ; puis ils se sont regardés de travers : ils se sont traités de feignants, de voleurs,
285 de salauds, de pourris et, de plus en plus, les deux bandes se rapprochaient.

« Quand les hommes n'ont plus été qu'à dix pas les uns des autres, ils ont commencé à se menacer, à se montrer le poing, à se bourrer des quinquets[9] comme des matous en chaleur, puis les femmes se
290 sont amenées elles aussi ; elles se sont traitées de gourmandes[10], de

---

1. **Servants :** enfants de chœur.
2. **Goupillon :** petit bâton de métal garni de poils ou d'une boule de métal creuse et percée de trous. On s'en sert pour asperger d'eau bénite.
3. **Ostensoir :** coupelle précieuse où l'on place l'hostie pour l'exposer à l'adoration des fidèles.
4. **Marguillier :** personne chargée de s'occuper de l'entretien d'une paroisse.
5. **Livres de Kyrie :** livres de prières ; « Kyrie » est le début des litanies grecques (longues prières).
6. **Dépendeurs d'andouilles :** imbéciles.
7. **Litanies :** prière formée d'une longue suite d'invocations à Dieu, à Jésus-Christ, à la Vierge, aux saints.
8. **Cambées :** enjambées (note de Louis Pergaud).
9. **Se bourrer des quinquets :** s'observer avec des yeux grand ouverts ; les quinquets sont les yeux.
10. **Gourmandes :** femmes trop portées sur le sexe, et difficiles à satisfaire à cause de cela.

rouleuses[1], de vaches, de putains, et les curés aussi, mes vieux, se regardaient d'un sale œil.

« Alors tout le monde a commencé par ramasser des cailloux, à couper des triques, et on se les lançait à distance. Mais à force de
295 s'exciter en gueulant, la rage les a pris et ils se sont tombés dessus à grands coups et ils se sont mis à taper avec tout ce qui leur tombait sous la main : pan, à coups de souliers ! pan, à coups de livres de messe ! Les femmes piaillaient, les gosses hurlaient, les hommes juraient comme des chiffonniers : ah ! vous voulez de la pluie, tas
300 de cochons, on vous en foutra ! Et pan par-ci et aïe donc par-là… Les hommes n'avaient plus d'habits, les femmes avaient leurs jupes ravalées[2], leurs caracos[3] déchirés, et le plus drôle c'est que les curés, qui ne se gobaient pas[4] non plus, comme je vous l'ai dit, après s'être maudits l'un l'autre et menacés du tonnerre du diable,
305 se sont mis à cogner eux aussi. Ils ont mis bas leurs surplis, troussé leurs soutanes, et allez donc, comme de bons bougres, après s'être engueulés comme des artilleurs, beugnés[5] à coups de pied, lancés des cailloux, tiré les poils, quand ils n'ont plus su sur quoi tomber, ils se sont foutu leurs calices[6] et leurs bons dieux par la gueule ! »
310 « Ça a dû être rudement bien, tout de même », songeait Lebrac, très ému.

– Et qui est-ce qui a eu raison auprès de la Notre-Dame ? C'est-y les Velrans ou les Longevernes ? Est-ce qu'ils ont eu le soleil ou bien la pluie ?
315 – Pour s'en venir, acheva La Crique nonchalamment, ils ont tous eu la grêle !

---

1. **Rouleuses :** femmes de mauvaise vie.
2. **Ravalées :** qui ont perdu de leur fraîcheur, défraîchies.
3. **Caracos :** corsages.
4. **Qui ne se gobaient pas :** qui ne pouvaient pas se voir, qui se détestaient.
5. **Beugnés :** frappés.
6. **Calices :** le calice est le vase sacré dans lequel le vin de messe est consacré.

Clefs d'analyse

Action et personnages

1. Quels aménagements extérieurs et intérieurs les Longevernes apportent-ils à leur cabane ?

2. Comment Lebrac s'affirme-t-il comme chef dans la construction et l'aménagement de ce repaire ?

3. Comment se fait l'approche des deux armées ? Qu'est-ce qui déclenche l'affrontement ? Montrez le suspense.

4. Qui sont les vainqueurs ? Quel châtiment subissent les vaincus ? Comment comprenez-vous la phrase : « Ce fut vraiment une belle journée » ? À qui doit-on ce commentaire ?

5. Pourquoi la fessée destinée à Migue la Lune se révèle-t-elle impossible ? Dans quelle situation psychologique se trouve le prisonnier ? Expliquez la joie de Lebrac.

6. Quel butin les vainqueurs remportent-ils ? Comment le trésor se trouve-t-il riche de quarante-cinq sous supplémentaires ? De quelle manière cet argent va-t-il être dépensé ?

7. À la fin du festin, les enfants boivent de l'alcool et fument des cigares qu'ils ont fabriqués : qui imitent-ils ainsi ?

8. Comment La Crique tient-il son public en haleine ? À quoi tient son talent de conteur (III, 4) ?

9. « Maintenant, il n'y a plus que nous pour défendre l'honneur de Longeverne » (III, 4, l. 239-240) : d'après cette déclaration, quelle mission s'attribuent les quarante-cinq enfants ?

Langue

10. Quel procédé d'expression le narrateur utilise-t-il pour traduire la violence de l'affrontement dans la bagarre du chapitre 2 (l. 222-231) ? Quel est l'effet produit ?

11. Retrouvez ce même procédé dans le récit de la fête (III, 3) : que cherche à souligner le narrateur ?

Clefs d'analyse   **Livre III,** chapitres 2, 3 et 4

Genre ou thèmes

12. Comment le dialogue transcrit-il l'enthousiasme des Longevernes dans la scène où chacun exprime ses préférences sur la manière de dépenser les quarante-cinq sous de la cagnotte (III, 2) ?

13. « C'était chipé, donc c'était bon », écrit le narrateur parlant de l'alcool que se partagent les quarante-cinq convives à la fin du festin (III, 3). Que révèle-t-il, à travers cette phrase, des joies de l'enfance ?

14. Qu'est-ce que la « murie » ? Quel rôle joue-t-elle dans le conflit entre les Velrans et les Longevernes ?

Écriture

15. Que pensez-vous des idées de Lebrac : « Il suffit de vouloir, on trouve toujours ». « Mais il ne faut pas être une nouille [...] sans quoi on est toujours roulé dans la vie du monde » (III, 3, l. 38-40) ? Vous montrerez les aspects positifs mais aussi négatifs de sa pensée. Vous appuierez votre raisonnement sur des exemples.

Pour aller plus loin

16. Pendant le festin, les enfants chantent une vieille chanson du répertoire français. Citez une autre chanson empruntée à la même tradition populaire.

> ### ✳ À retenir
>
> Louis Pergaud utilise fréquemment l'**énumération**, procédé d'expression qui consiste à dresser des **inventaires** pour montrer la richesse d'une situation, à faire des **listes** pour suggérer l'abondance, à **multiplier les verbes** pour mettre en scène une action. Ainsi, dans le récit de la bagarre entre les deux armées, l'énumération des verbes de mouvement souligne l'ardeur des combattants et la violence de la mêlée. Dans le récit du festin, elle souligne l'entrain des enfants, l'abondance de leur festin, le plaisir de leur dégustation.

5
Querelles intestines

Ce n'est que dans le sang qu'on lave un tel outrage.
Corneille (*Le Cid*, acte I, sc. 4).

C'ÉTAIT l'heure de l'entrée dans la cour de l'école, ce vendredi matin.

– Ce qu'on s'est bien amusé hier, tout de même !

– Tu sais que Tigibus a dégueulé tout le long du mur des
5 Menelots, en s'en retournant.

– Ah ! Guerreuillas aussi ; il a sûrement tout recraché ses patates et son pain, pour quant aux sardines et au chocolat on ne sait pas.

– C'est les cigares !

– Ou bien la goutte !

10 – Tout de même, quelle belle fête ! Faudra tâcher de recommencer le mois prochain.

Ainsi, dans le recoin du fond qu'abritait la grange du père Gugu, Lebrac, Grangibus, Tintin et Boulot continuaient à se congratuler[1] et se féliciter et se louer[2] de la façon admirable dont ils avaient
15 passé leur après-midi du jeudi.

Ç'avait été vraiment très bien, puisqu'en s'en retournant ils étaient tous aux trois quarts saouls et qu'une bonne demi-douzaine s'étaient trouvés en proie à un chavirant mal au cœur qui les avait contraints à s'arrêter et s'asseoir n'importe où, sur un mur,
20 sur une pierre, à terre, le cou tendu, la langue pâteuse, l'estomac en révolution.

On causait de ces joies perdurables[3] et pures qui devaient hanter longtemps les mémoires vierges et sensibles, quand de grands cris de rage accompagnés de gifles sonores et suivis d'injures violentes
25 attirèrent l'attention de tout le monde.

On se précipita vers le coin d'où venait le bruit.

---

1. **Se congratuler :** se féliciter mutuellement.
2. **Se louer :** se complimenter.
3. **Perdurables :** éternelles, impérissables.

221

La Guerre des boutons

Camus, de la main gauche tenant Bacaillé par la tignasse, le calottait de l'autre puissamment, tout en lui hurlant aux oreilles qu'il n'était qu'un sale sournois et un foutu salaud, et il lui en
30 fichait, le gars, pour lui apprendre, disait-il, à ce cochon-là !

Lui apprendre quoi ? Nul des grands ne savait encore.

Le père Simon arrivant en hâte, attiré par le bruit des gifles et les injures des deux belligérants[1], commença par les séparer de force et à les planter devant lui, un au bout de son bras droit, l'autre
35 au bout de son bras gauche, puis, pour calmer toute velléité[2] de révolte, à leur flanquer équitablement et à chacun une retenue ; ensuite de quoi, assuré pour son compte, après ce coup de force, d'avoir la paix, il voulut bien connaître les causes de cette subite et violente querelle.

40 « Une retenue à Camus ! pensait Lebrac. Comme ça tombe bien ! On a justement besoin de lui ce soir. Les Velrans vont venir et on ne sera pas de trop. »

– J'ai toujours pensé, quant à moi, rappela Tintin, que ce sale bancal jouerait un vilain tour à Camus un jour ou l'autre. Mon
45 vieux, au fond, c'est parce qu'il est jaloux de la Tavie et qu'elle se fout de sa fiole[3]. Depuis longtemps déjà il cherche à embêter Camus et à le faire punir. Je l'ai bien vu et La Crique aussi, y avait pas besoin d'être sorcier pour le remarquer.

– Mais pourquoi se sont-ils donc attrapés comme ça ?

50 Un petit renseigna discrètement Lebrac et ses féaux[4]... Tous étaient d'ailleurs d'avance convaincus que, dans cette affaire, Camus avait raison ; ils l'étaient d'autant plus que le lieutenant avait toute leur sympathie et qu'il était nécessaire à la bande ce soir-là ; aussi, spontanément, songèrent-ils à tenter avec ensemble
55 une manifestation en sa faveur et à prouver par leur témoignage que, en l'occurrence, Bacaillé avait tous les torts, tandis que son rival était innocent comme le cabri qui vient de naître. Ainsi, le père Simon, forcé dans ses sentiments d'équité[5] par cet assaut

---

1. **Belligérants :** ceux qui sont en guerre.
2. **Velléité :** intention.
3. **Elle se fout de sa fiole :** elle se moque de lui ; la fiole est la figure.
4. **Féaux :** compagnons fidèles, dévoués (pluriel de « féal »).
5. **Équité :** justice.

de témoignages et cette magnifique manifestation, se devrait, s'il
60 ne voulait pas faire perdre toute confiance en lui à ses élèves et
tuer dans l'œuf leur notion de la justice, d'acquitter Camus et de
condamner le bancal.

Ce qui s'était passé était bien simple.

Camus devant tous le dit carrément, tout en omettant avec
65 prudence certains détails préparatoires qui avaient peut-être leur
importance.

Étant aux cabinets avec Bacaillé, celui-ci lui avait d'« essequeprès[1] » traîtreusement pissé dessus, injure qu'il n'avait, comme de
juste, pu tolérer ; de là ce crêpage de toisons[2] et la série d'épithètes
70 colorées qu'il avait envoyées avec une rafale de gifles à la face de
son insulteur.

La chose, en réalité, était un peu plus compliquée. Bacaillé et
Camus, entrés dans le même cabinet pour y satisfaire le même
besoin, avaient fait converger leurs jets vers l'orifice destiné à les
75 recueillir. Une émulation[3] naturelle avait jailli spontanément de cet
acte simple devenu jeu... C'était Bacaillé qui avait affirmé sa supériorité : il cherchait rogne[4] évidemment.

— Je vais plus loin que toi, avait-il fait remarquer.

— Ça n'est pas vrai, riposta Camus, fort de sa bonne foi et de l'expé-
80 rience des faits.

Et lors, tous deux, haussés sur la pointe des pieds, bombant
le ventre comme un baril[5], s'étaient mutuellement efforcés à se
surpasser.

Aucune preuve convaincante de la supériorité de l'un d'eux
85 n'étant jaillie avec les jets de cette rivalité, Bacaillé, qui voulait
avoir sa querelle, trouva autre chose.

— C'est la mienne qu'est la plus grande, affirma-t-il.

— Des nèf'es[6] ! riposta Camus, c'est la mienne !

— Menteur ! Mesurons.

---

1. **Essequeprès :** exprès, volontairement (note de Louis Pergaud).
2. **Crêpage de toisons :** bataille.
3. **Émulation :** concurrence.
4. **Cherchait rogne :** cherchait la bagarre.
5. **Baril :** tonneau.
6. **Des néf'es :** tu parles ! (argot). Abréviation de « des nèfles ! », choses sur lesquelles on compte et qu'on n'aura pas.

90   Camus se prêta à l'examen. Et c'était au moment de la comparaison que Bacaillé, gardant en réserve une partie de ce qu'il aurait dû lâcher précédemment, compissa[1] aigrement et traîtreusement la main et le pantalon de Camus, sans défense. Une gifle bien appliquée avait suivi cette ouverture salée des hostilités, puis vinrent

95 sans délai la bousculade, le crêpage des tignasses, la chute des casquettes, le défoncement de la porte et le scandale de la cour.

    – Sale salaud ! dégoûtant ! fumier ! râlait Camus, hors de lui.

    – Assassin ! ripostait Bacaillé.

    – Si vous ne vous taisez pas tous les deux, je vous colle à chacun

100 huit pages d'histoire à copier et à réciter et quinze jours de retenue.

    – M'sieu, c'est lui qu'a commencé, j'lui faisais rien, moi, j'lui disais rien à ce…

    – Non, m'sieu ! c'est pas vrai ; c'est lui qui m'a dit que j'étais un menteur.

105   Cela devenait épineux et délicat.

    – Il m'a pissé dessus, reprenait Camus. Je ne pouvais pourtant pas le laisser faire.

    C'était le moment d'intervenir.

    Un oh ! général d'exclamation dégoûtée et d'unanime réproba-

110 tion[2] prouva au joyeux grimpeur et lieutenant que toute la troupe prenait son parti, condamnant le boiteux sournois, fielleux et rageur qui avait cherché à le faire punir.

    Camus, comprenant bien le sens de cette exclamation, s'en remettant à la haute justice du maître, influencé déjà par les témoi-

115 gnages spontanés des camarades, s'écria noblement :

    – M'sieu, je veux rien dire, moi, mais demandez-leur-z'y aux autres si c'est pas vrai que c'est lui qu'a commencé et que j'y avais rien fait et que j'y avais pas dit de noms.

    Tour à tour, Tintin, La Crique, Lebrac, les deux Gibus confir-

120 mèrent les dires de Camus et n'eurent pas assez de termes énergiques congruents[3] pour flétrir l'acte malpropre et de mauvaise camaraderie de Bacaillé.

---

1. **Compissa :** pissa sur.
2. **Unanime réprobation :** désaccord général.
3. **Congruents :** parfaitement adaptés.

Pour se défendre, ce dernier les récusa[1], alléguant[2] leur absence du lieu du conflit au moment où il éclatait ; il insista même sur leur 125 éloignement et leur isolement suspects dans un coin retiré de la cour.

– Demandez aux petits, alors, m'sieu, répliqua vertement Camus, demandez-leur-z'y, eux ils étaient là, peut-être.

Les petits, individuellement interpellés, répondirent invariablement :

– C'est comme Camus dit, que c'est vrai, Bacaillé a dit des mentes[3].

130 – C'est pas vrai, c'est pas vrai, protesta l'accusé ; c'est pas vrai et puisque c'est ça je veux dire tout, na !

Lebrac fut énergique et prit les devants.

Il se campa résolument devant lui, à la barbe du père Simon intrigué de ces petits mystères, et, fixant Bacaillé de ses yeux de 135 loup, il lui rugit à la face, le défiant de toute sa personne :

– Dis-le donc un peu ce que tu as à dire, menteur, salaud, dégoûtant, dis-le, si tu n'es pas un lâche !

– Lebrac, interrompit le maître, si vous ne modérez pas vos expressions, je vous punirai vous aussi.

140 – Mais, m'sieu, répliqua le chef, vous le voyez bien que c'est un menteur ; qu'il le dise si on lui a jamais fait du mal ! Il cherche encore quelles menteries il pourrait bien inventer cette sale cabe-là ; quand il ne fait pas le mal, il le pense.

De fait, Bacaillé, médusé par les regards, les gestes, la voix et 145 toute l'attitude du général, restait là muet et confondu.

Un court instant de réflexion lui permit de se rendre compte que ses aveux et dénonciations, même s'ils étaient pris au sérieux, ne pouvaient en définitive que faire corser[4] sa punition, et, somme toute, il n'y tenait point.

150 Il jugea donc bon de changer d'attitude. Portant les mains à ses yeux, il se mit à pleurnicher, à larmoyer, à sangloter, à parler en phrases entrecoupées, à se plaindre de ce que, parce qu'il était faible et infirme, les autres se moquaient de lui, lui cherchaient querelle, l'injuriaient, le pinçaient dans les coins et le bousculaient 155 à chaque entrée et à toutes les sorties.

---

1. **Récusa :** contesta.
2. **Alléguant :** invoquant, citant.
3. **Mentes :** pour « menteries » ou « mensonges » (note de Louis Pergaud).
4. **Corser :** aggraver.

– Par exemple ! Si c'est permis ! rugissait Lebrac. Autant dire qu'on est des sauvages, des assassins ; dis donc, mais dis-le où et quand on t'a dit quéque chose de vesxant[1], quand c'est-y qu'on t'a empêché de jouer avec nous ?

160 – C'est bon, conclut le père Simon, édifié et pressé par l'heure, je verrai ce que j'ai à faire. Bacaillé, en attendant, aura sa retenue ; quant à Camus, tout dépendra de la façon dont il se comportera pendant la classe d'aujourd'hui.

« D'ailleurs huit heures sonnent. Mettez-vous en rangs, vivement 165 et en silence. »

Et il frappa plusieurs fois de suite dans ses mains pour confirmer cet ordre verbal.

– Sais-tu tes leçons ? demanda Tintin à Camus.

– Oui, oui ! mais pas trop ! Dis à La Crique de me souffler quand 170 même, hein ! s'il le peut.

– M'sieu, fit d'une voix rogue Bacaillé, ils me disent des noms, les Gibus et La Crique !

– Quoi ? Qu'est-ce qu'il y a ?

– Ils me disent : vache espagnole ! boquezizi[2] ! peigne…

175 – C'est pas vrai, m'sieu, c'est pas vrai, c'est un menteur, on l'a à peine ergardé[3], ce menteur-là !

Il faut croire que les regards étaient éloquents.

– Allons, fit le maître d'un ton sec, en voilà assez ; le premier qui redira quelque chose et qui reviendra sur ce sujet me copiera deux 180 fois d'un bout à l'autre la liste des départements avec les préfectures et sous-préfectures.

Bacaillé, étant englobé dans cette menace de punition qui ne se confondait pas avec la retenue, se résolut momentanément à se taire, mais il se jura bien, lorsqu'elle se présenterait, de ne pas per-185 dre l'occasion de se venger.

Tintin avait communiqué à La Crique le vœu de Camus, lui souffler, consigne presque inutile puisque La Crique était très équitablement, comme on l'a vu déjà, le souffleur attitré de toute la classe. Camus plus que jamais pouvait compter sur lui.

---

1. **Vesxant :** vexant (note de Louis Pergaud).

2. **Boquezizi :** individu qui fait le malin ; « zigoto ».

3. **Ergardé :** regardé.

190   Le lieutenant et grimpeur, contrairement à l'habitude, y sauta en arithmétique.

    Il avait pris dans son livre quelque teinture de la matière de la leçon et répondait tant bien que mal, vigoureusement secondé par La Crique, dont la mimique expressive corrigeait ses défaillances 195 de mémoire.

    Mais Bacaillé veillait.

    – M'sieu, y a La Crique qui lui souffle.

    – Moi ! fit La Crique indigné, je n'ai pas dit un mot.

    – En effet, je n'ai rien entendu, affirma le père Simon, et je ne 200 suis pas sourd.

    – M'sieu, c'est avec ses doigts qu'il lui souffle, voulut expliquer Bacaillé.

    – Avec ses doigts ! reprit le maître, ahuri. Bacaillé, scanda-t-il magistralement, je crois que vous commencez à m'échauffer les 205 oreilles. Vous accusez à tort et à travers tous vos camarades quand personne ne vous demande rien. Je n'aime pas les dénonciateurs, moi ! Il n'y a que quand je demande qui a fait une faute que le coupable doit me répondre et se dénoncer.

    – Ou pas, compléta à voix basse Lebrac.

210   – Si je vous entends encore, et c'est mon dernier avertissement, je vous en mets pour huit jours !

    – Bisque, bisque, enrage ! Rancuseur[1] ! Sale cafard ! marmottait à voix basse Tigibus en lui faisant les cornes. Traître ! Judas ! Vendu ! Peigne-cul !

215   Bacaillé, pour qui décidément cela tournait mal, ravalant en silence sa rage, se mit à bouder, la tête dans les mains.

    On le laissa ainsi et l'on poursuivit la leçon, tandis qu'il ruminait ce qu'il pourrait bien faire pour se venger de ses camarades qui, du coup, allaient fort probablement le mettre en quarantaine et le 220 bannir de leurs jeux.

    Il songea, il imagina des vengeances folles, des pots d'eau jetés en pleine figure, des giclées d'encre sur les habits, des épingles plantées sur les bancs pour de petits empalages[2], des livres déchirés,

---

1. **Rancuseur :** dénonciateur (note de Louis Pergaud).

2. **Empalages :** du verbe « empaler », transpercer avec un objet pointu.

des cahiers torchonnés[1] ; mais peu à peu, la réflexion aidant, il
225 abandonna chacun de ces projets, car il convenait d'agir avec prudence, Lebrac, Camus et les autres n'étant point des gaillards à se
laisser faire sans frapper dur et cogner sec.

Et il attendit les événements.

6
L'honneur et la culotte de Tintin

Dieu et ta Dame !
(Devise des anciens chevaliers.)

ON SE BATTAIT ce soir-là à la Saute. Le trésor gonflé de boutons de
toutes sortes et de toutes tailles, d'agrafes multiples, de cordons
divers, d'épingles complexes, voire d'une magnifique paire de bretelles (celles de l'Aztec, parbleu !), donnait confiance à tous, stimu-
5 lait les énergies et ravivait les audaces.

Ce fut le jour, si l'on peut dire, des initiatives individuelles et
des-corps-à corps, à coup sûr plus dangereux que les mêlées.

Les camps, à peu près d'égale force, avaient commencé la bataille
par le duel collectif de cailloux, et puis, ces munitions manquant,
10 d'enjambée en enjambée, de saut en avant en saut en avant, on
s'était tout de même affronté et colleté[2].

Camus saboulait[3] (il disait « sagoulait ») Touegueule, Lebrac
cerisait[4] l'Aztec, le reste était occupé avec des guerriers de moindre
envergure, mais Tintin, lui, se trouvait être aux prises avec Tatti,
15 un grand conot[5] qui était bête comme « trente-six cochons mariés
en secondes noces », mais qui, de ses longs bras de pieuvre, le
paralysait et l'étouffait.

---

1. **Torchonnés :** sales comme des torchons.
2. **Colleté :** battu.
3. **Saboulait :** secouait, donnait des coups.
4. **Cerisait :** secouait (comme on secoue un cerisiser pour en faire tomber les fruits).
5. **Conot :** con.

Il avait beau lui enfoncer ses poings dans le ventre, lui lancer des crocs-en-jambe à faire trébucher un éléphant (un petit), lui bourrer le menton de coups de tête et les chevilles de coups de sabot, l'autre, patient comme une bonne brute, l'étreignait par le milieu du corps, le serrait comme un boudin et le pliait, le balançait, tant et si bien que, vlan ! ils basculèrent enfin tous deux, lui dessus, Tintin dessous, parmi les groupes s'entrecognant épars sur le champ de bataille.

Les vainqueurs, dessus, grognaient, menaçants, tandis que les vaincus, parmi lesquels Tintin, silencieux par fierté, tapaient comme des sourds aussi fort que possible chaque fois qu'ils le pouvaient et n'importe où pour reconquérir l'avantage.

Emmener un prisonnier dans l'un ou l'autre camp semblait difficile sinon impossible.

Ceux qui étaient debout se boxaient comme des lutteurs, se garant de droite, se gardant à gauche, et ceux qui étaient à terre y étaient bien ; au reste, chacun avait assez à faire à se dépêtrer soi-même.

Tintin et Tatti étaient parmi les plus occupés. Enlacés sur le sol, ils se mordaient et se bosselaient, roulant l'un sur l'autre et passant alternativement, après des efforts plus ou moins longs, tantôt dessus, tantôt dessous. Mais ce que Tintin, ni les autres Longevernes, ni les Velrans eux-mêmes trop préoccupés ne voyaient point, c'est que cet idiot de Tatti, qui n'était peut-être pas tout à fait aussi bête qu'on ne l'imaginait, s'arrangeait toujours pour faire rouler Tintin ou pour rouler lui-même du côté de la lisière du bois, s'isolant ainsi de plus en plus des autres groupes belligérants aux prises par le champ de bataille.

Il arriva ce qui devait arriver, et le duo Tatti-Tintin fut bientôt, sans que le Longeverne dans le feu de l'action s'en fût aperçu le moins du monde, à cinq ou six pas du camp de Velrans.

Le premier coup de cloche annonçant la prière, sonnant à on ne sait quelle paroisse, ayant instantanément désagrégé les groupes, les Velrans regagnant leur lisière, n'eurent pour ainsi dire qu'à cueillir Tintin gigotant de tous ses membres, le dos sur le sol où le maintenait son tenace adversaire.

Les Longevernes n'avaient rien vu de cette prise, lorsque, se retrouvant au Gros Buisson et procédant des yeux à un dénombrement mutuel, ils durent bon gré mal gré reconnaître que Tintin manquait à l'appel.

Ils poussèrent le tirouit de ralliement. Rien ne répondit.

Ils crièrent, ils hurlèrent le nom de Tintin, et une huée moqueuse parvint à leurs oreilles.

Tintin était chauffé[1].

60   – Gambette, commanda Lebrac, cours, cours vite au village et va dire à la Marie qu'elle vienne tout de suite, que son frère est prisonnier ; toi, Boulot, va-t'en à la cabane, défais l'armoire du trésor, et prépare tout ce qu'il faut pour le rafistolage du trésorier ; trouve les boutons, enfile les aiguilles de fil afin qu'il n'y ait pas de temps

65 de perdu. Ah ! les cochons ! Mais comment ont-ils fait ? Qui est-ce qui a vu quelque chose ? C'est presque pas possible !

Personne ne pouvait répondre, et pour cause, aux questions du chef, nul n'avait rien remarqué.

– Faut attendre qu'ils le lâchent.

70   Mais Tintin, ligoté, bâillonné derrière le rideau de taillis de la lisière, était long à revenir.

Enfin, parmi des cris, des huées et des ronflements de cailloux, on le vit tout de même reparaître, débraillé, ses habits sur son bras, dans le même appareil[2] que Lebrac et l'Aztec après leurs exécutions

75 respectives, c'est-à-dire à cul nu ou presque, sa trop courte chemise voilant mal ce qu'il est habituel de dérober d'ordinaire aux regards.

– Tiens, fit Camus, sans réfléchir, il leur z'y a montré son derrière, lui aussi. C'est épatant !

– Comment ça se fait-il qu'ils l'aient laissé faire et qu'ils ne

80 l'aient pas repris ? objecta La Crique qui flairait quelque chose de plus grave. C'est louche ! On leur a pourtant appris la façon de s'y prendre.

Lebrac grinça des dents, fronça le nez et fit bouger ses cheveux, signe de perplexité coléreuse.

85   – Oui, répondit-il à La Crique, il y a sûrement quelque chose de plus.

Tintin se rapprochait, hoquetant, ravalant sa salive, le nez humide des terribles efforts qu'il faisait pour contenir ses larmes. Ce n'était point l'attitude d'un gaillard qui vient de jouer un bon

90 tour à ses ennemis.

---

1. **Chauffé :** pris.

2. **Le même appareil :** la même tenue.

Il arrivait aussi vite que le lui permettaient ses souliers délacés. On l'entoura avec sollicitude.

– Ils t'ont fait du mal ? Qui c'est ceusses qui t'ont tapé dessus ? Dis-le, nom de Dieu, qu'on les rechope ceux-là ! C'est encore au
95 moins ce sale Migue la Lune, ce foireux dégoûtant, il est aussi lâche que méchant.

– Ma culotte ! Ma culotte ! heu ! heue ! Ma culotte ! gémit Tintin, se dégonflant un peu dans une crise de sanglots et de larmes.

– Hein ! quoi ? Ben on te la recoudra, ta culotte ! La belle affaire !
100 Gambette est allé chercher ta sœur et Boulot prépare le fil.

– Heue !... euhe ! Ma culotte ! Ma culotte !

– Viens voir c'te culotte !

– Heue ! Je l'ai pas, ils me l'ont chipée, ma culotte, les voleurs !

– ?...
105 – Oui, l'Aztec a dit comme ça : «Ah ! c'est toi qui m'as chipé mon pantalon l'autre fois, eh ben, mon salaud, c'est le moment de le payer ; change pour change ; t'as eu le mienne toi et tes relèche-murie d'amis, moi je confixe[1] celui-ci. Ça nous servira de drapeau.»

« Et ils me l'ont pris et après ils m'ont tout châtré[2] mes boutons
110 et puis ils m'ont tous foutu leur pied au cul. Comment que je vais faire pour rentrer ? »

– Ah ! ben m..., zut ! C'est salement emmerdant cette histoire-là ! s'exclama Lebrac.

– T'as-t'y pas des autres patalons chez vous ? interrogea Camus.
115 Faut envoyer quelqu'un au-devant de Gambette et faire dire à la Marie qu'elle t'en rapporte un autre.

– Oui, mais on verrait bien que c'est pas çui que j'avais ce matin ; je l'avais justement mis tout propre et ma mère m'a dit que s'il était crotté ce soir je saurais ce que ça me coûterait. Qu'est-ce que je
120 veux dire ?

Camus eut un grand geste évasif et ennuyé, évoquant les piles[3] paternelles et les jérémiades des mères.

– Et l'honneur ! nom de Dieu ! rugit Lebrac. Vous voulez qu'on dise que les Longevernes se sont laissé chiper la culotte de Tintin

---

1. **Confixe :** confisque (note de Louis Pergaud).
2. **Châtré :** coupé.
3. **Piles :** corrections, raclées.

125 tout comme un merdeux d'Aztec des Gués, vous voulez ça, vous ?
Ah ! non ! nom de Dieu ! non ! jamais ! ou bien on n'est rien
qu'une bande de pignoufs juste bons à servir la messe et à empiler
du bois derrière le fourneau.

Les autres ouvraient sur Lebrac des yeux interrogateurs ; il
130 répondit :

— Il faut reprendre la culotte de Tintin, il le faut à tout prix,
quand ça ne serait que pour l'honneur, ou bien je ne veux plus
être chef, ni me battre !

— Mais comment ?

135 Tintin, nu-jambes, grelottait en pleurant au centre de ses amis.

— Voilà, reprit Lebrac qui avait ramassé ses idées et combiné son
plan : Tintin va partir à la cabane rejoindre Boulot et attendre la
Marie. Pendant ce temps-là, nous autres, au triple galop, avec nos
triques et nos sabres, nous allons filer par les champs de la fin des-
140 sous, longer le bas du bois et aller les attendre à leur tranchée.

— Et la prière ? fit quelqu'un.

— Merde pour la prière ! riposta le chef. Les Velrans vont certainement aller à leur cabane, car ils en ont une, ils en ont sûrement une ; pendant ce temps-là, on a le temps d'arriver ; on se
145 calera dans les rejets de la jeune coupe[1], le long de la tranchée qui
descend.

« Eux, à ce moment-là, n'auront plus de triques, ils ne se dou-
teront de rien ; alors, à mon commandement, tout d'un coup, on
leur tombera dessus et on leur reprendra bien la culotte. À grands
150 coups de trique, vous savez, et s'ils font de la rebiffe[2], cassez-leur-
z'y la gueule !

« C'est entendu, allez, en route ! »

— Mais s'ils ont caché la culotte dans leur cabane ?

— On verra bien après, c'est pas le moment de cancaner[3], et puis
155 y aura toujours l'honneur de sauvé !

Et comme rien ne bougeait plus à la lisière ennemie, tous les
guerriers valides de Longeverne, entraînés par le général, dévalèrent comme un ouragan la pente en remblai du coteau de la

---

1. **Coupe :** exploitation forestière.
2. **S'ils font de la rebiffe :** s'ils résistent.
3. **Cancaner :** bavarder.

Saute, sautant les murgers[1] et les buissons, trouant les haies,
franchissant les fossés, vifs comme des lièvres, hérissés et furieux
comme des sangliers.

Ils longèrent le mur d'enceinte du bois et toujours galopant en
silence, en se rasant le plus possible, ils arrivèrent à la tranchée qui
séparait les coupes des deux pays. Ils la remontèrent à la queue leu
leu, vivement, sans bruit et, sur un signe du chef qui les fit passer
devant et resta en queue, par petits paquets ou individuellement,
se blottirent dans les massifs de buissons épais qui grandissaient
entre les baliveaux[2] de la coupe de Velrans.

Il était temps vraiment. Des profondeurs du taillis une rumeur
montait de cris, de rires et de piétinements ; encore un peu et l'on
distingua les voix.

— Hein, traînait Tatti, que je l'ai bien attrapé çui-là, il n'a rien pu.
Qu'est-ce qu'il doit faire maintenant avec sa culotte qu'il n'a plus ?

— Il pourra toujours faire la colbute[3] sans perdre ce qu'il y a dans
ses poches.

— On va la mettre au bout de la perche, ça y est-il ? Est-elle prête,
Touegueule, ta perche ?

— Attends un peu, je suis en train de siver[4] les nœuds pour ne
pas me grafigner[5] les mains ; na ! ça y est !

— Mets-y les pattes en l'air !

— On va marcher l'un derrière l'autre, ordonna l'Aztec, et on va
chanter not' cantique : s'ils entendent ça les fera bisquer !

Et l'Aztec entonna :

> *Je suis chrétien, voilà ma gloire,*
> *Mon espérance...*

Lebrac avec Camus, tous deux cachés dans un buisson un peu
plus bas que la tranchée du milieu, s'ils voyaient mal le spectacle,
ne perdaient rien des paroles.

---

1. **Murgers :** murets de pierres sèches, amas de pierres.
2. **Baliveaux :** jeunes arbres.
3. **Colbute :** culbute (note de Louis Pergaud).
4. **Siver :** scier.
5. **Grafigner :** égratigner.

Tous leurs soldats, le poing crispé sur les gourdins, restaient
190 muets comme les souches sur lesquelles ils étaient à croppetons[1].
Le général, les dents serrées, regardait et écoutait. Quand les voix
des Velrans reprirent après le chef :

Je suis chrétien, voilà ma gloire...

il mâcha entre ses dents cette menace :
195 — Attendez un peu, nom de Dieu ! je vais vous en foutre, moi, de
la gloire !

Cependant, triomphante, la troupe arrivait. Touegueule en
tête, la culotte de Tintin servant d'enseigne au bout d'une grande
perche.
200 Quand ils furent à peu près tous alignés dans la tranchée et
qu'ils commencèrent, au rythme lent du cantique, à la descendre,
Lebrac eut un rugissement épouvantable comme le cri d'un tau-
reau qu'on égorge. Il se détendit tel un ressort terriblement bandé
et bondit de son buisson pendant que tous ses soldats, enlevés par
205 son élan, emportés par son cri, fonçaient comme des catapultes sur
la muraille désarmée des Velrans.

Ah ! cela ne fit pas un pli. Le bloc vivant des Longevernes, triques
sifflant, vint frapper, hurlant, la ligne ahurie des Velrans. Tous
furent culbutés du même coup et beugnés[2] de coups de trique ter-
210 ribles, tandis que le chef, martelant de ses talons Touegueule épouvanté, lui reprenait d'un tour de main la culotte de son ami Tintin
en jurant effroyablement.

Puis, en possession du vêtement reconquis avec l'honneur, il
commanda sans hésitation la retraite qui se fit en vitesse par cette
215 même tranchée du milieu que les ennemis venaient de quitter.

Et tandis que, piteux et roulés une fois de plus, ils se relevaient,
le sous-bois silencieux retentissait des rires, des huées et des vertes
injures de Lebrac et de son armée regagnant leur camp au galop
derrière la culotte reconquise.
220 Bientôt ils arrivèrent à la cabane où Gambette, Boulot et Tintin,
ce dernier très inquiet sur le sort de son pantalon, entouraient la
Marie qui, de ses doigts agiles, achevait de remettre aux vêtements

---

1. **À croppetons** : accroupis.
2. **Beugnés** : frappés.

de son frère les indispensables accessoires dont ils avaient été rudement dépouillés.

225 La victime cependant, sa blouse descendue comme un jupon par pudeur pour le voisinage de sa sœur, reçut son pantalon avec des larmes de joie.

Il faillit embrasser Lebrac, mais, pour être plus agréable à son ami, il déclara qu'il chargeait sa sœur de ce soin et il se contenta 230 de lui affirmer d'une voix tremblante encore d'émotion qu'il était un vrai frère et plus qu'un frère pour lui.

Chacun comprit et applaudit discrètement.

La Marie Tintin eut sitôt fait de remettre à la culotte de son frère les boutons qui manquaient et on la laissa, par prudence, partir 235 seule un peu en avance.

Et ce soir-là, l'armée de Longeverne, après avoir passé par de terribles transes, rentra au village fièrement, aux mâles accents de la musique de Méhul :

La victoire en chantant...

240 heureuse d'avoir reconquis l'honneur et la culotte de Tintin.

7
Le trésor pillé

> *Le temple est en ruine au haut du promontoire.*
> J.-M. de Heredia *(Les Trophées).*

ON N'AVAIT, malgré tout, pas gardé rancune à Bacaillé de sa querelle avec Camus, non plus que de ses tentatives de chantage et de ses velléités de cafardage auprès du père Simon.

Somme toute, il avait eu le dessous, il avait été puni. On se gar-5 derait à carreau[1] avec lui et sauf quelques irréductibles, dont La Crique et Tintin, le reste de l'armée et même Camus avait généreusement passé l'éponge sur cette scène regrettable, mais après tout assez habituelle, qui avait failli, à un moment critique, semer la discorde et la zizanie au camp de Longeverne.

---

1. **On se garderait à carreau :** on se tiendrait sur nos gardes.

La Guerre des boutons

Malgré cette attitude tolérante dont il profitait, Bacaillé n'avait point désarmé. Il avait toujours sur le cœur, sinon sur les joues, les gifles de Camus, la retenue du père Simon, le témoignage de toute l'armée (grands et petits) contre lui et surtout il avait contre l'éclaireur et lieutenant de Lebrac la haine que donne l'affreuse jalousie de l'évincé en amour[1]. Et tout cela, non ! il ne le pardonnait pas.

D'un autre côté il avait réfléchi qu'il lui serait plus facile d'exercer sur tous les Longevernes en général et sur Camus en particulier des représailles mystérieuses et de leur dresser des embûches s'il continuait à combattre dans leurs rangs.

Aussi, sa punition finie, il se rapprocha de la bande.

S'il ne fut pas du combat fameux au cours duquel la culotte de Tintin, comme une redoute[2] célèbre, fut prise et reprise, il ne songea point à s'en pendre, comme le brave Crillon[3], mais il vint à la Saute les soirs suivants et prit une part modeste et effacée aux grands duels d'artillerie, ainsi qu'aux assauts houleux et vociférants qui les suivaient généralement.

Il eut la joie pure de n'être pas pincé et de voir prendre tantôt par les uns, tantôt par les autres, car il les haïssait tous, quelques guerriers des deux partis que l'on renvoya ou qui revinrent en piteux état.

Il restait, lui, prudemment à l'arrière-garde, riant en dedans quand un Longeverne était pincé, plus bruyamment quand c'était un Velrans. Le trésor fonctionnait, si l'on peut dire. Tout le monde, et Bacaillé comme les autres, allait, avant de rentrer, déposer les armes à la cabane et vérifier la cagnotte qui, selon les victoires ou les revers, fluctuait, montait avec les prisonniers qu'on faisait, baissait quand il y avait un ou plusieurs vaincus (c'était rare !) à retaper pour la rentrée.

Ce trésor, c'était la joie, c'était l'orgueil de Lebrac et des Longevernes, c'était leur consolation dans le malheur, leur panacée[4] contre le désespoir, leur réconfort après le désastre. Bacaillé

---

1. **Évincé en amour :** amoureux délaissé pour quelqu'un d'autre.
2. **Redoute :** petit ouvrage de fortification isolé, fermé, de forme carrée.
3. **Crillon :** Crillon était surnommé le Brave... C'est à ce Crillon que Henri le Grand écrivit : « Pends-toi, brave Crillon ; nous avons combattu à Arques, et tu n'y étais pas... ; Adieu, brave Crillon ; je vous aime à tort et à travers. »
4. **Panacée :** remède.

un jour pensa : « Tiens, si je le leur chipais et que je le fiche au vent ! C'est pour le coup qu'ils en feraient une gueule et ça serait bien tapé comme vengeance. »

45 Mais Bacaillé était prudent. Il songea qu'il pouvait être vu rôdant seul de ce côté, que les soupçons se dirigeraient naturellement sur lui et qu'alors, oh ! alors ! il faudrait tout craindre de la justice et de la colère de Lebrac.

Non, il ne pouvait pas lui-même prendre le trésor.

50 « Si je cafardais à mon père ? » pensa-t-il.

Ah ! oui ! ce serait encore pis. On saurait tout de suite d'où partait le coup et moins que jamais il échapperait au châtiment.

Non, ce n'était pas cela !

Pourtant, et son esprit et sa pensée sans cesse y revenaient,
55 c'était là qu'il fallait frapper, il le sentait bien, c'était par là qu'il les atteindrait au vif.

Mais comment ? comment ? voilà !...

Après tout, il avait le temps : l'occasion s'offrirait peut-être toute seule.

60 Le jeudi suivant, de bon matin, le père de Bacaillé accompagné de son fils partit à la foire à Baume. Sur le devant de la voiture à planches à laquelle on avait attelé Bichette, la vieille jument, ils s'installèrent sur une botte de paille disposée en travers ; en arrière, sur une litière fraîche, tout le corps dans un sac serré en
65 coulisse autour de son cou, un petit veau de six semaines montrait sa tête étonnée. Le père Bacaillé, qui l'avait vendu au boucher de Baume, profitait de l'occasion qu'offrait la foire pour le conduire à son acquéreur. Comme c'était jeudi et qu'il devait toucher de l'argent, il emmenait son fils avec lui.

70 Bacaillé était joyeux. Ces bonheurs-là n'arrivaient pas souvent. Il évoquait d'avance toutes les jouissances de la journée : il dînerait à l'auberge, boirait du vin, des petits verres ou des sirops dans le gobelet de son père, il achèterait des pains d'épices, un sifflet, et il se rengorgeait encore en pensant que ses camarades, ses ennemis,
75 envieraient certainement son sort.

Ce jour-là il y eut entre Longeverne et Velrans une bataille terrible. On ne fit, il est vrai, pas de prisonniers, mais les cailloux et les triques firent rage, et les blessés n'avaient guère, le soir, envie de rire.

Camus avait une bosse épouvantable au front, une bosse avec
80 une belle entaille rouge, qui avait saigné durant deux heures ;

La Guerre des boutons

Tintin ne sentait plus son bras gauche ou plutôt il ne le sentait que trop ; Boulot avait une jambe toute noire. La Crique n'y voyait plus sous l'enflure de la paupière droite, Grangibus avait les orteils écrasés, son frère remuait avec une peine infinie le poignet droit et l'on
85 comptait pour rien les meurtrissures multiples qui tatouaient les côtes et les membres du général, de son lieutenant et de la plupart des autres guerriers.

Mais on ne se plaignait pas trop, car du côté des Velrans c'était sûrement pis encore. Bien sûr qu'on n'était pas allé inventorier les
90 « gnons » reçus par les ennemis, mais c'était une bénédiction s'il n'y en avait pas, dans le tas des écharpés, quelques-uns qui se mirent au lit avec des méningites, des foulures graves, des luxations ou des fièvres carabinées.

Bacaillé, entre ses planches, sur sa botte de paille, rentra le soir un
95 peu éméché[1], l'air triomphant, et ricana même méchamment au nez des camarades qui d'aventure assistèrent à sa descente de voiture.

– Fait-il le zig ! bon Dieu ! pour une fois qu'il va à la foire, ce coco-là ! Dirait-on pas qu'il descend de calèche et que son calandeau[2] est un pur-sang !
100 Mais l'autre, d'un air de vengeance satisfaite et de profond dédain, continuait à ricaner en les regardant.

Au reste, ils ne pouvaient se comprendre.

Le lendemain, vu la quantité d'unités hors de combat, il était impossible de songer à se battre. D'ailleurs, les Velrans, eux, ne
105 pourraient certainement pas venir ! On se reposa donc, on se soigna, on se pansa avec des herbages simples ou compliqués chipés dans les vieilles boîtes à remèdes des mamans, au petit bonheur des trouvailles. Ainsi La Crique se faisait des lavages de camomille à la paupière et Tintin pansait son bras avec de la tisane de chien-
110 dent. Il jurait d'ailleurs que cela lui faisait beaucoup de bien. En médecine comme en religion il n'y a que la foi qui sauve.

Et puis on fit quelques parties de billes pour se changer un peu des distractions violentes de la veille.

Le samedi on ne devait pas plus que le vendredi se rendre au
115 Gros Buisson. Pourtant Camus, Lebrac, Tintin et La Crique, que

---

1. **Éméché** : ivre.
2. **Calandeau** : carcan, vieux cheval (note de Louis Pergaud).

l'ennui taraudait[1], résolurent, non point d'aller chercher noise ou reconnaître l'ennemi, mais bien d'aller faire un petit tour à la cabane, la chère cabane qui abritait le trésor et où l'on était si tranquille et si bien pour faire la fête.

120   Ils ne confièrent à personne leur projet, pas même aux Gibus et à Gambette. À quatre heures, ils partirent chacun vers son domicile respectif et, un moment après, se retrouvèrent à la vie à Donzé[2] pour gagner, à travers le bois du Teuré, l'emplacement de la forteresse.

125   Chemin faisant ils parlaient de la grande bataille du jeudi. Tintin, son bras en écharpe, et La Crique, un bandeau sur l'œil, deux des plus maltraités de la journée, revivaient avec délices les coups de pieds qu'ils avaient foutus et les coups de trique qu'ils avaient distribués avant de recevoir, l'un le poing de Touegueule dans l'œil, 130 l'autre le bâton de Pissefroid sur le radius... ou le cubitus[3].

    – Il a fait han ! comme un bœuf qu'on assomme, disait Tintin en parlant de son grand ennemi Tatti, quand j'y ai foutu mon talon dans l'estomac ; j'ai cru qu'il ne voulait pas reprendre son souffle : ça lui apprendra à me refiler ma culotte.

135   La Crique évoquait les dents cassées et les crachats rouges de Touegueule recevant son coup de tête sous la mâchoire et tout cela leur faisait oublier les petites souffrances de l'heure présente.

    On était maintenant sous bois, dans le vieux chemin de défruit[4], rétréci d'année en année par les pousses vigoureuses du taillis 140 envahissant qui obligeait à se courber ou à se baisser pour éviter la gifle sèche d'une ramille[5] défeuillée.

    Des corbeaux, qui rentraient en forêt à l'appel d'un vétéran, tournoyaient en croassant au-dessus de leur groupe...

    – On dit que c'est des oiseaux qui portent malheur tout comme 145 les chouettes qui chantent la nuit annoncent une mort dans la maison. Crois-tu que c'est vrai, toi, Lebrac ? demanda Camus.

---

1. **Taraudait :** tourmentait.
2. **À la vie à Donzé :** au chemin (la « vie ») de Donzé.
3. **Radius [...] cubitus :** os de l'avant-bras.
4. **Chemin de défruit :** chemin de défrichement.
5. **Ramille :** dernière division d'un rameau (petite branche).

La Guerre des boutons

– Peuh ! fit le général, c'est des histoires de vieille femme. S'il arrivait un malheur chaque fois qu'on voit un cro[1], on ne pourrait plus vivre sur la terre ; mon père dit toujours que ces corbeaux-là sont moins à craindre que ceusses qui n'ont point d'ailes. Faut toucher du fer quand on en voit un de ceux-là, pour détourner la malchance.

– C'est-il vrai qu'ils vivent cent ans ces bêtes-là ? Je voudrais bien être que d'eux : ils voient du pays et ils ne vont pas en classe, envia Tintin.

– Mon vieux, reprit La Crique, pour savoir s'ils vivent si longtemps, et ça se peut bien, il faudrait être là et en marquer un au nid. Seulement quand on vient au monde on n'a pas toujours un corbeau sous la main et puis on n'y pense guère, tu sais, sans compter qu'il n'y a pas beaucoup de types qui viennent à cet âge-là.

– Parlez plus de ces bêtes-là, demanda Camus, moi je crois quand même que ça porte malheur.

– Faut pas être superticieux[2], Camus. C'était bon pour les gens du vieux temps, maintenant on est civilisé, y a la science…

Et l'on continua à marcher, tandis que La Crique interrompait sa phrase et l'éloge des temps modernes pour éviter la caresse brusque d'une branche basse qu'avait déplacée le passage de Lebrac.

À la sortie de la forêt on obliqua vers la droite pour gagner les carrières.

– Les autres ne nous ont pas vus, remarqua Lebrac. Personne ne sait qu'on est venu. Ah ! notre cabane est vraiment bien cachée !

On fit chorus[3]. Ce sujet était inépuisable.

– C'est moi « que je l'ai trouvée » ! hein ! rappela La Crique, riant d'un large rire triomphant malgré son œil au beurre noir.

– Entrons, coupa Lebrac.

Un cri de stupéfaction et d'horreur jaillit simultanément des quatre poitrines, un cri épouvantable, déchirant, où il y avait de l'angoisse, de la terreur et de la rage.

La cabane était dévastée, pillée, ravagée, anéantie.

---

1. **Cro** : corbeau.

2. **Superticieux** : superstitieux.

3. **On fit chorus** : tout le monde reprit en chœur le même sujet.

Des gens étaient venus là, des ennemis, les Velrans assurément ! Le trésor avait disparu, les armes étaient cassées ou dérobées, la table arrachée, le foyer démoli, les bancs renversés, la mousse et les feuilles brûlées, les images déchirées, le miroir brisé, l'arrosoir cabossé et percé, le toit défoncé et le balai, suprême insulte, le vieux balai dérobé au stock de l'école, plus dépaillé et plus sale que jamais, dérisoirement planté en terre au milieu de ce désordre, comme un témoin vivant du désastre et de l'ironie des pillards.

À chaque découverte, c'étaient de nouveaux cris de rage, et des vociférations, et des blasphèmes, et des serments de vengeance.

On avait démoli les casseroles et... souillé les pommes de terre !

C'étaient sûrement les Velrans qui avaient fait le coup : La Crique, avec son intuitive finesse et sa logique habituelle, le prouva incontinent[1].

– Voyons, un homme de Longeverne qui aurait trouvé par aventure la cabane n'aurait fait qu'en rire ; il en aurait jasé[2] au village et on l'aurait su ; un étranger n'avait rien à prendre là et s'en serait fichu ; Bédouin, lui, était bien trop nouille pour trouver tout seul une cache pareille et d'ailleurs, depuis sa dernière soulographie[3], il ne se hasardait plus en rase campagne et, comme un sage, cultivait et rentrait les légumes et les fruits de son jardin.

Restaient donc les Velrans.

– Quand ? La veille parbleu ! puisque le jeudi soir tout était intact et qu'aujourd'hui il leur aurait été impossible de trouver après quatre heures le temps matériel nécessaire pour perpétrer[4] un pareil saccage, à moins toutefois qu'ils ne fussent venus le matin, mais ils étaient bien trop froussards pour oser friper une classe[5] !

– Ah ! si nous étions au moins venus hier, se lamentait Lebrac. Dire que j'y ai pensé ! Car enfin ils n'ont pas pu tous venir, il y en avait trop d'éclopés parmi eux, je le sais bien, peut-être, moi, comme ils étaient arrangés : ils étaient sûrement plus mal foutus

---

1. **Incontinent :** sur-le-champ.
2. **Jasé :** parlé.
3. **Sa dernière soulographie :** la dernière fois qu'il s'est soûlé.
4. **Perpétrer :** accomplir.
5. **Friper une classe :** ne pas aller en classe.

que nous encore. Ah ! si on leur était tombé dessus. Bon Dieu de nom de Dieu ! je les étranglais !

215   – Cochons ! canailles ! bandits !

    – C'est tout de même lâche, vous savez, ce qu'ils ont fait là, jugea Camus.

    – Et nous en sommes des propres pour nous rebattre[1] !

    – Il faudra trouver leur cabane aussi, nous, reprit Lebrac ; il n'y a 220 plus que ça, parbleu, plus rien que ça !

    – Oui, mais quand ? Après quatre heures, ils viendront faire le guet à la lisière, il n'y a que pendant la classe qu'on pourrait chercher, mais faudrait la gouepper[2] au moins huit jours de suite passe que il ne faut guère compter qu'on tombera dessus le premier 225 matin. Qu'est-ce qui veut oser faire ce coup-là pour recevoir une tatouille[3] carabinée de son père et attraper un mois de retenue du maître d'école ?

    – Il n'y a que Gambette !

    – Mais comment ont-ils bien pu la trouver, les salauds ? Une 230 cabane si bien cachée, que personne ne connaissait et où ils ne nous avaient jamais vus venir !

    – C'est pas possible ! on leur a dit !

    – Tu crois ? Mais qui ? il n'y a que nous qui sachions où elle est ! Il y aurait donc un traître ?

235   – Un traître ! ruminait La Crique.

Puis se frappant le front sans souci de son œil, illuminé malgré son bandeau d'une pensée subite :

    – Oui ! là ! nom de Dieu ! rugit-il, oui, il y a un traître et je le connais, le salaud, je sais qui c'est ! Ah, je vois tout, je devine tout 240 maintenant, le dégoûtant, le Judas[4], le pourri !

    – Qui ? interrogea Camus.

    – Qui ? reprirent les deux autres.

    – Bacaillé ! pardi !

    – Le bancal ! Tu crois ?

---

1. **Et nous en sommes des propres pour nous rebattre :** nous sommes bons pour nous battre à nouveau.

2. **Gouepper :** manquer, friper (note de Louis Pergaud).

3. **Tatouille :** raclée.

4. **Judas :** traître.

245 — J'en suis sûr. Écoutez-moi :

« Jeudi, il n'était pas avec nous, il est allé avec son père à la foire à Baume, hein ? vous vous souvenez ? Rappelez-vous bien maintenant la gueule qu'il faisait en rentrant : il avait l'air de nous narguer, de se fout' de nous, parfaitement ! Eh bien, en revenant
250 de Baume il est passé par Velrans avec son père ; ils étaient un peu éméchés, ils se sont arrêtés chez quelqu'un là-bas, je ne sais pas chez qui, mais je parierais tout ce qu'on voudrait que c'est comme ça ; peut-être bien même qu'il s'en est revenu avec des Velrans et alors il leur z'y a dit sûrement, il leur z'y a dit ousqu'était not'
255 cabane.

« Alors l'autre qui n'était pas éclopé s'est amené hier ici avec les moins malades ; et voilà, parbleu, voilà ! »

— Le cochon ! le traître ! la crapule ! mâchonnait Lebrac ; si c'est vrai, bon Dieu ! gare à sa peau ! je le saigne !
260 — Si c'est vrai ? Mais c'est sûr comme un et un font deusse, comme je m'appelle La Crique et que j'ai l'œil noir comme un cul de marmite, pardine !

— Faut le démasquer, alors ! conclut Tintin.

— Allons-nous-en, il n'y a plus rien à faire ici, ça me retourne les
265 sangs et ça me chavire le cœur de voir ça, gémit Camus. On causera bien en s'en allant et il ne faut pas surtout qu'on se doute que nous sommes venus aujourd'hui.

« C'est demain dimanche, reprit-il, on le démasquera bien, on le fera avouer, et alors… »
270 Camus n'acheva pas. Mais son poing fermé, brandi vers le ciel, complétait énergiquement sa pensée.

Et par le même chemin qu'ils étaient venus, ils rentrèrent au village après avoir, d'un commun accord, pris de sévères dispositions pour le lendemain.

Clefs d'analyse

Action et personnages

1. Pour quelle raison apparente Camus et Bacaillé se battent-ils ? Quelle autre raison soupçonne Tintin ?

2. Pourquoi les copains témoignent-ils en faveur de Camus ? Que décide alors le maître ? Quels sentiments et quel désir fait-il ainsi naître chez Bacaillé ?

3. Par quelle action Bacaillé justifie-t-il sa réputation de traître quand Camus est interrogé par le maître ?

4. Comment Tatti arrive-t-il à isoler Tintin du groupe pendant la bataille du soir ? Quel sort lui réservent les Velrans ? Expliquez ses larmes.

5. Montrez que Lebrac sauve la situation et précisez les qualités dont fait preuve le chef durant cet épisode. Comment s'exprime la reconnaissance de Tintin ?

6. Pourquoi Bacaillé garde-t-il rancune à ses copains alors que ces derniers ont « généreusement passé l'éponge » ?

7. Que devient le trésor des Longevernes à mesure que les affrontements se multiplient entre les deux bandes ennemies ?

8. Faites la liste des blessés le soir de la grande bataille du jeudi (chap. 7) : de quoi souffrent-ils ? Comment chacun réagit-il à la souffrance ?

9. Pourquoi Bacaillé ricane-t-il à son retour de la foire ? Comment les Longevernes interprètent-ils ces ricanements ?

10. Que fait apparaître la conversation des quatre amis sur les corbeaux dans le chapitre 7 ? Quel avertissement contient-elle ?

11. Comment s'exprime la surprise des amis devant la cabane dévastée ? Quels sentiments éprouvent-ils ? Sur qui se dirigent d'abord leurs soupçons ?

12. Qui devine finalement le nom du traître ? Que décident alors les quatre compagnons ?

Langue

13. Que pensez-vous de l'expression « sale bancal » (III, 5, l. 43-44) ?
14. Lebrac veut sauver « l'honneur » des Longevernes en récupérant le pantalon de Tintin. Précisez le sens de ce terme.
15. Sur quel aspect de l'amitié insiste l'expression « le bloc vivant des Longevernes » (chap. 6, l. 207) ?

Genre ou thèmes

16. Que signifie : « En médecine comme en religion il n'y a que la foi qui sauve » (III, 7, l. 111) ? Qui s'exprime ici ?

Écriture

17. Bacaillé se réjouit de la journée qu'il va passer avec son père à la foire (III, 7). À votre tour, racontez une belle journée passée avec un membre de votre famille dont vous appréciez particulièrement la compagnie. Vous préciserez ce vous avez fait et en expliquant les raisons de votre joie.
18. Mettez en scène Bacaillé en train de saccager la cabane. Vous ferez ressortir la rage du garçon et son désir de vengeance.

Pour aller plus loin

19. Camus pense que parler des corbeaux porte malheur. Citez au moins deux superstitions qui affectent le comportement des gens dans notre société.

✳ À retenir

Lebrac, le chef des Longevernes, est le **héros** incontestable de *La Guerre des boutons*. Non seulement il est doté d'une **force physique exceptionnelle** qui fait merveille dans les combats, mais il trouve toujours une solution aux problèmes et se montre capable de **prendre des décisions rapides** qu'il met immédiatement à exécution : ainsi décide-t-il, en véritable **stratège**, de devancer les Velrans dans leur propre retranchement afin de récupérer la culotte de Tintin. Il a aussi une vraie **valeur morale** : il se soucie de l'honneur de son camp.

Clefs d'analyse

8
Le traître châtié

> *Le trouble de mon âme étant sans guérison,*
> *Le vœu de la vengeance est un vœu légitime.*
> Malherbe *(Sur la mort de son fils).*

– Si on ALLAIT faire un tour à la cabane ? proposa insidieusement[1] La Crique, le dimanche après vêpres, quand tous ses camarades furent réunis, sous l'auvent de l'abreuvoir, autour du général.

Bacaillé frémit de joie sans se douter le moins du monde qu'il était observé discrètement.

Au reste, à part les quatre chefs qui avaient pris part à la promenade de la veille, nul, pas même les Gibus, ni Gambette, ne se doutait de l'état dans lequel se trouvait la cabane.

– Faudra pas se battre aujourd'hui, conseilla Camus, allons-y par la vie à Donzé.

On acquiesça à ces propositions diverses et la petite armée, babillante, gaie et sans penser à mal, s'achemina vers la forteresse.

Lebrac, selon son habitude, tenait la tête ; Tintin, au milieu de la colonne et sans avoir l'air de penser à rien, marchait à hauteur de Bacaillé sur qui il ne jetait même pas les yeux ; à l'arrière-garde, fermant la marche et ne perdant point de vue l'accusé, venaient La Crique et Camus dont les blessures étaient en bonne voie de guérison.

Bacaillé était visiblement agité de pensées complexes, car il ne savait rien au juste de ce qu'avaient fait les Velrans : qu'allait-on trouver à la cabane ? Quelle gueule feraient Lebrac et Camus et les autres si…

Il les regardait de temps à autre à la dérobée, et ses yeux pétillaient malgré lui de malice contenue, de joie refrénée et aussi d'un léger sentiment de crainte.

Et s'ils allaient se douter ! Mais comment pourraient-ils savoir et surtout prouver ?

On avançait dans le sentier du bois. Et La Crique penché vers le grimpeur lui disait :

---

1. **Insidieusement :** sournoisement.

– Hein, Camus, tes corbeaux d'hier, tu te souviens... j'aurais
30 jamais cru. C'est tout de même vrai que ça porte malheur quelquefois ces bêtes-là !

– Demande voir à Bacaillé, riposta Camus, qui, par un inexplica-
ble revirement, redevenait sceptique[1], demande-z'y voir s'il en a vu
ce matin, des corbeaux. Il ne se doute guère que nous savons et ne
35 sait pas ce qui l'attend. Regarde-le, mais regarde-le donc un peu ce
salaud-là !

– Crois-tu qu'il a du toupet ? Oh ! il se croit bien sûr et bien
tranquille !

– Tu sais, faut pas le laisser échapper !
40 – Penses-tu, un bancal comme ça !

– Oh ! mais il court bien tout de même, ce sauteré[2]-là !

À l'autre extrémité de la colonne, on entendait Boulot qui disait :

– Ce que je ne comprends pas, c'est qu'ils reviennent encore
après les tatouilles qu'on leur z'y a foutues !
45 – Pour moi, répondait Lebrac, ils doivent avoir une cache, eux
aussi. Vous avez bien vu que pour la culotte de Tintin ils n'avaient
plus de triques en sortant du bois.

– Oui, ils ont sûrement une cabane comme nous, concluait
Tigibus.
50 Bacaillé, à cette affirmation, eut un ricanement muet qui
n'échappa point à Tintin pas plus qu'à La Crique ni à Camus.

– Eh bien ! es-tu sûr maintenant ? fit La Crique.

– Oui ! répondit l'autre. Ah ! la crapule ! Faudra bien qu'il
avoue !
55 On sortait du bois, on allait arriver, on s'engageait dans les chemins creux.

– Ah ! nom de Dieu ! s'exclama Lebrac s'arrêtant, et, ainsi que
c'était convenu, jouant la rage et la surprise, comme s'il eût tout
ignoré.
60 Il y eut un vacarme effroyable de cris et de bousculades pour voir
plus vite, et ce fut bientôt un concert farouche de malédictions.

– Bon Dieu de bon Dieu ! C'est-y possible !

– Cochons de cochons !

---

1. **Sceptique :** qui doute de tout.
2. **Sauteré :** probablement mâle de sauterelle, sauteur (note de Louis Pergaud).

– Qui est-ce qui a bien pu faire ça ?

65 – Le trésor ?

– Rien, pus rien ! râlait Grangibus.

– Et notre toit, et nos sabres, not' arrosoir, nos images, le lit, la glace, la table !

– Le balai !

70 – C'est les Velrans !

– Pour sûr ! qui ça serait-il ?

– Peut-on savoir, hasarda Bacaillé, pour dire quelque chose lui aussi.

Tous étaient entrés derrière le chef. Seuls, Camus et La Crique, sombres et silencieux, leur trique au poing, comme le Chéroub[1] au

75 seuil du paradis perdu, gardaient la porte.

Lebrac laissa ses soldats se plaindre, se lamenter et hurler ainsi que des chiens qui sentent la mort. Lui, comme écrasé, s'assit à terre, au fond, sur les pierres qui avaient contenu le trésor, et, la tête dans les mains, sembla s'abandonner à son désespoir.

80 Personne ne songeait à sortir : on criait, on menaçait ; puis l'effervescence de cris se calma et cette grande colère bruyante et vaine fit place à la prostration[2] qui suit les irréparables désastres.

Camus et La Crique gardaient toujours la porte.

Enfin Lebrac, relevant la tête et se redressant, montra sa figure

85 ravagée et ses traits crispés.

– C'est pas possible, rugit-il, que les Velrans aient fait ça tout seuls ; non, c'est pas possible qu'ils aient réussi à trouver not' cabane sans qu'on leur ait enseigné où elle était ! C'est pas possible, on leur a dit ! Il y a un traître ici !

90 Et son accusation proférée tomba dans le grand silence comme un coup de fouet cinglant sur un troupeau désemparé.

Les yeux s'écarquillèrent et papillotèrent. Un silence plus lourd plana.

– Un traître ! reprirent en écho lointain et affaibli quelques voix,

95 comme si c'eût été monstrueux et impossible.

– Un traître ! oui ! tonna derechef Lebrac. Il y a un traître et je le connais.

---

1. **Chéroub** : allusion à la Bible et aux chérubins armés d'une épée, que Dieu a placés à l'entrée du paradis pour en interdire l'accès à Adam et Ève.
2. **Prostration** : accablement.

– Il est ici, glapit La Crique, brandissant son épieu d'un geste exterminateur.

100 – Regardez et vous le verrez, le traître ! reprit Lebrac, fixant Bacaillé de ses yeux de loup.

– C'est pas vrai ; c'est pas vrai ! balbutia le bancal qui rougissait, blêmissait, verdissait, tremblait devant cette accusation muette comme toute une frondaison[1] de bouleau et chancelait sur ses
105 jambes.

– Vous voyez bien qu'il se dénonce tout seul, le traître. Le traître, c'est Bacaillé ! Là, le voyez-vous ?

– Judas ! va, hurla Gambette, terriblement ému, tandis que Grangibus, frémissant, lui posait la griffe sur l'épaule et le secouait
110 comme un prunier.

– C'est pas vrai, c'est pas vrai ! protestait de nouveau Bacaillé ; quand est-ce que j'aurais pu leur dire, moi, je ne les vois pas, les Velrans, je ne les connais pas !

– Silence, menteur ! coupa le chef. Nous savons tout. Jeudi la
115 cabane était intacte, c'est vendredi qu'on l'a sacquée[2], puisqu'hier elle y était déjà. Allez, dites-le, ceux qui sont venus hier avec moi !

– Nous le jurons, firent ensemble Camus, Tintin et La Crique, levant la main droite préalablement mouillée de salive et crachant par terre, serment solennel.

120 – Et tu vas dire, canaille, ou je t'étrangle, t'entends ! tu vas avouer à qui tu l'as dit jeudi en revenant de Baume ! C'est jeudi que t'as vendu tes frères !

Une secouée brutale rappela à Bacaillé ahuri sa situation terrible.

– C'est pas vrai, na ! continua-t-il à nier, et j'veux m'en aller puis-
125 que c'est comme ça.

– On ne passe pas, grogna La Crique, levant son bâton.

– Lâches ! vous êtes des lâches ! riposta Bacaillé.

– Canaille ! gibier de bagne ! beugla Camus ; il nous trahit, il nous fait voler et il nous insulte encore par-dessus le marché !

130 – Liez-le ! ordonna Lebrac d'un ton sec.

Et, avant que la chose fût faite, il se saisit du prisonnier et le calotta vigoureusement.

---

1. **Frondaison** : feuillage.
2. **Sacquée** : mise à sac, dévastée.

– La Crique, interrogea-t-il ensuite, d'un air grave, toi qui connais ton histoire de France, dis-nous un peu comment on s'y prenait au
135 bon vieux temps pour faire avouer leurs crimes aux coupables ?

– On leur roustissait[1] les doigts de pied.

– Déchaussez le traître, alors, et allumez du feu.

Bacaillé se débattait.

– Oh ! tu as beau faire, prévint le chef, tu n'échapperas pas ;
140 avoueras-tu, canaille ?

Une fumée épaisse et blanche montait déjà d'un amas de mousse et de feuilles sèches.

– Oui, fit l'autre affolé, oui !

Et le bancal, toujours maintenu par des ficelles et des mouchoirs
145 roulés en forme de lien, au milieu du cercle menaçant et furibond des guerriers de Longeverne, avoua par petites phrases qu'il était en effet revenu de Baume avec Boguet de Velrans et le père d'ice-lui[2], qu'ils s'étaient arrêtés chez eux, là-bas, pour boire un litre et une goutte, et qu'il avait, étant soûl, raconté, sans croire mal faire,
150 où se trouvait la cabane de Longeverne.

– C'est pas la peine d'essayer de nous monter le coup, tu sais, coupa La Crique, j'ai bien vu la gueule que tu faisais en rentrant de Baume, tu savais bien ce que tu disais ; et en venant ici tout à l'heure, nous t'avons bien vu aussi. Tu savais ! Tout ça, c'est passe
155 que tu bisques[3] de ce que la Tavie aime mieux Camus. Elle a sûre-ment raison de se foutre de ta gueule ! Mais est-ce qu'on t'avait fait du mal après l'affaire de vendredi ? Est-ce qu'on t'a seulement empêché de revenir te battre avec nous ? Pourquoi alors que tu te venges aussi salement ? T'as pas d'escuses !

160 – Voilà, conclut Lebrac, serrez les nœuds. On va le juger.

Un grand silence tomba. Camus et La Crique, geôliers sinistres, barraient toujours le seuil. Une houle de poings se tendaient vers Bacaillé. Comprenant qu'il n'avait pas de pitié à attendre des geôliers et sentant venir l'heure des expiations[4] suprêmes, il eut une révolte
165 désespérée et terrible et essaya de ruer, de se débattre et de mordre.

---

1. **Roustissait :** rôtissait.
2. **Icelui :** celui-ci (le père de Boguet).
3. **Tu bisques :** tu enrages.
4. **Expiations :** souffrances que l'on s'inflige, censées racheter une faute.

Mais Gambette et les Gibus, qui avaient assumé le rôle de garde-chiourme[1], étaient des gars solides et râblés[2], et on ne le leur faisait pas comme ça, d'autant que la colère, une colère folle qui leur faisait les oreilles rouges, décuplait[3] encore leurs forces.

170 Les poignets de Bacaillé, serrés dans des étaux de fer, devinrent bleus, ses jambes furent en un clin d'œil ligotées plus étroitement encore et on le jeta comme un paquet de chiffons au milieu de la cabane, sous le trou du toit défoncé, du toit si solide que, malgré tous leurs efforts, les Velrans ne l'avaient pu crever qu'en un seul endroit.

175 Lebrac, en chef, parla :

– La cabane, dit-il, est foutue ; on connaît notre cache ; tout est à refaire ; mais ça ce n'est rien : il y a le trésor qui a disparu, il y a l'honneur qui est atteint.

« L'honneur on le redressera, on sait ce que valent nos poings, 180 mais le trésor… le trésor valait bien cent sous !

« Bacaillé, continua-t-il gravement, tu es complice des voleurs, tu es un voleur, tu nous a volé cent sous ; as-tu un écu de cinq livres à nous rendre ? »

La question était de pure forme et Lebrac ne l'ignorait pas. Qui 185 est-ce qui avait jamais eu cent sous à soi, cent sous ignorés des parents et sur lesquels ces derniers ne pussent avoir à toute heure droit de haute main ?

Personne !

– J'ai trois sous, gémit Bacaillé.

190 – Fous-toi-les quéque part tes trois sous ! rugit Gambette.

– Messieurs, reprit Lebrac, solennel, voici un traître et nous allons le juger et l'exécuter sans rémission[4].

– Sans haine et sans crainte, redressa La Crique, qui se remémorait des lambeaux de phrases d'instruction civique.

195 – Il a avoué qu'il était coupable, mais il a avoué parce qu'il ne pouvait pas faire autrement et que nous connaissions son crime. Quel supplice doit-on lui faire subir ?

– Le saigner ! rugirent dix voix.

– Le pendre ! beuglèrent dix autres.

---

1. **Garde-chiourme :** geôlier ; personne qui surveille les prisonniers.
2. **Râblés :** de forte carrure, trapus.
3. **Décuplait :** multipliait par dix.
4. **Sans rémission :** sans pardon possible.

200 — Le châtrer ! grondèrent quelques-unes.

— Lui couper la langue !

— On va d'abord, interrompit le chef, plus prudent et gardant inconsciemment, malgré sa colère, une plus saine idée des choses et des conséquences de leur acte, on va d'abord lui nettoyer tous
205 ses boutons pour reconstituer un noyau de trésor et remplacer en partie celui qui nous a été volé par ses amis les Velrans.

— Mes habits du dimanche ? sursauta le prisonnier. J'veux pas, j'veux pas ! je l'dirai à nos gens[1] !

— Chante toujours, mon petit, tu nous amuses ; mais tu sais, tu
210 n'as qu'à recommencer à cafarder pour voir un peu, et j'te préviens que si tu brailles trop fort ici on te la boucle, ta gueule, avec ton tire-jus[2], comme on a fait à l'Aztec des Gués !

Comme ces menaces ne décidaient point Bacaillé à se taire, on le bâillonna et on fit sauter tous ses boutons.

— Ce n'est pas tout ça, n... d. D... ! reprit La Crique, si on ne fait
215 que ça à un traître, c'est vraiment pas la peine ! Un traître !... c'est un traître ! n... d. D... ! et ça n'a pas le droit de vivre !

— On va le fouetter, proposa Grangibus, chacun son coup puisqu'il nous a fait du mal à tertous.

On ligota de nouveau Bacaillé nu sur les planches de la table
220 démolie.

— Commencez ! ordonna Lebrac.

Un à un, la baguette de coudre à la main, les quarante Longevernes défilèrent devant Bacaillé, qui, sous leurs coups, hurlait à fendre le roc, et ils lui crachèrent sur le dos, sur les reins, sur
225 les cuisses, sur tout le corps en signe de mépris et de dégoût.

Durant ce temps une dizaine de guerriers, sous la conduite de La Crique, étaient sortis avec les habits du condamné.

Ils revinrent quand finissait l'opération et Bacaillé, débâillonné et délié, reçut au bout de longs bâtons les diverses pièces de son
230 habillement veuves de boutons qui avaient été de plus largement compissées[3] et abondamment souillées d'autre façon encore par les justiciers de Longeverne.

— Va te faire recoudre ça par les Velrans ! lui conseilla-t-on pour finir.

---

1. **Nos gens :** expression comtoise pour « mes parents » (note de Louis Pergaud).

2. **Tire-jus :** mouchoir.

3. **Compissées :** souillées de pisse.

9
Tragiques rentrées

> *Les sanglots des martyrs et des suppliciés*
> *Sont une symphonie enivrante sans doute...*
> Ch. Baudelaire *(Les Fleurs du mal).*

BACAILLÉ, dépêtré de ses liens, les fesses en sang, la face congestionnée, les yeux révulsés d'horreur, reçut en pleine figure les paquets malodorants qu'étaient ses habits, cependant que toute l'armée, suivant ses chefs, l'abandonnait à son sort et quittait
5 dignement la cabane pour aller un peu plus loin, dans un endroit désert et caché, se concerter sur ce qu'il convenait de faire en si pressante et pénible occurrence[1].

Pas un ne se demandait ce qu'il allait advenir du traître démasqué, châtié, fessé, déshonoré, empuanti. Ça, c'était son affaire, il
10 n'avait que ce qu'il méritait et tout juste encore. Des râles et des hoquets de rage, des sanglots d'un homme qu'on assassine parvenaient bien jusqu'à leurs oreilles, ils ne s'en soucièrent point.

Bientôt, par degrés, l'autre reprenant conscience et se sauvant à toute allure, les sanglots et les cris et les hurlements diminuèrent
15 et l'on n'entendit plus rien.

Alors Lebrac commanda :

– Il faut aller prendre à la cabane tout ce qui peut servir encore et aller le cacher ailleurs en attendant.

À deux cents mètres de là, dans le taillis, une petite excavation[2],
20 insuffisante pour remplacer celle que l'on venait de perdre par le crime de Bacaillé, pouvait, faute de mieux, abriter momentanément les débris de ce qui avait été le palais de gloire de l'armée de Longeverne.

– Il faut tout apporter ici, décida-t-il.

25 Et immédiatement la majeure partie de la troupe s'occupa à ce travail.

---

1. **Occurrence :** circonstance.
2. **Excavation :** cavité, trou.

– Fichez aussi le mur en bas, compléta-t-il, enlevez le toit et murez la provision de bois ; il faut qu'on ne voie plus rien de rien.

Les ordres étant donnés, pendant que les soldats vaquaient à ces
30 corvées réglementaires et pressées, il conféra avec les autres chefs : Camus, La Crique, Tintin, Boulot, Grangibus et Gambette.

Ce fut une conférence longue et mystérieuse.

L'avenir et le présent y furent confrontés au passé, non sans regrets et sans plaintes, et surtout l'on agita la question de recon-
35 quérir le trésor.

Ce trésor était sûrement dans la cabane des Velrans et la cabane était dans le bois ; mais comment le trouver et surtout quand pourrait-on le chercher ?

Il n'y avait que Gambette habitant sur la Côte et quelquefois
40 Grangibus occupé au moulin qui pouvaient invoquer des motifs plausibles[1] d'absence sans courir le risque d'un contrôle immédiat et sérieux.

Gambette n'hésita pas.

– Je gouepperai[2] l'école tant qu'il faudra ; je battrai le bois en
45 long, en large, en haut, en travers, j'en laisserai pas un pouce d'inesqueploré[3], tant que j'aurai pas démoli leur cabane et repris notre sac.

Grangibus déclara que, toutes les fois qu'il pourrait se joindre à lui, il le trouverait à la carrière à Pepiot, une demi-heure environ
50 avant l'entrée en classe.

Dès que la traque[4] de Gambette aurait abouti et qu'on aurait reconquis le trésor, on rebâtirait la cabane sur un emplacement qu'on déterminerait plus tard, après les recherches les plus sérieuses.

Pour l'heure, on se contenterait de protéger jusqu'au contour des
55 Menelots et à la marnière de Jean-Baptiste le retour au Vernois des Gibus.

Le transport des matériaux était achevé ; les guerriers vinrent se grouper autour des chefs.

Lebrac, au nom du conseil, annonça gravement que la guerre à
60 la Saute était suspendue jusqu'à une date prochaine qu'on fixerait de façon précise dès qu'on aurait retrouvé ce qu'il fallait.

---

1. **Plausibles :** crédibles.
2. **Gouepperai :** manquerai (note de Louis Pergaud).
3. **Inesqueploré :** inexploré (note de Louis Pergaud).
4. **Traque :** action de traquer, de chasser le gibier.

Le conseil, prudent, gardait en effet pour lui le secret de ses grandes décisions.

On effaça aussi bien que possible les traces qui menaient de l'ancienne cabane à la nouvelle réserve, après quoi, le soleil baissant, on se résolut à regagner le village sans se douter qu'à cette heure il était en pleine révolution.

Les conscrits qui jouaient aux quilles, les hommes qui buvaient leur litre à l'auberge de Fricot, les commères allant faire la causette avec la voisine, les grandes filles s'exerçant à la broderie ou au crochet derrière les rideaux de la fenêtre, toute la population de Longeverne, se récréant ou se reposant, fut tout d'un coup attirée, aspirée devrait-on dire, au milieu de la rue, par des cris épouvantables, par les râles qui n'avaient plus rien d'humain d'un malheureux qui est à bout, qui va tomber, rendre l'âme, et chacun, les yeux arrondis d'angoisse, se demandait ce qu'il y avait.

Et voilà que l'on vit surgir du traje[1] des Cheminées, bancalant plus que jamais et courant et hurlant autant qu'on peut hurler, Bacaillé tout nu ou presque, car il n'avait sur son dos que sa chemise et aux pieds des souliers sans cordons. Il tenait sur ses bras deux paquets d'habits et il sentait, il empoisonnait plus que trente-six charognes en train de pourrir.

Les premiers qui accoururent à sa rencontre reculèrent en se bouchant le nez, puis, un peu aguerris, se rapprochèrent tout de même, complètement ahuris, interrogeant :

– Qu'est-ce qu'il y a ?

Bacaillé avait les fesses rouges de sang, des rigoles de crachat lui descendaient le long des cuisses, ses yeux chavirés n'avaient plus de larmes, ses cheveux étaient tout droits et agglutinés comme les poils d'un hérisson, et il tremblait comme une feuille morte qui va se détacher de son rameau et s'envoler au vent.

– Qu'est-ce qu'il y a ? Qu'est-ce qu'il y a ?

Bacaillé ne pouvait rien dire : il hoquetait, râlait, se tordait, hochait la tête, se laissait aller.

Son père et sa mère accourus l'emportèrent à la maison à demi évanoui, cependant que tout le village intrigué les suivait.

---

1. **Traje :** sentier, raccourci (note de Louis Pergaud).

La Guerre des boutons

On pansa les fesses de Bacaillé, on le débarbouilla, on mit trem-per ses habits dans une seille[1] à la remise, on le coucha, on lui chauffa des briques, des cruchons[2], des bouillottes ; on lui fit boire du thé, du café, des grogs et, toujours hoquetant, il se calma un peu et baissa les paupières.

Un quart d'heure après, un peu remis, il rouvrait les yeux et racontait à ses parents, ainsi qu'aux nombreuses femmes qui entouraient sa couche, tout ce qui venait de se passer à la cabane, en omettant toutefois soigneusement de spécifier les motifs qui lui avaient valu ce traitement barbare, c'est-à-dire sa trahison.

Il dit tout le reste : il vendit tous les secrets de l'armée de Longeverne, il narra les escapades à la Saute et les batailles, il confessa les boutons chipés et la contribution de guerre, il dévoila tous les trucs de Lebrac, dénonça tous ses conseils ; il chargea Camus autant qu'il put ; il dit les planches dérobées, les clous soustraits, les outils empruntés et la noce, la goutte, le vin, les pommes et le sucre volés, les chants obscènes, la dégueulade au retour, et les farces à Bédouin et le culottage de saint Joseph avec les dépouilles de l'Aztec des Gués, tout, tout, tout ; il se dégon-fla, se vida, se vengea et s'endormit là-dessus avec la fièvre et le cauchemar.

Marchant sur la pointe des pieds, une à une ou par petits groupes, s'arrêtant de temps à autre pour jeter un coup d'œil sur l'intéres-sant malade, les visiteuses se retirèrent. Mais elles s'attendirent au seuil de la porte, et, toutes réunies, conférèrent, s'animèrent, s'exci-tèrent, se montèrent jusqu'à la fureur folle : œufs volés, boutons raflés, clous chipés, sans compter ce qu'on ne savait pas, et bientôt pas un chat dans le village – si toutefois ces gracieux animaux eurent le mauvais goût de prêter l'oreille aux discours de leurs patronnes – n'ignora un mot de la terrible affaire.

– Les gredins ! les gouillands ! les gouapes ![3] les voyous ! les saligauds !

– Attendez un peu qu'il rentre, j'vais le soigner, le mien !

– J'vais lui servir quéque chose aussi, au nôtre !

---

1. **Seille :** grand seau en bois.
2. **Cruchons :** petites cruches.
3. **Les gouillands ! les gouapes !** : les ivrognes ! les débauchés !

– Si c'est permis, des gamins de leur âge !

– Y a pus d'enfants, voyez-vous !

– Moi, c'est son père qui va lui en foutre !

– Attendez seulement qu'ils reviennent !

135 Le fait est qu'ils ne paraissaient point autrement pressés de rentrer, les gars de Longeverne, et ils l'auraient été bien moins encore s'ils avaient pu se douter de l'état de surexcitation dans lequel le retour et les révélations de Bacaillé avaient mis les auteurs de leurs jours[1].

140 – Vous ne les avez pas encore revus ?

– Non ! quelles sottises peuvent-ils bien être encore en train de faire ?

Les pères venaient de rentrer pour arranger les bêtes, leur donner à manger, les mener boire et renouveler la litière. Ils criaient

145 moins que leurs épouses, mais ils avaient les traits crispés et durcis.

Le père Bacaillé avait parlé de maladie, procès, dommages-intérêts[2], et, dame ! quand il était question de leur faire desserrer les cordons de la bourse[3], cela n'allait point ; aussi promettaient-ils

150 intérieurement, et même à haute voix, de fabuleuses raclées à leurs rejetons.

– Les voici, annonça la mère Camus, du haut de sa levée de grange[4], la main en abat-jour sur les yeux.

Et, en effet, presque aussitôt, se poursuivant et discutant comme

155 à l'ordinaire, les gamins du village apparurent dans le chemin près de la fontaine.

– File chez nous tout de suite, commanda sèchement à son fils le père Tintin, qui abreuvait ses bêtes.

« Lebrac, ajouta-t-il, et toi aussi, Camus, y a ton père qui t'a déjà

160 appelé trois fois.

---

1. **Les auteurs de leurs jours :** leurs parents.
2. **Dommages-intérêts :** compensation financière à laquelle peut prétendre une personne qui a subi un dommage.
3. **Desserrer les cordons de la bourse :** ouvrir le porte-monnaie.
4. **Levée de grange :** plan légèrement incliné permettant aux chars lourds de foin ou de récoltes de grimper aux greniers de l'étage.

– Ah bien ! on y va alors, répondirent nonchalamment les deux chefs.

Et bientôt, de tous les coins, sur tous les seuils, on vit surgir des mamans ou des papas hélant à haute voix leur fils et le priant de rentrer immédiatement.

Les Gibus et Gambette, presque instantanément abandonnés, se résolurent, puisqu'il en était ainsi, à regagner également leurs domiciles respectifs ; mais Gambette, en montant la côte, et les Gibus, la dernière bicoque dépassée, s'arrêtèrent court.

De toutes les maisons du village, des cris, des hurlements, des vociférations, des râles, mêlés à des coups de pied claquant, à des coups de poing sonnant, à des tonnerres de chaises et de meubles s'écroulant, se mariaient à des jappements épouvantés de chiens se sauvant, de chats faisant claquer les chatières pour le plus effroyable charivari qu'oreille humaine pût rêver.

On eût dit que partout à la fois on s'égorgeait.

Gambette, le cœur serré, immobile, écoutait.

C'étaient… oui, c'étaient bien les voix de ses amis : c'étaient les rugissements de Lebrac, les cris de putois de La Crique, les meuglements de Camus, les hurlements de Tintin, les piaillements de Boulot, les pleurs des autres et leurs grincements de dents : on les battait, on les rossait, on les étrillait[1], on les assommait !

Qu'est-ce que ça pouvait bien signifier ?

Et il revint par-derrière, à travers les vergers, n'osant repasser devant chez Léon, le buraliste, où quelques célibataires endurcis, fumant leur bouffarde[2], jugeaient des coups d'après les cris et discutaient avec ironie sur la vigueur comparée des poignes paternelles.

Il aperçut les deux Gibus, arrêtés, eux aussi, comme des lièvres qui écoutent la chasse, l'œil rond et les cheveux hérissés…

– Entends-tu ? entendez-vous ?

– Ils les éreintent ! Pourquoi ?

– Bacaillé !… fit Grangibus, c'est à cause de Bacaillé, je parierais ! Oui, il est rentré tout à l'heure au village, peut-être tel qu'on l'avait laissé, avec ses habits pleins de merde, et il a dû recafarder !

---

1. **Étrillait :** malmenait, battait.
2. **Bouffarde :** grosse pipe à tuyau court.

– Peut-être qu'il a tout raconté, le salaud !

– Alors, nous aussi, quand les vieux le sauront, on va recevoir la danse !

– S'il n'a pas dit nos noms et qu'on en parle chez nous, on dira qu'on n'y était pas.

– Écoute ! écoute !...

Une bordée de sanglots et de râles et de cris et d'injures et de menaces s'évadait de chaque maison, montait, se mêlait, emplissait la rue pour une effarante cacophonie, un sabbat[1] infernal, un vrai concert de damnés.

Toute l'armée de Longeverne, du général au plus humble soldat, du plus grand au plus petit, du plus malin au moins dégourdi, tous recevaient la pile et les paternels y allaient sans se retenir (la question d'argent ayant été évoquée), à grands coups de poing et de pied, de souliers et de sabots, de martinets et de triques ; et les mères s'en mêlaient elles aussi, farouches, impitoyables sur les questions de gros sous, tandis que les sœurs, navrées et un peu complices, pleuraient, se lamentaient et suppliaient qu'on ne tuât pas pour si peu leur pauvre petit frère.

La Marie Tintin voulut intervenir directement. Elle reçut de sa mère une paire de gifles lancées à toute volée avec cette menace :

– Toi, petite garce, mêle-toi de ce qui te regarde, et que j'entende dire encore par les voisines que tu fricotes avec ce jeune gouilland de Lebrac, je veux t'apprendre ce qui est de ton âge.

La Marie voulut lui répliquer : une nouvelle paire de claques du père lui en coupa l'envie et elle s'en fut pleurer silencieusement dans un coin.

Et Gambette et les Gibus, épouvantés, s'en furent aussi, chacun de leur côté, après avoir convenu que Grangibus irait en classe le lendemain matin pour avoir des renseignements sur ce qui s'était passé et qu'il accompagnerait le mardi Gambette à la Saute dans sa recherche de la cabane des Velrans pour lui raconter comment tout ça avait tourné.

---

1. **Sabbat :** assemblée nocturne bruyante de sorciers et de sorcières ; vacarme d'enfer.

10
Dernières paroles

Et s'il n'en reste qu'un, je serai celui-là !
Victor Hugo *(Les Châtiments).*

SOUS LA PRESSION de la poigne toute-puissante et des irrésistibles arguments que sont des coups de pied au cul bien appliqués, une promesse, un serment avaient été arrachés à presque tous les guerriers de Longeverne : la promesse de ne plus se battre avec les
5 Velrans, le serment de ne plus détourner à l'avenir ni boutons, ni clous, ni planches, ni œufs, ni sous au détriment du ménage.

Seuls les Gibus et Gambette, habitant des métairies éloignées du centre, avaient momentanément échappé à la sauce[1] ; quant à Lebrac, plus têtu qu'une demi-douzaine de mules, il n'avait
10 rien voulu avouer ni sous la menace, ni sous la trique. Il n'avait rien promis, ni juré ; il était resté muet comme une carpe, c'est-à-dire qu'il n'avait pas proféré, durant la bastonnade furieuse qu'il reçut, de sons humainement articulés ; mais, par contre, il s'était copieusement rattrapé en beuglements, en rugissements, en hen-
15 nissements, en hurlements qui auraient pu rendre jaloux tous les animaux sauvages de la création.

Et naturellement tous les jeunes Longevernois se couchèrent ce soir-là sans souper ou bien eurent pour toute pitance[2], avec le morceau de pain sec, la permission d'aller boire un coup à l'arro-
20 soir ou au bassin[3].

On leur défendit le lendemain de s'amuser avant la classe, on leur ordonna de rentrer immédiatement après onze et quatre heures ; interdiction aussi de parler aux camarades, recommandation au père Simon de donner des devoirs supplémentaires et des leçons
25 itou, de veiller à l'isolement, de punir dur et de doubler chaque fois

---

1. **Sauce :** fessée collective.

2. **Pitance :** nourriture.

3. **Bassin :** quand j'étais enfant, chez presque tous les paysans, on mettait la provision d'eau dans des seilles de bois ; on y puisait à l'aide d'un bassin de cuivre. Quand on avait soif, chacun pouvait aller boire au bassin (note de Louis Pergaud).

qu'un audacieux oserait troubler le silence et enfreindre la défense générale donnée de concert par tous les chefs de famille.

À huit heures moins cinq minutes on les lâcha.

Les Gibus, arrivant, voulurent interpeller Tintin, qui filait sous les
30 yeux de son père, Tintin, les yeux rouges et les épaules renfoncées, qui eut en les entendant un regard affolé et se tut obstinément comme si le chat lui eût mangé la langue. Ils n'eurent pas plus de succès auprès de Boulot.

Décidément, ça devenait grave.

35 Tous les pères étaient sur le seuil de leur porte. Camus fut aussi muet que Tintin, et La Crique eut un geste d'épaules qui en disait long, très long.

Grangibus pensait se rattraper dans la cour de l'école. Mais le père Simon ne leur permit pas d'y entrer.

40 En arrêt devant la porte, il les parquait par deux dès leur arrivée avec défense d'ouvrir la bouche.

Grangibus regretta amèrement de n'avoir pas suivi son impulsion première qui lui commandait d'accompagner Gambette dans ses recherches et d'avoir laissé à son frère le soin de les renseigner.

45 On entra.

Le maître, du haut de sa chaire[1], droit et sévère, sa règle d'ébène à la main, commença par flétrir en termes énergiques leur conduite sauvage de la veille, indigne de citoyens civilisés, vivant en République dont la devise était : liberté, égalité, fraternité !

50 Il les compara ensuite aux êtres apparemment les plus horrifiques[2] et les plus dégradés de la création : aux Apaches[3], aux anthropophages[4], aux ilotes[5] antiques, aux singes de Sumatra et de l'Afrique équatoriale, aux tigres, aux loups, aux indigènes de Bornéo, aux bachibouzouks[6], aux Barbares[7] des temps jadis, et,
55 c'était le plus grave, comme conclusion à ce discours, déclara qu'il

---

1. **Chaire :** estrade.
2. **Horrifiques :** terrifiants.
3. **Apaches :** indiens sanguinaires, voyous.
4. **Anthropophages :** cannibales, mangeurs de chair humaine.
5. **Ilotes :** esclaves des Spartiates ; personnes réduites à la misère, à la déchéance physique ou morale.
6. **Bachibouzouks :** soldats turcs du XIXe siècle.
7. **Barbares :** toutes personnes étrangères.

ne tolérerait pas un mot, que le premier geste de communication qu'il surprendrait soit en classe, soit en récréation vaudrait, à son auteur, trente jours de retenue et dix pages, par soir, d'histoire de France ou de géographie à copier et à réciter.

60 Ce fut une classe morne pour tous ; on n'entendait que le bruit crissant des plumes mordant rageusement le papier, quelques claquements de sabots, le frottement léger et étouffé des pupitres levés avec prudence, et, quand venait l'heure des leçons, la voix rogue du père Simon et le récitatif hésitant et timide de l'interrogé.

65 Les Gibus pourtant auraient bien voulu être fixés, car l'appréhension de la raclée, comme une épée de Damoclès[1], pendait toujours sur leur destin.

À la fin, Grangibus, par l'intermédiaire de ses voisins et avec d'infinies précautions, fit passer à Lebrac un court billet interrogateur.

70 Lebrac, par le même truchement[2], réussit à lui répondre, à lui narrer en quelques phrases poignantes la situation, et lui indiquer en quelques mots concis la conduite à tenir.

« Bacaillé oli avèque la fiaivre, sai dès manier. Hi la tout vandu lamaiche. Tout le monde a aité rocé. Défense de cosé ou bien 75 nouvaile danse, sairman de pas recommencé, mais on çanfou, les Velrant repaieron tou. Rechaircher le tréssor quand même. »

Grangibus en savait assez. Il était inutile de s'exposer davantage.

L'après-midi même, il fripait la classe et filait rejoindre Gambette, tandis que son frère l'excusait auprès du maître en disant que 80 Narcisse, le domestique, s'étant fait mal au bras, son frère le remplaçait momentanément au travail du moulin.

Le mardi et le mercredi furent, comme le lundi, des jours mornes et studieux. Les leçons étaient sues imperturbablement et les devoirs soignés, fignolés et parachevés[3]. On n'essaya pas d'enfreindre[4]

---

1. **Épée de Damoclès :** dans la mythologie grecque, Damoclès, courtisan du roi Denys l'Ancien, est représenté à table, une épée retenue par un crin de cheval et suspendue au-dessus de sa tête. L'épée de Damoclès est depuis évoquée pour signaler qu'un danger pèse sur quelqu'un et qu'il peut l'anéantir à tout moment.
2. **Truchement :** moyen.
3. **Parachevés :** menés à leur fin, le mieux possible.
4. **Enfreindre :** désobéir à.

85 les ordres, c'était trop grave, on fit comme les chats, patte douce, on eut l'air soumis.

Tigibus, tous les jours, passait le même billet à Lebrac :
« Rien ! »

Le vendredi, la surveillance un peu se relâcha : ils étaient si sages 90 et sans doute si bien corrigés, totalement guéris, et puis on apprit que Bacaillé s'était levé. La crainte de la justice et des dommages-intérêts se dissipant avec la guérison du malade, les pères et les mères sentirent s'apaiser par degrés leur rancune et se montrèrent moins rogues[1]. Mais on se garda à carreau tout de même dans le 95 petit monde des gosses.

Le samedi, comme Bacaillé était sorti, la tension diminua encore ; on leur permit de jouer dans la cour et ils purent, au cours des parties organisées, mêler aux expressions réglementaires du jeu quelques phrases relatives à leur situation, phrases brèves, prudentes 100 et à double entente[2], car ils se sentaient épiés.

Le dimanche, un peu avant la messe, ils purent se réunir autour de l'abreuvoir et causer enfin de leurs affaires.

Ils virent passer, tenant son père par la main, Bacaillé, entièrement remis et plus narquois que jamais dans ses habits rappro-105 priés[3]. Après vêpres, ils crurent habile et prudent de rentrer avant qu'on les y invitât.

Bien leur en prit, en effet, car ce dernier trait désarma tout à fait les parents et le maître si bien que, le lundi, on les laissa libres de jouer et de bavarder comme avant la sauce[4], ce qu'ils ne manquè-110 rent pas de faire à quatre heures, loin des oreilles inquisitoriales[5] et des regards malintentionnés.

Mais le mardi, tous eurent une grosse émotion : Grangibus arriva à l'école avec son frère, et Gambette lui aussi descendit de la Côte avant huit heures. Il apportait au père Simon un chiffon de papier 115 graisseux plié en quatre, que l'autre ouvrit et sur lequel il lut :

---

1. **Rogues :** durs.
2. **À double entente :** à double sens.
3. **Rappropriés :** récupérés.
4. **La sauce :** la raclée générale.
5. **Inquisitoriales :** qui enquêtent pour chercher à savoir.

263

La Guerre des boutons

Mocieu le maître,
Je vous envoi sé deux mots pour vous dire que j'ai gardé Léon à la
méson à cause de mes rumatisses pour arrangé les bêtes.

Jean-Baptiste Cassard.

C'était Gambette qui avait rédigé le billet, et Grangibus qui l'avait signé pour le père de l'absent, afin que les deux écritures ne se ressemblassent point : il passa haut la main[1].

La chose, d'ailleurs, n'inquiétait pas les guerriers ; Gambette, on le savait, était souvent retenu à la maison.

Mais si Gambette revenait avec Grangibus, c'est qu'il avait trouvé la cabane des Velrans et repris le trésor.

Les yeux de Lebrac flamboyaient comme ceux d'un loup ; les camarades n'étaient pas moins intéressés. Ah ! comme elle était oublié la pile de l'avant-dernier dimanche, et comme les promesses et les serments arrachés de force à leurs lèvres pesaient peu à leurs âmes de douze ans !

– Ça y est t'y ? interrogea-t-il.

– Oui, ça y est, fit Gambette.

Lebrac faillit pâlir et tomber, il ravala sa salive. Tintin, La Crique, Boulot avaient entendu la demande et la réponse ; eux aussi étaient pâles.

Lebrac décida :

– Faudra se réunir ce soir !

– Oui, à quatre heures, à la carrière à Pepiot. Tant pis si on est chopé !

– On s'arrangera, exposa La Crique, pour jouer à la cachette, on filera chacun par un chemin de ce côté-là sans rien dire à personne.

– Entendu !

C'était un soir gris et sombre. La bise avait couru tout le jour, balayant la poussière des routes : elle s'arrêtait un peu de souffler ; un calme froid pesait sur les champs ; des nuages plombés, de gros nuages informes s'ébattaient à l'horizon ; la neige n'était pas loin

---

1. **Haut la main :** sans problème.

150 sans doute, mais aucun des chefs accourus à la carrière ne sentait la froidure, ils avaient un brasier dans le cœur, une illumination dans le cerveau.

– Où est-il ? demanda Lebrac à Gambette.

– Là-haut, à la nouvelle cache, répondit l'autre ; et tu sais, il a fait des petits !

155 – Ah !

Et comme Boulot, toujours bon dernier, arrivait, ils filèrent tous au triple galop vers leur abri provisoire où Gambette extirpa de dessous un amas de planches et de clous un sac énorme, rebondi, pétant de boutons, alourdi de toutes les munitions des guerriers 160 de Velrans.

– Comment as-tu fait pour le trouver ? Tu as démoli leur cabane ?

– Leur cabane !... s'exclama Gambette... cabane ! Peuh ! pas une cabane, ils sont trop bêtes pour en bâtir une comme nous, pas même un bacul[1], un petit machin de rien du tout, accouté[2] contre 165 un bout de rocher et qu'on ne pouvait même pas voir ! C'est à peine si on pouvait y entrer à genoux !

– Ah !

– Oui, leurs sabres, leurs triques, leurs lances étaient empilés là-dedans et on a commencé par leur z'y casser tous l'un après l'autre, 170 tant qu'à force on en avait mal aux genoux.

– Et le sac ?

– Mais je vous ai pas dit comment qu'on l'avait trouvé, leur bacul ? Ah ! mes vieux, ce qu'on a eu du mal !

– Depuis huit jours qu'on cherchait pour rien, renchérit 175 Grangibus, ça commençait à être emm...bêtant !

– Et devinez comment qu'on l'a trouvé ?

– J'donne ma part au chat, pressa La Crique.

– Et moi aussi, firent tous les autres, impatients.

– Non, vous ne devineriez jamais, et ce qu'on a eu de la veine de 180 regarder en l'air !

– ?...

---

1. **Bacul :** habitat provisoire du charbonnier, cabane.
2. **Accouté :** appuyé.

La Guerre des boutons

– Oui, mes vieux, on avait déjà bien passé quatre ou cinq fois par là, quand, sur un chêne, un peu plus loin, on a vu une boule d'écureuil[1] et Grangibus m'a dit :

185 – Je ne sais s'il est dedans. Si tu montais voir comme c'est ?

– Alors, j'ai pris entre mes dents un petit bâton pour fourgonner[2], parce que s'il avait été dedans, quand j'aurais mis la main il aurait pu me mordre les doigts. Je monte, j'arrive, je tâte, et qu'est-ce que je trouve ?

190 – Le sac !

– Mais non, rien du tout ; alors je fous la boule en bas et alors, en regardant, c'est là que dans un contrebas, un peu plus du côté de bise[3], j'ai vu le bacul de ces cochons de Velrans. Ah ! j'ai bien-tôt été en bas. Grangibus croyait que l'écureuil m'avait mordu et 195 que je dégringolais de frousse, mais quand il m'a vu courir, il s'est douté tout de suite qu'il y avait du nouveau et c'est alors que nous avons fichu leur cambuse[4] à sac.

« Les boutons étaient au fond, sous une grosse pierre ; on n'y voyait presque pas clair, je les ai trouvés en tâtant. Ah ! ce qu'on 200 était content ! Mais vous savez, c'est pas tout. Avant de partir, je me suis déculotté au fond de leur cabane... j'ai rebouché avec la pierre, on a bien remis tous les morceaux de sabres et de lances comme ils étaient, et quand ils iront mettre la main sous la pierre, ils sentiront comment il est fait maintenant leur trésor ! J'ai t'y bien travaillé ? »

205 On serra la main de Gambette, on lui tapa sur le ventre, on lui ficha des coups de poing dans le dos pour le féliciter comme il convenait.

– Alors ! reprit-il, interrompant le concert de louanges qu'on lui décernait, alors vous, vous avez reçu la pile ?

210 – Ah ! mon vieux, ce qu'ils nous ont passé ! Et le noir[5] a dit, ajouta Lebrac, que je ferais encore pas de première communion cette année, rapport à la culotte de saint Joseph[6], mais je m'en fous !

---

1. **Boule d'écureuil :** nid fait de branchettes et construit en forme de boule.

2. **Fourgonner :** fouiller.

3. **Du côté de bise :** du côté du vent du nord. La bise est un vent.

4. **Cambuse :** baraque, maison.

5. **Le noir :** le curé ; appelé ainsi car il portait une soutane noire.

6. **Rapport à la culotte de saint Joseph :** voir II, fin du chapitre 6.

– Tout de même, des parents comme les nôtres, c'est pas rigolo ! Ils sont charognes au fond, tout comme si, eux, ils n'en avaient pas fait autant. Et dire qu'ils se figurent, maintenant qu'ils nous ont bien tanné la peau, que tout est passé et qu'on ne songera plus à recommencer.

– Non, mais des fois, est-ce qu'ils nous prennent pour des c... ! Ah ! ils auront beau dire, sitôt qu'ils auront un peu oublié, on les retrouvera les autres, hein, fit Lebrac, on recommence ! Oh ! ajoutait-il, j'sais bien qu'il y a quéque froussards qui ne reviendront pas, mais vous tous, vous, sûrement vous reviendrez, et bien d'autres encore, et quand je devrais être tout seul, moi, je reviendrais et je leur z'y dirais aux Velrans que je les emm... et que c'est rien que des peigne-culs et des vaches sans lait, voui ! je leur z'y dirais !

– On y sera aussi, nous autres, on z'y sera sûrement et flûte pour les vieux ! Comme si on ne savait pas ce qu'ils ont fait eux aussi, quand ils étaient jeunes !

« Après souper, ils nous envoient au plumard et eux, entre voisins, ils se mettent à blaguer, à jouer à la bête hombrée[1], à casser des noix, à manger de la cancoillotte[2], à boire des litres, à licher[3] des gouttes, et ils se racontent leurs tours du vieux temps. Parce qu'on ferme les yeux ils se figurent qu'on dort et ils en disent, et on écoute et ils ne savent pas qu'on sait tout.

« Moi, j'ai entendu mon père, un soir de l'hiver passé, qui racontait aux autres comment il s'y prenait quand il allait voir ma mère. Il entrait par l'écurie, croyez-vous, et il attendait que les vieux aillent au lit pour aller coucher avec elle, mais un soir mon grand-père a bien manqué de le pincer en venant clairer les bêtes[4] ; oui, le paternel, il s'était caché sous la crèche[5] devant les naseaux des bœufs qui lui soufflaient au nez, et il n'était pas fier, allez !

« Le vieux s'est amené avec sa lanterne tout bonnement et il s'est tourné par hasard de son côté comme s'il le regardait, même que mon père se demandait s'il n'allait pas lui sauter dessus. Mais

---

1. **La bête hombrée** : jeu de cartes.
2. **Cancoillotte** : fromage très crémeux de Franche-Comté.
3. **Licher** : boire avec excès.
4. **Clairer les bêtes** : leur donner à manger et les mettre à l'abri pour la nuit.
5. **Crèche** : mangeoire pour le bétail.

245 pas du tout, le pépé[1] n'y songeait guère : il s'est déboutonné, puis il s'est mis à pisser tranquillement, et mon père disait qu'il en finissait pas de secouer son outil et qu'il trouvait le temps bougrement long parce que ça le piquait à la gargotte[2] et qu'il avait peur de tousser ; alors sitôt que le grand-papa a été parti, il a pu se
250 redresser et reprendre son souffle, et un quart d'heure après il était pieuté avec ma mère, à la chambre haute.

« Voilà ce qu'ils faisaient ! Est-ce qu'on a jamais fait des trueries[3] comme ça, nous autres ? Hein, je vous le demande, c'est à peine si on embrasse de temps en temps nos bonn' amies quand on leur
255 donne un pain d'épices ou une orange, et pour un sale traître et voleur qu'on fouaille[4] un tout petit peu, ils font des chichis et des histoires comme si un bœuf était crevé.

– Mais c'est pas ça qui empêchera qu'on fasse son devoir.

– Tout de même, bon Dieu ! qu'il y a pitié aux enfants d'avoir
260 des père et mère !

Un long silence suivit cette réflexion. Lebrac recachait le trésor jusqu'au jour de la nouvelle déclaration de guerre.

Chacun songeait à sa fessée, et, comme on redescendait entre les buissons de la Saute, La Crique, très ému, plein de la mélancolie de
265 la neige prochaine et peut-être aussi du pressentiment des illusions perdues, laissa tomber ces mots :

– Dire que, quand nous serons grands, nous serons peut-être aussi bêtes qu'eux !

---

1. **Pépé** : grand-père (note de Louis Pergaud).
2. **Gargotte** : gorge (note de Louis Pergaud).
3. **Trueries** : choses malhonnêtes.
4. **Fouaille** : fouette.

Clefs d'analyse

Action et personnages

1. Quels sentiments agitent les quatre Longevernes et Bacaillé en route pour la cabane ?

2. Quelle est la réaction des soldats de Lebrac devant la cabane pillée et détruite ? Sur qui se fixent immédiatement leurs soupçons ?

3. Quel mot-clé révèle le mépris et la colère des Longevernes dans l'acte d'accusation porté contre Bacaillé ?

4. Commentez la scène des aveux : qui mène l'interrogatoire ? Pourquoi Bacaillé finit-il par avouer ? De quoi l'accuse-t-on exactement ?

5. Quel châtiment est réservé au coupable ? Que décide ensuite le conseil des généraux (chap. 9) ?

6. Décrivez l'atmosphère du village quand Bacaillé arrive. Dans quel état se trouve le coupable ? Sur quel contraste joue le narrateur pour dramatiser la scène ?

7. Comment les parents de Bacaillé soignent-ils leur fils ? Qu'apprenons-nous sur cette famille ?

8. Que se passe-t-il au village après les révélations de Bacaillé ? Comparez les paroles et les gestes des mères et des pères.

9. Quelle punition est infligée aux enfants de Longeverne ? Quel sort est réservé à Marie ? Montrez que la conduite de Lebrac sous les coups est conforme à ce que nous savons du « chef ».

10. Que se passe-t-il en classe, le lendemain ? Relevez un passage comique dans le discours du maître. Pourquoi rions-nous en dépit de la tension dramatique ?

11. Dans quelles circonstances le trésor est-il retrouvé ? À qui est due cette découverte ? Quelle vengeance imagine le nouveau héros de la bande ?

12. Que pensez-vous du dénouement ? Comment se présente l'avenir pour les enfants de Longeverne ?

Langue

13. Le narrateur parle du « crime de Bacaillé » (III, 9, l. 21) : que pensez-vous de ce terme appliqué à la trahison du garçon ?

Clefs d'analyse

Clefs d'analyse

14. Que révèle Bacaillé aux adultes ? Commentez l'emploi des verbes dans les lignes 107-117 (chap. 9).

Genre ou thèmes

15. En quoi consiste le « charivari » que l'on entend dans les maisons ? Relevez le champ lexical du bruit (l. 170-182, chap. 9). Que laisse-t-il deviner des scènes qui se déroulent dans les familles de Longeverne ?

16. Sous quelles formes se traduisent la rage et la violence des parents ? Que révèlent-elles de cette société paysanne du début du xxᵉ siècle ?

Écriture

17. Brossez le portrait de Bacaillé en vous appuyant sur ses actions et ses paroles.

18. Quelles pensées les enfants expriment-ils sur les adultes à la fin du roman ? Partagez-vous leur point de vue ? Développez votre réponse à la lumière de l'expression « pressentiment des illusions perdues » (avant-dernier paragraphe).

Pour aller plus loin

19. Les enfants de Longeverne subissent la brutalité de leurs parents en toute légalité. Aujourd'hui, il existe une « Convention internationale des droits de l'enfant ». Recueillez un article de cette convention et présentez-le à la classe.

> ## ✳ À retenir
>
> *La Guerre des boutons* se termine sur la **trahison** de Bacaillé, la **raclée collective** infligée aux guerriers de Longeverne, l'**éclatement** supposé de la bande de copains. Parmi tous, Lebrac, héros du roman, affirme sa supériorité mentale : il ne cède pas devant les adultes et se montre bien décidé à poursuivre la guerre.
> Les propos des enfants à la fin du roman suggèrent avec délicatesse, par la voix du narrateur, les **illusions perdues** de la jeunesse face au monde brutal des adultes.

L'auteur

1. Vrai ou faux ?

Louis Pergaud est :

a.	belge	☐ vrai	☐ faux
b.	suisse	☐ vrai	☐ faux
c.	français	☐ vrai	☐ faux
d.	canadien	☐ vrai	☐ faux
e.	luxembourgeois	☐ vrai	☐ faux

2. Repérez et soulignez trois inexactitudes dans cette brève biographie de Louis Pergaud :

Fils d'instituteur, Louis Pergaud vit jusqu'à l'âge de douze ans dans le Doubs, région d'origine de sa famille. Puis il quitte la campagne pour étudier dans un internat à Besançon après avoir brillamment été reçu au certificat d'études. Devenu instituteur, il ne s'accomplit pas dans l'enseignement, métier qui lui apporte peu de satisfactions. Au contraire, c'est dans l'écriture qu'il trouve le bonheur. Ses histoires rustiques où les animaux tiennent une large place lui valent rapidement le succès, notamment avec son recueil de nouvelles *De Goupil à Margot* qui, paru en 1911, est consacré par le prix Nobel de littérature. La publication de *La Guerre des boutons*, en 1912, lui apporte à la fois des éloges enthousiastes et des critiques sévères : les uns louent sa créativité et sa liberté d'expression, les autres déplorent l'indécence de son langage. Alors qu'il projette d'autres œuvres, la mobilisation générale en France l'appelle sur le front. C'est là qu'il écrit un roman de guerre aujourd'hui perdu. Il est porté disparu en 1915.

3. Répondez par « oui » ou par « non ».

Louis Pergaud se définit comme un disciple de :

a.	Ronsard	☐ oui	☐ non
b.	Montaigne	☐ oui	☐ non
c.	Rabelais	☐ oui	☐ non
d.	Du Bellay	☐ oui	☐ non
e.	Hugo	☐ oui	☐ non

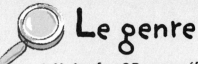

Le genre

1. Vrai ou faux ? Dans sa préface, Louis Pergaud déclare qu'il a voulu :

a.	faire un livre sain	☐ vrai ☐ faux
b.	faire un livre épique	☐ vrai ☐ faux
c.	faire un livre drôle	☐ vrai ☐ faux
d.	instruire ses lecteurs	☐ vrai ☐ faux
e.	restituer des moments de son enfance	☐ vrai ☐ faux

2. Barrez la réponse inexacte :

a. *La Guerre des boutons :*
s'attaque aux hypocrisies de la famille et de l'école / prend la défense de la famille et de l'école

b. *La Guerre des boutons* est :
un roman historique / un roman autobiographique

c. *La Guerre des boutons* est :
un récit à la première personne / un récit à la troisième personne

d. *La Guerre des boutons* est :
un classique de la littérature jeunesse / un livre pour adultes

e. *La Guerre des boutons :*
fait une parodie de la guerre / est un pastiche de la guerre

3. Associez *La Guerre des boutons* avec les registres qui caractérisent cette œuvre :

a. registre dramatique ☐

b. registre comique ☐

c. registre épique ☐

d. registre didactique ☐

e. registre lyrique ☐

L'action

1. Dans quelle région se déroule l'action de *La Guerre des boutons* ? Cochez la bonne réponse :

a. en Tarn-et-Garonne ☐   d. en Midi-Pyrénées ☐

b. en Franche-Comté ☐   e. en Haute-Savoie ☐

c. en Poitou-Charentes ☐

2. L'insulte qui déclenche les hostilités dans *La Guerre des boutons* est :

a. merdeux ☐   d. andouilles ☐

b. pourris ☐   e. couilles molles ☐

c. voleurs ☐

3. À l'aide de numéros, mettez dans l'ordre chronologique les événements essentiels de l'intrigue :

a   Les Longevernes font un festin dans leur cabane.

b.   Tintin fait tomber le trésor des Longevernes en classe.

c.   Bacaillé raconte à ses parents les secrets des Longevernes.

d.   La Crique propose de faire une cabane.

e.   Les parents des Longevernes donnent une raclée aux enfants du village.

f.   Le trésor est volé et la cabane dévastée.

g.   La Crique raconte pourquoi les Longevernes et les Velrans se haïssent.

h.   Le trésor est retrouvé.

i.   Les Longevernes construisent une cabane.

j.   Les Longevernes amassent un trésor.

4. Cochez les bonnes réponses.

Le festin des Longevernes se compose de :

a. sardines à l'huile ☐ / maquereaux au vin blanc ☐

b. pommes de terre ☐ / navets ☐

c. chocolat ☐ / pain d'épices ☐ / bonbons ☐ / réglisse ☐

d. cigares ☐ / cigarettes ☐ / pipes ☐

e. une bouteille de goutte et deux bouteilles de vin ☐ / une bouteille de champagne ☐

Les personnages

1. L'armée complète des Longevernes se compose de :

a. quarante guerriers ☐

b. quarante-cinq guerriers ☐

c. trente-trois guerriers ☐

d. trente-cinq guerriers ☐

e. trente-huit guerriers ☐

2. Associez chaque personnage avec son portrait :

Guerreuillas, Camus, le père Zéphirin, La Crique, Lebrac

a. « Têtu comme une mule, malin comme un singe, vif comme une lièvre » :

....

b. « Le fin grimpeur » :

....

c. « Celui «qui savait tout» » :

....

d. « Vieux soldat d'Afrique » :

....

e. « C'était le fils de pauvres bougres de paysans » :

....

3. Ordonnez ces noms dans la grille ci-dessous selon qu'ils appartiennent à l'armée des Longevernes ou à celle des Velrans :

Lataupe – Tintin – Bousbot – Boulot – Tigibus – Grangibus –
Pissefroid – Camus – Chanchet – Pirouli – Gambette – Tatti –
Migue-la-Lune – Touegeule – l'Aztec des Gués – Tétas –
Guignard – Guerreuillas.

armée des Longevernes	armée des Velrans

4. Vrai ou faux ? Précisez les liens entre les personnages :

a. La Marie est la sœur de Tintin. ☐ vrai ☐ faux
b. La Marie est la sœur de Camus. ☐ vrai ☐ faux
c. La Marie est la petite amie de Lebrac. ☐ vrai ☐ faux
d. La Marie est la petite amie de La Crique. ☐ vrai ☐ faux
e. La Tavie est la petite amie de Bacaillé. ☐ vrai ☐ faux
f. La Tavie est la petite amie de Camus. ☐ vrai ☐ faux

5. Qui prononce ces phrases ?

a. « Eh bien, il faut savoir se débrouiller dans la vie du monde. » :
☐ La Crique ? ☐ Lebrac ?

b. « Dire que, quand nous serons grands, nous serons peut-être aussi bêtes qu'eux. » :
☐ La Crique ? ☐ Lebrac ?

c. « On a bien raison de dire qu'un malheur ne vient jamais seul. » :
☐ La Crique ? ☐ Lebrac ?

d. « Je propose donc qu'on se batte à poil. » :
☐ La Crique ? ☐ Lebrac ?

e. « Êtes-vous des Alboches ? oui ou merde ? » :
☐ La Crique ? ☐ Lebrac ?

6. Qui trahit les Longevernes ?

a. Le père Bédouin ☐   d. Tétas ☐
b. Bacaillé ☐   e. Guerreuillas ☐
c. Touegeule ☐

7. Qui retrouve le trésor des Longevernes volé par les Velrans ?

a. Gambette ☐   d. Tintin ☐
b. Grangibus ☐   e. Boulot ☐
c. La Crique ☐

Les principaux thèmes

1. Cochez les phrases qui traitent du thème de la guerre.

a. « La rafale de cailloux de l'armée de Longevernes frappa la troupe des Velrans. » ☐

b. « Les trois gaillards, pendant ce temps, remontaient le village et arrivaient à la maison du garde. » ☐

c. « Et le cerveau de Lebrac ruminait une vengeance compliquée et terrible. » ☐

d. « Il y aurait quatre endroits où l'on tendrait une embuscade. » ☐

e. « Écoutez-moi, tas d'andouilles, puisque vous ne savez pas vous débrouiller tout seuls. » ☐

2. À l'aide de flèches, associez un personnage avec un thème.

Avez-vous bien lu ?

a. la jalousie   • le père Simon

b. l'amour   • la Marie

c. l'argent   • le père Lebrac

d. la violence   • Tintin

e. l'école   • Lebrac

f. la religion   • Bacaillé

g. l'amitié   • le curé du village

h. le patriotisme   • Camus

L'écriture du roman

1. Marquez d'une croix les phrases de registre poétique.

a. « Les cuivres du couchant baissaient dans les branches demi-nues de la forêt. » ☐

b. « La nuit morne et pesante alourdissait leur tristesse ; pas une étoile ne se levait dans les nuages. » ☐

c. « Les yeux riaient, pétillants, vifs dans les faces épanouies par le rire, les grosses joues rouges, rebondies comme de belles pommes, hurlaient la santé et la joie. » ☐

d. « Quand on a de la besogne chez soi, on ne fourre pas le nez dans celle des autres. » ☐

2. Cochez les phrases réalistes.

a. « Il avait tout renversé en rentrant chez lui, cassé sa lampe, pissé au lit et ch... dans sa marmite. » ☐

b. « On est en république, on est tous égaux, tous camarades, tous frères : Liberté, Égalité, Fraternité. » ☐

c. « Ah ! mais, sacré nom de Dieu ! est-ce que vous ne pouvez pas faire un petit sacrifice à la Patrie ? Seriez-vous des traîtres par hasard ? » ☐

d. « Et maintenant... maintenant il n'y a plus que nous pour défendre l'honneur des Longevernes. » ☐

e. « Camus avait une bosse épouvantable au front, une bosse avec une belle entaille rouge, qui avait saigné durant deux heures. » ☐

3. Cochez une phrase contenant des onomatopées.

a. « De la tête, des pieds, des mains, des coudes, des genoux, des reins, des dents, cognant, ruant, sautant, giflant, tapant, boxant, mordant, il se débattait terriblement. » ☐

b. « Ses mains aplaties s'accrochaient comme des ventouses à tous les nœuds d'écorce. » ☐

c. « Et pif ! et paf ! et poum ! et zop ! » ☐

d. « Le bloc vivant des Longevernes, trique sifflant, vint frapper, hurlant, la ligne ahurie des Velrans. » ☐

e. « Fait-il le zig ! bon Dieu ! pour une fois qu'il va à la foire, ce coco-là ! » ☐

4. Cochez une phrase de niveau de langue littéraire.

a. « La Crique, avec une intuitive finesse et sa logique habituelle, le prouva incontinent. » ☐

b. « Après souper, ils nous envoient au plumard et eux, entre voisins, ils se mettent à blaguer. » ☐

c. « C'est la murie qui a amené la guerre entre les Velrans et les Longevernes. » ☐

d. « Tous les gens de la haute étaient bien embêtés. » ☐

POUR
APPROFONDIR

Thèmes et prolongements

❖ « Le petit monde des gosses »[1]

> *La Guerre des boutons* plonge le lecteur dans l'univers sacré de l'enfance, révélé à partir du point de vue de Louis Pergaud, observateur honnête et narrateur loyal bien décidé à tout dire. Le roman met en scène non seulement le quotidien des « gosses », mais aussi, à travers l'action, les dialogues, les descriptions et les interventions de l'auteur, tous les bonheurs d'un âge d'or où se définissent les relations à l'autorité et les codes de l'amitié, où se dessinent, radieuses, les premières amours.

L'autorité des adultes

En ce début de XXᵉ siècle, l'école et la famille se partagent l'autorité. Pour la majorité des écoliers de Longeverne, l'école, avec son cortège d'obligations, est une corvée : ainsi le coup de sifflet de « cette sinistre fripouille de père Simon » génère-t-il « une véritable suspension de joie, des plis soucieux sur les fronts, des marques d'amertume aux lèvres et du regret dans les yeux ». Hors La Crique, le plus doué d'entre eux, toute la bande affiche un désintérêt total pour l'apprentissage : « Le certificat d'études, Lebrac n'y tenait pas : s'appuyer des dictées, des calculs, des compositions françaises, sans compter la «giographie» et l'histoire, ah ! mais non, pas de ça ! » Ce mépris du savoir a un prix : les élèves sont pétris d'angoisse à l'idée d'être interrogés et gardés en retenue le soir par un maître furieux. Mais « La Crique, le sauveur » est toujours là : généreux, il souffle les bonnes réponses à ses copains en détresse et met à leur disposition ses devoirs sur lesquels chacun peut copier.

La vie de famille, quant à elle, n'est guère réjouissante : dans ce milieu de paysans pauvres et ignorants, éduquer, c'est menacer et punir. Privés d'affection, les enfants considèrent leurs parents avec crainte : endurcis, ils subissent avec philosophie des raclées d'une violence inouïe : « Ben oui ! fit-il, j'ai reçu la danse. Et puis quoi ! On n'en crève pas, pisque me voilà ! » ils considèrent aussi leurs parents

1. *La Guerre des boutons*, III, 10.

Pour approfondir

avec cynisme, exploitant sans scrupule leurs moments d'inattention ou de faiblesse : « moi, pendant que le père va fermer les portes et clairer les bêtes, je fouille dans les poches et la bourse ».

L'âge d'or de l'enfance

Les enfants rudoyés de *La Guerre des boutons* sont pourtant des enfants heureux : « Les yeux riaient, pétillants, vifs dans les faces épanouies par le rire, les grosses joues rouges, rebondies comme de belles pommes, hurlaient la santé et la joie. » Un morceau de chocolat, des images ou des décalcomanies, « un sou ou deux » les comblent de bonheur. Mais surtout, « la saine et vigoureuse marmaille » jouit d'une incroyable liberté qu'elle consacre au jeu de la guerre, à travers lequel elle exprime ses pulsions violentes mais aussi toute une gamme de sentiments délicats.

« Leur monde est à part, ils ne sont eux-mêmes, vraiment eux-mêmes qu'entre eux et loin des regards inquisiteurs ou indiscrets » : c'est d'abord dans le compagnonnage que les enfants s'épanouissent. L'amitié se construit, non seulement autour d'un quotidien partagé mais aussi sur le socle d'une cause commune : la guerre. À travers l'ardent désir du combat, puis son complément, la lutte armée, ces galopins font l'expérience de la fraternité et de la solidarité : « Migue la Lune, pleurant, geignant et sanglotant, rejoignit dans le bois ses camarades à l'affût qui l'attendaient anxieusement, l'entourèrent et lui portèrent aide et secours autant qu'il était en leur pouvoir de le faire. » Parfois, l'amitié s'exprime à travers de généreuses attentions : « Ce bon La Crique, ce vrai copain » ramasse habilement les deux morceaux de « la belle image de la Marie Tintin » déchirée par le maître, avant de les recoller pour les rendre à Lebrac infiniment reconnaissant.

Cruels à la guerre (« Rien ne tenait plus des habits de Migue la Lune et il pleurait, misérable et petit, au milieu des ennemis qui le raillaient et le huaient »), les enfants ont pourtant le cœur tendre. S'ils sont misogynes par peur et ignorance (« les femmes, c'est de la sale engeance »), ils cèdent au romantisme en amour : Camus offre « un joli pain d'épices en cœur » à la Tavie sa petite amie, tandis que le chef Lebrac échange avec la Marie de doux regards de complicité.

Pour approfondir

✤ Lebrac, graine de héros

> Parmi les jeunes garçons et filles qui peuplent *La Guerre des boutons*, le grand Lebrac se détache tout naturellement : chef désigné, il s'impose comme un meneur d'hommes jamais à court d'idées, un combattant hors pair et une âme forte capable de résister aux coups du sort sans jamais rien concéder à ses adversaires. Ce garçon violent et réaliste sait aussi se montrer généreux.

Une âme de chef

Dans le portrait de Lebrac dressé par le narrateur au début du roman (I, 1), le chef « têtu comme une mule, malin comme un singe, vif comme un lièvre » est décrit avec une admiration mêlée d'affection. Cauchemar du curé, du maître d'école et du garde champêtre, Lebrac se moque de l'autorité, comme en témoignent l'épisode de la mise au pas du père Bédouin (I, 8) ou celui de la culotte de l'Aztec accrochée sans vergogne sur la statue de saint Joseph.

Dans la guerre des Longevernes contre les Velrans, le chef affiche d'incontestables qualités de stratège : c'est lui qui fait le choix des armes et qui établit les plans de bataille, lui qui anticipe les actions de l'ennemi, lui qui prévoit les offensives et les replis. Dans le feu du combat, il donne les ordres, motive et entraîne ses troupes : « En avant ! en avant ! en avant, nom de Dieu ! » L'esprit constamment en ébullition, il trouve des solutions à tous les problèmes. Ainsi, quand il s'agit de ne plus se faire dépouiller de ses boutons, il a une idée de génie : « Je propose donc qu'on se batte à poil !... » Et plus tard, quand il faut renoncer à combattre dans la tenue d'Adam, Lebrac, à nouveau, trouve la parade : « ce qu'il nous faut, c'est des sous ». Enfin, le chef a des dons d'organisation comme le montre l'épisode de la cabane : « son cerveau concevait, ordonnait, distribuait la besogne avec une admirable sûreté et une irréfutable logique ».

« Un adversaire terrible »

Dans le combat, le général est redoutable. Doué pour la lutte, il a une force physique peu commune qui se manifeste, par exemple, dans sa capacité de résistance : « De la tête, des pieds, des mains, des coudes, des genoux, des reins, des dents, cognant, ruant, sautant, giflant, tapant, boxant, mordant, il se débattait terriblement. » Animé autant par la haine que par le désir de vaincre, Lebrac ne sent pas la douleur des coups. Sans pitié pour l'ennemi quand il a le dessus, il accable ses victimes d'injures et les frappe avec acharnement. Face aux adultes, il affiche une volonté inébranlable : il ne cède jamais. Ainsi, après la trahison de Bacaillé, quand le châtiment effroyable tombe sur les enfants de Longeverne, il est le seul à rester sur ses positions, témoignant d'une détermination et d'un courage exceptionnels : « Quant à Lebrac, plus têtu qu'une demi-douzaine de mules, il n'avait rien voulu avouer ni sous la menace ni sous la trique. Il n'avait rien promis, ni juré. »

Réalisme et générosité

La vision de la vie chez Lebrac est réaliste : « Il suffit de vouloir, on trouve toujours. Mais il ne faut pas être une nouille, pardine, sans quoi on est toujours roulé dans la vie du monde. » Or, ce réalisme s'accompagne d'un vrai souci de l'honneur, étonnant chez un garçon si jeune : « maintenant il n'y a plus que nous pour défendre l'honneur de Longeverne » ; « Il faut reprendre la culotte de Tintin, il le faut à tout prix, quand ça ne serait que pour l'honneur ». L'amitié est également une valeur importante pour le chef : en toute occasion, il assiste, accompagne et encourage ses copains. De plus, il est spontanément généreux : « sans morgue aucune ni affectation, il redonnait de temps à autre à ses partenaires malheureux quelques-unes des billes qu'il leur avait gagnées ». Et sa largesse se teinte de grandeur quand, du haut de ses douze ans, il donne de ses précieux bonbons aux plus démunis : « J'sais bien que t'es gentil avec nous, que quand t'achètes des bonbons tu nous en donnes un de temps en temps et que tu nous laisses parfois lécher tes raies de chocolat et tes bouts de réglisse. »

✥ La guerre en parodie

Comme son titre l'annonce, *La Guerre des boutons* traite de la guerre : mais d'une guerre « pour rire » semble-t-il car le terme « boutons » dédramatise ce mot grave pour prédire au lecteur un roman réjouissant dans lequel le combat n'a rien d'une tragédie mais tout d'une parodie. Tel est effectivement le programme de Louis Pergaud : *La Guerre des boutons* adopte tous les codes d'écriture de la guerre mais les détourne à des fins comiques.

Une vraie guerre...

Comme le dévoile le récit de La Crique (livre III, chap. 4), une vieille dispute entre les paysans de Longerverne et de Velrans est à l'origine d'une haine implacable : « C'était sur ce terrain fatal, à égale distance des deux villages, que, depuis des années et des années, les générations de Longeverne et de Velrans s'étaient copieusement rossées, fustigées et lapidées, car tous les automnes et tous les hivers ça recommençait. » Mais cette fois, c'est une insulte des Velrans aux Longevernes qui met le feu aux poudres : « couilles molles ». Cette injure dont les destinataires ne comprennent même pas le sens (« qu'est-ce que c'est t'y que ça, des couilles molles ? fit Tintin ») donne aux Longevernes l'occasion rêvée de réactiver le vieux conflit : « il n'y a qu'à se venger, na ! conclut Lebrac ». Suivent la « déclaration de guerre », puis le déclenchement des hostilités, le soir, après l'école.

La guerre obéit à un plan d'attaque mis au point par le chef et exécuté par ses « lieutenants ». Avec le lance-pierre et les cailloux, armes privilégiées pour attaquer de loin, puis avec les triques d'épine et des lances de coudre pour se colleter, les combattants sont parfaitement équipés. La rencontre des deux armées commence par un copieux échange d'insultes qui est suivi par « un cri de guerre » puis par une attaque en règle sous forme de « grêles de projectiles ». De part et d'autre, la violence est extrême ; elle occasionne des humiliations cuisantes et des blessures spectaculaires. Après chaque affrontement, les vainqueurs triomphent et les vaincus, enflammés par la défaite, préparent leur revanche. Aucun doute : la guerre obéit ici à un protocole bien établi.

Pour faire rire

Pourtant, deux indices de taille inscrivent cette guerre dans le cadre de la parodie, à commencer par l'identité des soldats : des garnements en mal d'émotions fortes. Ensuite, le butin : les vainqueurs s'emparent des boutons de culotte des vaincus !

La parodie alimente le comique du roman sous des formes diverses. Dans le dialogue, les échanges d'insultes avant l'affrontement miment, sur un mode caricatural, le défi rituel du combat au Moyen Âge. Les menaces, outrages et insolences qui suivent pendant l'attaque sont du même registre : expressif et outré, ce vocabulaire montre que *La Guerre des boutons* est aussi un jeu avec les mots. Les « bordées d'insultes » jetées « en rafales et en trombes », « le flot écumeux et sans cesse grossissant d'injures salaces » inscrivent clairement les affrontements dans le cadre d'une épopée du langage reposant sur l'exagération et l'accumulation.

Le lexique spécialisé de la guerre est, lui aussi, détourné pour faire rire le lecteur : car après tout, les « guerriers », le « contingent », les « combattants », les « tirailleurs », les « bourreaux » ne sont qu'une bande de polissons échappés des bancs de l'école ! Et sous les termes impressionnants de « général » ou de « commandant en chef » se cache tout simplement le grand Lebrac, fripon ardent et débrouillard, tandis que l'expression glaçante « duels d'artillerie » ne désigne en réalité que des jets de pierres.

Enfin, la description participe à la parodie quand elle se rit des stéréotypes de la guerre sous la forme de phrases convenues (« Œil pour œil, dent pour dent, proféra le moraliste La Crique ») ou d'images dramatisées à l'excès : « Ils avançaient au pas, lentement, comme des chats qui se guettent, les sourcils froncés, les yeux terribles, les fronts plissés, les gueules tordues, les dents serrées, les poings raidis sur le gourdin, les sabres ou les lances. »

Pour approfondir

❖ Le français dans tous ses états

Disciple de Rabelais comme il l'annonce fièrement dans sa préface, Louis Pergaud invite le lecteur à un festival du vocabulaire tout à fait réjouissant : on retrouve sous la plume du romancier le plaisir des mots si caractéristique de la culture française tandis que l'écrivain, prêtant sa verve et sa poésie au narrateur aussi bien qu'aux personnages, exploite toutes les richesses de notre langue.

L'exceptionnelle richesse du vocabulaire

La Guerre des boutons utilise un vocabulaire d'une richesse exceptionnelle : l'auteur puise ses mots dans différents répertoires qu'il mêle avec grand art. Né en Franche-Comté, il emprunte tout naturellement au vocabulaire régional des termes patois dont il prend soin de donner la définition (« Foutait les znogs sur les onçottes » : les znogs sont les coups de pouce sur l'index pour lancer la bille et les onçottes sont les ongles). Ce faisant, il nous présente une France rurale pleine de pittoresque. Louis Pergaud donne aussi à l'argot ses lettres de noblesse : sous sa plume, les mots populaires et familiers s'imposent non seulement pour traduire l'environnement social de ses héros issus de familles frustes, mais aussi pour plonger le lecteur dans leur univers mental : celui d'enfants fiers et spontanés qui utilisent le langage avec une liberté totale. Le même naturel apparaît à travers les mots déformés employés avec une fraîcheur désarmante (À l'inanimité : prononciation irrégulière et enfantine de l'expression « à l'unanimité ») et les termes inventés qui témoignent chez ces cancres d'une créativité exceptionnelle. Mais le roman recourt aussi aux archaïsmes et aux termes techniques (exemple : « grisette », étoffe commune de teinte grise). Tout ce répertoire révèle en Louis Pergaud un homme de lettres qui, ne reniant rien de sa culture, se libère des censures académiques pour créer une langue française à nouveau vivante.

Pour approfondir

Saveur et comique du langage

Dans sa préface, Louis Pergaud annonce sa volonté d'utiliser un vocabulaire salace (« Aussi n'ai-je point craint l'expression crue, à condition qu'elle fût savoureuse ») tandis qu'il se félicite d'avoir « amusé quelques amis et fait rire [son] éditeur ». Le lexique est donc choisi en fonction de deux critères : la saveur et le comique. Conformément à ce programme, les héros ont l'insulte facile (ex. : « ah ! salauds ! – triples cochons ! – andouilles de merde ! – bâtards de curés ! enfants de putains ! – charognards ! – pourriture... chats crevés ! – galeux... »); l'obscénité leur vient automatiquement aux lèvres comme un langage inné (« Vieille tourte, enfifré, sodomiss, vérolard d'Afrique »). Mais c'est aussi l'abondance des « mots hardis » et des « expressions violemment colorées » qui crée le comique. Car Louis Pergaud joue systématiquement sur les effets de l'accumulation dans des dialogues expressifs et des énumérations délirantes : « Il les compara ensuite aux êtres apparemment les plus horrifiques et les plus dégradés de la création : aux Apaches, aux anthropophages, aux ilotes antiques, aux singes de Sumatra et de l'Afrique équatoriale, aux tigres, aux loups, aux indigènes de Bornéo, aux bachibouzouks, aux Barbares des temps jadis. »

Une langue poétique

L'écrivain pourtant nous surprend quand, en rupture avec sa volonté de faire rire, il cède à l'appel de la poésie, dans des évocations pleines de sensibilité. C'est alors en des termes délicats qu'il décrit une atmosphère ou un paysage et qu'il traduit une émotion : « Les cuivres du couchant baissaient dans les branches demi-nues de la forêt, élargissant l'horizon, amplifiant les lignes, ennoblissant le paysage qu'un puissant souffle de vent vivifiait. » À travers ces brefs passages, Louis Pergaud ouvre des parenthèses de paix verbale ; il montre que ses choix d'expression dans *La Guerre des boutons* ne relèvent en rien d'une impuissance à suivre les codes d'écriture d'une littérature politiquement correcte mais bien d'un goût pour une langue épicée, d'un désir d'étonner et de scandaliser.

Pour approfondir

Textes et images

✤ Saveurs de la langue française

La langue française est d'une incroyable richesse : outre ses différents niveaux de langage (familier, courant, littéraire, argot) et ses registres variés (lyrique, didactique, dramatique...), elle se prête tout naturellement au jeu et à l'invention sous la plume des écrivains.

Documents

❶ Extrait de *Toine*, de Guy de Maupassant (1884). Publié dans le *Gil Blas* du 8 juillet 1884, sous la signature de Maufrigneuse.

❷ Extrait du recueil *Les Soliloques du pauvre*, de Jehan Rictus (1897).

❸ Extrait de *Voyage au bout de la nuit*, de Louis-Ferdinand Céline (1932). Gallimard, 1994.

❹ Extrait de *Zazie dans le métro*, de Raymond Queneau (1959). Gallimard, 2007.

❺ *Une poule et ses poussins*, peinture de Melchior Hondecoeter (1636-1695).

❻ *Le Mendiant*, gravure de Sébastien Le Clerc (1664).

❼ Photo du film *Zazie dans le métro*, de Louis Malle (1960), avec Catherine Demongeot.

❶ *(À la suite d'une attaque, Toine est paralysé...)*

Les amis de Toine-ma-Fine désertèrent bientôt la salle du café, pour venir, chaque après-midi, faire la causette autour du lit du gros homme. Tout couché qu'il était, ce farceur de Toine, il les amusait encore. Il aurait fait rire le diable, ce malin-là. Ils étaient trois qui reparaissaient tous les jours : Célestin Maloisel, un grand maigre, un peu tordu comme un tronc de pommier, Prosper Horslaville, un petit sec avec un nez de furet, malicieux, futé comme un renard, et Césaire Paumelle, qui ne parlait jamais, mais qui s'amusait tout de même.

On apportait une planche de la cour, on la posait au bord du lit et on jouait aux dominos pardi, et on faisait de rudes parties, depuis deux heures jusqu'à six.

Mais la mère Toine devint bientôt insupportable. Elle ne pouvait tolérer que son gros faignant d'homme continuât à se distraire, en jouant aux dominos dans son lit ; et chaque fois qu'elle voyait une partie commencée, elle s'élançait avec fureur, culbutait la planche, saisissait le jeu, le rapportait dans le café et déclarait que c'était assez de nourrir ce gros suiffeux[1] à ne rien faire sans le voir encore se divertir comme pour narguer le pauvre monde qui travaillait toute la journée.

Célestin Maloisel et Césaire Paumelle courbaient la tête, mais Prosper Horslaville excitait la vieille, s'amusait de ses colères.

La voyant un jour plus exaspérée que de coutume, il lui dit :

– Hé ! la mé, savez-vous c'que j'f'rais, mé, si j'étais de vous ?

Elle attendit qu'il s'expliquât, fixant sur lui son œil de chouette.

Il reprit :

– Il est chaud comme un four, vot'homme, qui n'sort point d'son lit. Eh ben, mé, j'li f'rais couver des œufs.

Elle demeura stupéfaite, pensant qu'on se moquait d'elle, considérant la figure mince et rusée du paysan qui continua :

– J'y mettrais cinq sous un bras, cinq sous l'autre, l'même jour que je donnerais la couvée à une poule. Ça naîtrait d'même. Quand ils seraient éclos j'porterais à vot'poule les poussins de vot'homme pour qu'a les élève. Ça vous en f'rait d'la volaille, la mé !

La vieille interdite demanda :

– Ça se peut-il ?

L'homme reprit :

– Si ça s'peut ? Pourqué que ça n'se pourrait point ? Pisqu'on fait ben couver d's œufs dans une boîte chaude, on peut ben en mett' couver dans un lit.

Elle fut frappée par ce raisonnement et s'en alla, songeuse et calmée.

---

1. **Ce gros suiffeux :** ce tas de graisse.

2 La maison des pauvres

N'empêch' si jamais j'venais riche,
Moi aussi j'f'rais bâtir eun' niche
Pour les vaincus... les écrasés,
Les sans-espoir... les sans-baisers,

Pour ceuss' là qui z'en ont soupé,
Pour les écœurés, les trahis,
Pour les pâles, les désolés,
À qui qu'on a toujours menti
Et que les roublards ont roulés ;

Eun' mason, un cottage, eun' planque,
Ousqu'on trouv'rait miséricorde,
Pus prop's que ces turn's à la manque
Ousque l'on roupille à la corde ;

Pus chouatt's que ces asil's de nuit
Qui bouclent dans l'après-midi,
Où les ronds-d'-cuir pleins de mépris
(Les préposés à la tristesse)
Manqu'nt d'amour et de politesse ;

Eun' mason, Seigneur, un foyer
Où y aurait pus à travailler,
Où y aurait pus d' terme à payer,
Pus d'proprio, d'pip'let, d'huissier.

Y suffirait d'êt' su' la terre
Crevé, loufoque et solitaire,
D'sentir venir son dergnier soir
Pour pousser la porte et... s'asseoir.

Quand qu'on aurait tourné l'bouton
Personn' vourait savoir vot' nom
Et vous dirait — « Quoi c'est qu'vous faites ?
Si you plaît ? Qui c'est que vous êtes ? »

Non, pas d'méfiance ou d'paperasses,
Toujours à pister votre trace,
Avec leur manie d'étiqu'ter ;
Ça n'est pas d'la fraternité !

Mais on dirait ben au contraire :
— « Entrez, entrez donc, mon ami,
Mettez-vous à l'ais', notre frère,
Apportez vos poux par ici. »

Pein' dedans gn'aurait des baignoires,
Des liquett's propes… des peignoirs,
D'l'eau chaud' dedans des robinets
Qu'on s'laiss'rait rigoler su' l'masque,
Des savons à l'opoponasque,
Des bross's à dents et des bidets.

Pis vite… on s'en irait croûter
Croûter d' la soup' chaude en Hiver
Qui fait « plouf » quand ça tomb' dans l' bide,
Des frich'tis fumants, des lentilles,
Des ragoûts comm' dans les familles,
Des choux n'avec des pomm's de terre,
Des tambouill's à s'en fair' péter.

3 En banlieue, c'est surtout par les tramways que la vie vous arrive le matin. Il en passait des pleins paquets avec des pleines bordées d'ahuris brinquebalant, dès le petit jour, par le boulevard Minotaure, qui descendaient vers le boulot. Les jeunes semblaient même comme contents de s'y rendre au boulot. Ils accéléraient le trafic, se cramponnaient aux marchepieds, ces mignons, en rigolant. Faut voir ça. Mais quand on connaît depuis vingt ans la cabine téléphonique du bistrot, par exemple, si sale qu'on la prend toujours pour les chiottes, l'envie vous passe de plaisanter avec les choses sérieuses et avec Rancy en particulier. On se rend alors compte où qu'on vous a mis. Les maisons vous possèdent, toutes pisseuses qu'elles sont, plates façades, leur cœur est au propriétaire. Lui on le voit jamais. Il n'oserait pas se montrer. Il envoie son gérant, la vache. On dit pourtant dans le quartier qu'il est bien aimable le proprio quand on le rencontre. Ça n'engage à rien.

La lumière du ciel à Rancy, c'est la même qu'à Détroit, du jus de fumée qui trempe la plaine depuis Levallois. Un rebut de bâtisses tenues par des gadoues noires au sol. Les cheminées, des petites et des hautes, ça fait pareil de loin qu'au bord de la mer les gros piquets dans la vase. Là dedans, c'est nous.

Faut avoir le courage des crabes aussi, à Rancy, surtout quand on prend de l'âge et qu'on est bien certain d'en sortir jamais plus. Au bout du tramway voici le pont poisseux qui se lance au-dessus de la Seine, ce gros égout qui montre tout. Au long des berges, le dimanche et la nuit les gens grimpent sur les tas pour faire pipi. Les hommes ça les rend méditatifs de se sentir devant l'eau qui passe. Ils urinent avec un sentiment d'éternité ; comme des marins. Les femmes, ça ne médite jamais. Seine ou pas. Au matin donc le tramway emporte sa foule se faire comprimer dans le métro. On dirait à les voir tous s'enfuir de ce côté-là, qu'il leur est arrivé une catastrophe du côté d'Argenteuil, que c'est leur pays qui brûle. Après chaque aurore, ça les prend, ils s'accrochent par grappes aux portières, aux rambardes. Grande déroute. C'est pourtant qu'un patron qu'ils vont chercher dans Paris, celui qui vous sauve de crever de faim, ils ont énormément peur de le perdre, les lâches. Il vous la fait transpirer pourtant sa pitance. On en pue pendant dix ans, vingt ans et davantage. C'est pas donné.

Et on s'engueule dans le tramway déjà, un bon coup pour se faire la bouche. Les femmes sont plus râleuses encore que des moutards. Pour un billet en resquille, elles feraient stopper toute la ligne, c'est vrai qu'il y en a déjà qui sont saoules parmi les passagères, surtout celles qui descendent au marché vers Saint-Ouen, les demi-bourgeoises. « Combien les carottes ? » qu'elles demandent bien avant d'y arriver pour faire voir qu'elles ont de quoi.

Comprimés comme des ordures qu'on est dans la caisse en fer, on traverse tout Rancy, et on odore ferme en même temps, surtout quand c'est l'été.

4 Doukipudonktan, se demanda Gabriel excédé. Pas possible, ils se nettoient jamais. Dans le journal, on dit qu'il y a pas onze pour cent des appartements à Paris qui ont des salles de bain, ça m'étonne pas, mais on peut se laver sans. Tous ceux-là qui m'entourent, ils doivent pas faire de grands efforts. D'un autre côté, c'est tout de même pas un choix parmi les plus crasseux de Paris. Y a pas de raison. C'est le hasard qui les a réunis. On peut pas supposer que les gens qui attendent à la gare d'Austerlitz sentent plus mauvais que ceux qu'attendent à la gare de Lyon. Non vraiment, y a pas de raison. Tout de même, quelle odeur !

Gabriel extirpa de sa manche une pochette de soie couleur mauve et s'en tamponna le tarin.

« Qu'est-ce qui pue comme ça ? » dit une bonne femme à haute voix. Elle pensait pas à elle en disant ça, elle était pas égoïste, elle voulait parler du parfum qui émanait de ce meussieu.

« Ça, ptite mère, répondit Gabriel qui avait de la vitesse dans la repartie, c'est Barbouze, un parfum de chez Fior.

– Ça devrait pas être permis d'empester le monde comme ça, continua la rombière[1] sûre de son bon droit.

– Si je comprends bien, ptite mère, tu crois que ton parfum naturel fait la pige à[2] celui des rosiers. Eh bien, tu te trompes, ptite mère, tu te trompes.

– T'entends ça ? dit la bonne femme à un ptit type à côté d'elle, probablement celui qu'avait le droit de la grimper légalement. T'entends comme il me manque de respect, ce gros cochon ? »

Le ptit type examina le gabarit de Gabriel et se dit c'est un malabar, mais les malabars c'est toujours bon, ça profite jamais de leur force, ça serait lâche de leur part. Tout faraud[3], il cria : « Tu pues, eh gorille. » Gabriel soupira. Encore faire appel à la violence. Ça le dégoûtait cette contrainte. Depuis l'hominisation première, ça n'avait jamais

---

1. **Rombière :** femme âgée, ridicule et prétentieuse.
2. **Fait la pige à :** est plus fort, meilleur que.
3. **Faraud :** qui tire vanité de son aspect physique et prétend être élégant.

arrêté. Mais enfin fallait ce qu'il fallait. C'était pas de sa faute à lui, Gabriel, si c'était toujours les faibles qui emmerdaient le monde. Il allait tout de même laisser une chance au moucheron.

« Répète un peu voir », qu'il dit Gabriel.

Un peu étonné que le costaud répliquât, le ptit type prit le temps de fignoler la réponse que voici : « Répéter un peu quoi ? »

Pas mécontent de sa formule, le ptit type. Seulement, l'armoire à glace insistait [...] « Skeutadittaleur... »

Le ptit type se mit à craindre. C'était le temps pour lui, c'était le moment de se forger quelque bouclier verbal. Le premier qu'il trouva fut un alexandrin : « D'abord, je vous permets pas de me tutoyer. »

Pour approfondir

6

295

✣ Étude des textes

Savoir lire

1. Quel est le point commun de ces quatre textes ?
2. Comment s'expriment les personnages dans le récit de Maupassant (texte 1) ? À quel monde renvoient-ils ?

3. Caractérisez le langage du pauvre (texte 2) : quelle situation révèle-t-il ?

4. Relevez trois ou quatre termes d'argot dans le texte de Céline. Dans quel milieu social inscrit-il les personnages ?

5. Lequel de ces textes adopte un registre comique ? Sur quels choix d'expression s'appuie-t-il ?

Savoir faire

1. La femme de Toine déclare « que c'était assez de nourrir ce gros suiffeux[1] à ne rien faire sans le voir encore se divertir comme pour narguer le pauvre monde qui travaillait toute la journée ». Faites-la parler au style direct en adoptant le langage des paysans tel que Maupassant le reproduit dans son récit.

2. Citez un texte de théâtre dans lequel Jean Tardieu remplace un mot par un autre. Présentez une phrase en exemple.

3. Qu'appelle-t-on « l'Oulipo » ? Aidez-vous d'Internet ou d'un dictionnaire des noms propres pour répondre.

✣ Étude des images

Savoir analyser

1. Quelle information essentielle apparaît sous la photo de Zazie dans l'affiche du film ?

2. Quels détails révèlent la pauvreté du mendiant dans le document 6 ?

3. Par quels choix d'expression le tableau *Une poule et ses poussins* suggère-t-il que la poule est une couveuse ? Pourquoi cette image peut-elle illustrer l'extrait de *Toine* présenté ci-dessus (document 1) ?

Savoir faire

1. Sélectionnez un vers ou une expression qui, dans *Les Soliloques du pauvre* (document 2), pourrait servir de légende à la gravure représentant le mendiant.

2. Brossez le portrait de Zazie telle qu'elle apparaît sur l'affiche du film.

3. Dites laquelle de ces trois images vous préférez en expliquant quelles émotions elle fait naître en vous.

Pour approfondir

---

1. **Ce gros suiffeux :** ce tas de graisse.

Textes et images

✥ À l'école

Pour chacun, l'école est un lieu de référence où l'on acquiert un savoir, où l'on crée des amitiés, où l'on apprend à réfléchir, à se conduire et à devenir adulte. Les années d'apprentissage comptent infiniment dans la vie d'une personne. C'est pourquoi les écrivains sont nombreux à évoquer l'école dans leurs œuvres, à travers des scènes, des portraits ou des arguments devenus des textes fondamentaux de la culture française.

Documents

❶ Extrait de *Madame Bovary*, de Gustave Flaubert (1857).

❷ Extrait de *Le Petit Chose*, d'Alphonse Daudet (1866-1867).

❸ Extrait du recueil *Les Quatre Vents de l'esprit*, de Victor Hugo (1881).

❹ Extrait du *Roman d'un enfant*, de Pierre Loti (1890).

❺ Une leçon de deuxième année dans une école primaire supérieure à Sens. Photo.

❻ « Petite mairie de campagne à Mesnuls », dans les Yvelines. Photo.

❼ Photo du film *La Guerre des boutons*, de Yves Robert (1962).

❶ Nous étions à l'étude, quand le proviseur entra, suivi d'un nouveau habillé en bourgeois et d'un garçon de classe qui portait un grand pupitre. Ceux qui dormaient se réveillèrent, et chacun se leva comme surpris dans son travail.

Le proviseur nous fit signe de nous rasseoir ; puis, se tournant vers le maître d'études :

– Monsieur Roger, lui dit-il à demi-voix, voici un élève que je vous recommande, il entre en cinquième. Si son travail et sa conduite sont méritoires, il passera dans les grands, où l'appelle son âge.

Resté dans l'angle, derrière la porte, si bien qu'on l'apercevait à peine, le nouveau était un gars de la campagne, d'une quinzaine d'années environ, et plus haut de taille qu'aucun de nous tous. Il avait les cheveux coupés droit sur le front, comme un chantre de village, l'air raisonnable et fort embarrassé. Quoiqu'il ne fût pas large des épaules, son habit-veste de drap vert à boutons noirs devait le gêner aux entournures et laissait voir, par la fente des parements, des poignets rouges habitués à être nus. Ses jambes, en bas bleus, sortaient d'un pantalon jaunâtre très tiré par les bretelles. Il était chaussé de souliers forts, mal cirés, garnis de clous.

On commença la récitation des leçons. Il les écouta de toutes ses oreilles, attentif comme au sermon, n'osant même croiser les cuisses, ni s'appuyer sur le coude, et, à deux heures, quand la cloche sonna, le maître d'études fut obligé de l'avertir, pour qu'il se mît avec nous dans les rangs.

Nous avions l'habitude, en entrant en classe, de jeter nos casquettes par terre, afin d'avoir ensuite nos mains plus libres ; il fallait, dès le seuil de la porte, les lancer sous le banc, de façon à frapper contre la muraille en faisant beaucoup de poussière ; c'était là le genre.

Mais, soit qu'il n'eût pas remarqué cette manœuvre ou qu'il n'eût osé s'y soumettre, la prière était finie que le nouveau tenait encore sa casquette sur ses deux genoux. C'était une de ces coiffures d'ordre composite, où l'on retrouve les éléments du bonnet à poil, du chapska, du chapeau rond, de la casquette de loutre et du bonnet de coton, une de ces pauvres choses, enfin, dont la laideur muette a des profondeurs d'expression comme le visage d'un imbécile. Ovoïde et renflée de baleines, elle commençait par trois boudins circulaires ; puis s'alternaient, séparés par une bande rouge, des losanges de velours et de poils de lapin ; venait ensuite une façon de sac qui se terminait par un polygone cartonné, couvert d'une broderie en soutache[1] compliquée, et d'où pendait, au bout d'un long cordon trop mince, un petit croisillon de fils d'or, en manière de gland. Elle était neuve ; la visière brillait.

Pour approfondir

---

1. **Soutache :** galon étroit et plat, à deux côtes, qui orne un vêtement en cachant les coutures.

Textes et images

– Levez-vous, dit le professeur.

Il se leva ; sa casquette tomba. Toute la classe se mit à rire.

Il se baissa pour la reprendre. Un voisin la fit tomber d'un coup de coude, il la ramassa encore une fois.

Débarrassez-vous donc de votre casque, dit le professeur, qui était un homme d'esprit.

Il y eut un rire éclatant des écoliers qui décontenança le pauvre garçon, si bien qu'il ne savait s'il fallait garder sa casquette à la main, la laisser par terre ou la mettre sur sa tête. Il se rassit et la posa sur ses genoux.

– Levez-vous, reprit le professeur, et dites-moi votre nom.

Le nouveau articula, d'une voix bredouillante, un nom inintelligible.

– Répétez !

Le même bredouillement de syllabes se fit entendre, couvert par les huées de la classe.

– Plus haut ! cria le maître, plus haut !

Le nouveau, prenant alors une résolution extrême, ouvrit une bouche démesurée et lança à pleins poumons, comme pour appeler quelqu'un, ce mot : Charbovari. Ce fut un vacarme qui s'élança d'un bond, monta en crescendo, avec des éclats de voix aigus (on hurlait, on aboyait, on trépignait, on répétait : Charbovari ! Charbovari !), puis qui roula en notes isolées, se calmant à grand-peine, et parfois qui reprenait tout à coup sur la ligne d'un banc où saillissait encore çà et là, comme un pétard mal éteint, quelque rire étouffé.

Cependant, sous la pluie des pensums, l'ordre peu à peu se rétablit dans la classe, et le professeur, parvenu à saisir le nom de Charles Bovary, se l'étant fait dicter, épeler et relire, commanda tout de suite au pauvre diable d'aller s'asseoir sur le banc de paresse, au pied de la chaire. Il se mit en mouvement, mais, avant de partir, hésita.

– Que cherchez-vous ? demanda le professeur.

– Ma cas..., fit timidement le nouveau, promenant autour de lui des regards inquiets.

– Cinq cents vers à toute la classe ! exclamé d'une voix furieuse, arrêta, comme le *Quos ego*, une bourrasque nouvelle.

– Restez donc tranquilles ! continuait le professeur indigné, et s'essuyant le front avec son mouchoir qu'il venait de prendre dans sa toque. Quant à vous, le nouveau, vous me copierez vingt fois le verbe *ridiculus sum*.

Puis, d'une voix plus douce :

– Eh ! vous la retrouverez, votre casquette ; on ne vous l'a pas volée ! Tout reprit son calme. Les têtes se courbèrent sur les cartons, et le nouveau resta pendant deux heures dans une tenue exemplaire, quoiqu'il y eût bien, de temps à autre, quelque boulette de papier lancée d'un bec de plume qui vînt s'éclabousser sur sa figure.

2 Je pris donc possession de l'étude des moyens...

Je trouvai là une cinquantaine de méchants drôles, montagnards joufflus de douze à quatorze ans, fils de métayers enrichis, que leurs parents envoyaient au collège pour en faire de petits bourgeois, à raison de cent vingt francs par trimestre.

Grossiers, insolents, orgueilleux, parlant entre eux un rude patois cévenol auquel je n'entendais rien, ils avaient presque tous cette laideur spéciale à l'enfance qui mue, de grosses mains rouges avec des engelures, des voix de jeunes coq enrhumés, le regard abruti, et par là-dessus l'odeur du collège... Ils me haïrent tout de suite, sans me connaître. J'étais pour eux l'ennemi, le Pion ; et du jour où je m'assis dans ma chaire, ce fut la guerre entre nous, une guerre acharnée, sans trêve, de tous les instants.

Ah ! les cruels enfants, comme ils me firent souffrir !...

Je voudrais en parler sans rancune, ces tristesses sont si loin de nous !... Eh bien, non, je ne puis pas ; et tenez ! à l'heure même où j'écris ces lignes, je sens ma main qui tremble de fièvre et d'émotion. Il me semble que j'y suis encore.

Eux ne pensent plus à moi, j'imagine, ils ne se souviennent plus du petit Chose, ni de ce beau lorgnon qu'il avait acheté pour se donner l'air plus grave...

Mes anciens élèves sont des hommes maintenant, des hommes sérieux. Soubeyrol doit être notaire quelque part, là-haut, dans les

301

Cévennes ; Veillon (cadet), greffier au tribunal ; Loupi, pharmacien, et Bouzanquet, vétérinaire. Ils ont des positions, du ventre, tout ce qu'il faut.

Quelquefois, pourtant, quand ils se rencontrent au cercle ou sur la place de l'église, ils se rappellent le bon temps du collège, et alors peut-être il leur arrive de parler de moi.

—Dis donc, greffier, te souviens-tu du petit Eyssette, notre pion de Sarlande, avec ses longs cheveux et sa figure de papier mâché ? Quelles bonnes farces nous lui avons faites !

C'est vrai, messieurs. Vous lui avez fait de bonnes farces, et votre ancien pion ne les a pas encore oubliées...

Ah ! le malheureux pion ! vous a-t-il assez fait rire ! L'avez-vous fait assez pleurer !... Oui, pleurer !... Vous l'avez fait pleurer, et c'est ce qui rendait vos farces bien meilleures...

3 *(Poème écrit après une visite du poète dans un bagne)*
Chaque enfant qu'on enseigne est un homme qu'on gagne.
Quatre vingt-dix voleurs sur cent qui sont au bagne
Ne sont jamais allés à l'école une fois,
Et ne savent pas lire, et signent d'une croix.
C'est dans cette ombre-là qu'ils ont trouvé le crime.
L'ignorance est la nuit qui commence l'abîme.
Où rampe la raison, l'honnêteté périt.

Dieu, le premier auteur de tout ce qu'on écrit,
A mis, sur cette terre où les hommes sont ivres,
Les ailes des esprits dans les pages des livres.
Tout homme ouvrant un livre y trouve une aile, et peut
Planer là-haut où l'âme en liberté se meut.
L'école est sanctuaire autant que la chapelle.
L'alphabet que l'enfant avec son doigt épelle
Contient sous chaque lettre une vertu ; le cœur
S'éclaire doucement à cette humble lueur.
Donc au petit enfant donnez le petit livre.
Marchez, la lampe en main, pour qu'il puisse vous suivre.

Pour approfondir

La nuit produit l'erreur et l'erreur l'attentat.
Faute d'enseignement, on jette dans l'état
Des hommes animaux, têtes inachevées,
Tristes instincts qui vont les prunelles crevées,
Aveugles effrayants, au regard sépulcral,
Qui marchent à tâtons dans le monde moral.
Allumons les esprits, c'est notre loi première,
Et du suif le plus vil faisons une lumière.
L'intelligence veut être ouverte ici-bas ;
Le germe a droit d'éclore ; et qui ne pense pas
Ne vit pas. Ces voleurs avaient le droit de vivre.
Songeons-y bien, l'école en or change le cuivre,
Tandis que l'ignorance en plomb transforme l'or.

4 Parmi ces professeurs qui sévirent si cruellement contre moi pendant mes années de collège – et qui avaient tous des surnoms – les plus terribles, sans contredit, furent le Bœuf Apis et le Grand-Singe Noir. J'espère que s'ils lisaient ceci, ils comprendraient à quel point de vue enfantin je me replace pour l'écrire. Si je les retrouvais aujourd'hui, j'irais sans nul doute à eux la main tendue, en m'excusant d'avoir été leur élève très indocile. Oh ! le Grand-Singe surtout, je le haïssais ! Quand du haut de sa chaire il laissait tomber cette phrase : « Vous me ferez cent lignes, vous, le petit sucré là-bas ! » je lui aurais sauté à la figure comme un chat outragé. Il a, le premier, éveillé en moi ces violences soudaines qui devaient faire partie de mon caractère d'homme et que rien ne laissait prévoir chez l'enfant plutôt patient et doux que j'étais.

Et cependant, il serait inexact de dire que j'aie été tout à fait un mauvais élève ; inégal plutôt, à surprises ; un jour premier, dernier le lendemain, mais restant en somme dans une moyenne acceptable, avec toujours, à la fin de l'année, les prix de version.

Rien que ceux-là, par exemple, – et je m'étonnais que tout le monde ne les eût pas, tant cela me semblait facile. J'avais au contraire le thème extrêmement rebelle ; la narration, encore davantage.

303

Textes et images

Je désertais de plus en plus mon propre bureau, et c'était chez tante Claire, à côté de l'ours aux pralines, que je subissais avec plus de résignation la torture des devoirs ; sur le mur, dans un recoin caché de la boiserie de cette chambre, un portrait à la plume du Grand-Singe subsiste encore, avec d'autres bonshommes de fantaisie ; l'encre a pâli, jauni, mais on les a respectés et, quand je les regarde, je retrouve encore du mortel ennui, de l'étouffement glacé, – des impressions de collège, enfin.

Tante Claire était plus que jamais ma ressource, par ces temps durs, cherchant toujours mes mots dans les dictionnaires et se condamnant même souvent à faire à ma place, d'une écriture imitée, les pensums du Grand-Singe.

6

7

✤ Étude des textes

Savoir lire

1. Lesquels de ces textes se présentent comme des autobiographies ?
   Citez les indices grammaticaux vous permettant de répondre.
2. Définissez l'école d'autrefois à travers les textes 1, 2 et 4 :
   rapports des élèves avec les professeurs et les surveillants,
   conduite des élèves dans la classe, relations des élèves entre eux...
3. Quelle fonction sociale l'auteur reconnaît-il à l'école dans le texte 3 ?

Savoir faire

1. Racontez une scène de classe qui vous a particulièrement
   marqué, soit parce que vous y étiez l'acteur principal, soit parce
   que, comme témoin, elle vous a bouleversé ou amusé.
2. En vous référant au récit d'Alphonse Daudet, brossez le portrait
   du pion à partir du point de vue d'un des « cruels enfants » qui
   le haïssent.
3. Comparez l'école d'autrefois à l'école d'aujourd'hui en mettant
   en évidence les différences les plus visibles.

✤ Étude des images

Savoir analyser

1. Pourquoi la photo du film *La Guerre des boutons* est-elle un hymne
   à la nature ?
2. Relevez dans le document 5 tous les éléments qui nous
   renseignent sur l'école du passé.
3. Que suggère, sur le document 6, la juxtaposition de l'école
   et de la mairie ?

Savoir faire

1. Imaginez que vous poussez la porte de l'école présentée
   sur le document 5 : décrivez les lieux avec le regard d'un enfant
   du XXIe siècle.
2. Sous la forme d'un dialogue expressif qui fera ressortir la relation
   du maître avec ses élèves, imaginez la leçon donnée dans
   la classe présentée dans le document 5.

Pour approfondir

Vers le brevet

Sujet 1 : *La Guerre des boutons,* de « Cette fois, on allait voir (p. 44, l. 118) » à « Ça va viendre, mes vieux » (p. 45, l. 170).

Questions

I - Une stratégie guerrière

1. a) Relevez le champ lexical de la guerre dans le premier paragraphe.

   b) Pourquoi peut-on parler ici de parodie ?

2. « Quelques-uns même en avaient rempli leur casquette » :

   a) Quel mot le pronom « en » remplace-t-il ?

   b) Justifiez l'accord au singulier du nom « casquette ».

3. « Dès que les avant-gardes eurent pris contact **par des bordées réciproques d'injures** » :

   a) Analysez l'expression en gras.

   b) Utilisez « par » dans une phrase de construction passive où il introduira un complément d'agent.

4. a) À quel niveau de langage appartiennent respectivement les mots « lâches » et « froussards » ?

   b) Proposez un terme synonyme de niveau littéraire qui se termine en *-ard*.

5. « Il avança donc imprudemment, tandis que les trois autres se rasaient de son côté » :

   a) Quel type de proposition introduit la conjonction « tandis que » ?

   b) Utilisez cette conjonction dans une phrase où elle aura une autre valeur que vous préciserez.

II - Le monde des enfants

1. a) Quel est le sens du mot « frondeurs » dans le texte ?

   b) Utilisez ce terme dans une phrase où il aura un sens différent que vous préciserez.

2. À quelle classe grammaticale appartiennent les mots « tous » et « quelques-uns » dans la phrase : « Tous avaient les poches bourrées de cailloux ; quelques-uns même en avaient rempli leur casquette ».

3. a) Donnez le sens du verbe « s'enjolivaient » dans la phrase : « certaines s'enjolivaient de naïfs dessins ».

   b) Utilisez le verbe « enjoliver » dans une phrase active.

   c) Citez un nom appartenant à la même famille et donnez sa définition.

4. a) Sur quelle figure de style est construite l'expression « une pluie de pierres » ?

   b) Justifiez cet emploi par l'impression que le narrateur veut créer.

III - L'aventure

1. a) À quel champ lexical appartient le mot « péripéties » ?

   b) Que suggère l'emploi de ce terme dans la phrase : « prêts à toutes les péripéties du combat corps à corps » ?

2. « C'était solide et beau, disait Boulot, dont le goût n'était peut-être pas si affiné que la pointe de sa lance » :

   a) À quelle catégorie de pronoms appartient « dont » ? Que remplace-t-il ?

   b) Transposez les paroles de Boulot au discours direct. Vous veillerez à employer une ponctuation correcte.

3. « Il avait même dû descendre » :

   a) Précisez le temps et le mode du verbe « devoir ».

   b) Conjuguez cette forme à toutes les personnes.

4. « Il ricana sous cape quand il aperçut Migue la Lune et deux autres Velrans se concertant pour l'assaillir » :
   a) Faites l'analyse logique de cette phrase.
   b) Transformez-la de façon à faire apparaître une proposition subordonnée relative.

Réécriture

1. « Mais il s'arrangea du mieux qu'il put **pour être vu de quelques guerriers de Velrans**, tout en ayant l'air de ne pas remarquer leur manœuvre. » Réécrivez cette phrase en transformant l'élément en gras en proposition subordonnée de but introduite par « afin que ».

2. « Et Tintin, qui voyait tout de son buisson, prépara ses hommes à l'action :
   – Ça va «viendre», mes vieux, attention ! »

   Transformez au discours indirect la réplique de Tintin. Vous apporterez au texte les transformations nécessaires à sa correction grammaticale.

Rédaction

« Prêts à toutes les péripéties du combat corps à corps », les adversaires se trouvent maintenant face à face, après les échanges d'injures et les pluies de pierres lancées à coups de lance-pierres.

   Racontez cet épisode sous une forme dramatique qui fera apparaître la détermination des deux camps et l'enthousiasme de la bataille. Votre récit intégrera quelques passages de description où vous évoquerez le visage des attaquants et leurs attitudes conquérantes.

Petite méthode pour la rédaction

• Dans le récit de la bataille, vous aurez à utiliser le vocabulaire de la guerre. Avant d'engager la rédaction, réunissez un champ lexical dans lequel vous pourrez puiser à volonté.

• Le registre dramatique est celui de l'action : montrez les deux camps en train de se battre ; mettez en scène des duels ou des mêlées de groupes ; ménagez des effets de surprise. Utilisez une ponctuation expressive (points d'exclamation), des onomatopées, des notations de bruits et de lumières.

• Les passages descriptifs seront distribués sous la forme d'une phrase ou d'un paragraphe qui apparaîtront comme de brefs clichés photographiques.

Sujet 2 : texte 1, p. 298, *Madame Bovary*, Gustave Flaubert.

Questions

I - Une classe du XIXᵉ siècle

1. « Nous étions à l'Étude, quand le Proviseur entra » : justifiez l'emploi des majuscules dans cette phrase.

2. a) Donnez la définition de l'adjectif « méritoires ».

   b) Proposez deux verbes appartenant à la même famille, puis employez ces trois mots dans trois phrases expressives.

3. « Il y eut un rire éclatant des écoliers qui décontenança le pauvre garçon » :

   a) Quel est l'antécédent du pronom relatif « qui » ?

   b) Transformez cette construction en une phrase simple.

Vers le brevet

311

4. « Le professeur, qui était un homme d'esprit » :

   a) Expliquez le sens de l'expression « homme d'esprit ».

   b) Proposez deux expressions formées sur le mot « esprit » et donnez leur signification.

II - Un nouvel élève

1. « Un nouveau habillé en bourgeois » : faites l'analyse du mot « nouveau ».

2. « Quoiqu'il ne fût pas large des épaules, son habit-veste de drap vert à boutons noirs devait le gêner aux entournures » :

   a) Précisez le temps et le mode du verbe de la subordonnée.

   b) Faites l'analyse logique de la phrase.

3. « Venait ensuite une **façon** de sac » : remplacez le mot en gras par un terme synonyme.

4. « Il se leva ; sa casquette tomba. Toute la classe se mit à rire. » : transformez cette construction en une phrase complexe dans laquelle il y aura une proposition subordonnée circonstancielle de temps et une subordonnée de conséquence.

5. « Il se rassit. » :

   a) Donnez l'infinitif de ce verbe et précisez le temps et le mode de sa forme.

   b) Conjuguez ce verbe au présent de l'indicatif. Où se situent les difficultés orthographiques de cette forme conjuguée ?

6. « Le pauvre garçon… pauvre diable » :

   a) Qui exprime son point de vue à travers l'adjectif « pauvre » ?

   b) Quel sentiment veut-on éveiller chez le lecteur ?

III - Une scène dramatique

1. « Un nom inintelligible » :

   a) Décomposez l'adjectif.

   b) À partir de ce travail, donnez la définition de ce mot puis utilisez-le dans une phrase qui en fera ressortir le sens.

c) Proposez deux autres termes appartenant à la même famille.

2. « Elle était neuve ; la visière brillait » :

   a) Expliquez le rapport de sens entre les deux propositions de cette phrase.

   b) Transformez la construction de façon à faire apparaître une proposition subordonnée de cause, puis une subordonnée de conséquence.

3. « On hurlait, on aboyait, on trépignait, on répétait : Charbovari ! Charbovari ! » :

   a) Qui est désigné à travers le pronom « on » ?

   b) Repérez et nommez une figure de style dans l'énumération des verbes. Que suggère-t-elle ?

   c) Justifiez l'emploi de l'énumération par l'effet que veut créer le narrateur en racontant cette scène.

4. « Où saillissait encore çà et là, comme un pétard mal éteint, quelque rire étouffé. » :

   a) Quel est le sujet du verbe ?

   b) Précisez la nature grammaticale de « quelque » et justifiez le singulier puis trouvez dans la suite du texte le même terme dans le même emploi.

   c) Utilisez « quelque » dans une phrase où vous pourrez l'accorder au pluriel.

Réécriture

« Puis, d'une voix plus douce :

– Eh ! vous la retrouverez, votre casquette ; on ne vous l'a pas volée ! »

✎ Transformez cette construction en une phrase au discours indirect. Vous utiliserez un verbe de parole (ex. : déclarer, s'exclamer, dire...) et apporterez au texte les transformations grammaticales nécessaires à sa correction.

Rédaction

Racontez cette scène du point de vue de Charles Bovary : votre récit, à la première personne, fera ressortir les émotions du jeune garçon et sa perception des autres élèves, du maître et du décor de la classe.

• Le changement de point de vue vous oblige à vous placer à l'intérieur du personnage. Vous devrez percevoir la scène à travers sa sensibilité et son caractère : ce sont ses yeux qui voient et ses oreilles qui entendent. Servez-vous des éléments du récit : le garçon est très timide et maladroit.

• La scène doit rapporter des images de la classe et des autres personnages qui sont acteurs : il faut leur donner vie à travers des détails significatifs sur lesquels le narrateur du récit original ne s'est peut-être pas arrêté.

• Le récit utilisera la 1re personne, comme dans une autobiographie : celui qui raconte est aussi celui qui a vécu la scène rapportée.

Outils de lecture

Action : dans un récit, suite des événements qui constituent l'intrigue.

Anticipation : procédé par lequel on interrompt la narration pour évoquer des événements devant se produire plus tard.

Antithèse : figure de style qui oppose deux mots ou groupes de mots en produisant un fort effet de contraste.

Argot : à l'origine langue des malfaiteurs. Désormais langue populaire, familière et expressive, caractéristique de l'oral.

Autobiographie : vie de quelqu'un écrite par lui-même.

Aventure : événement dramatique mettant le héros face à un obstacle qu'il doit surmonter en prenant des risques.

Caricature : représentation exagérée d'un thème, d'un genre, d'un personnage, souvent dans une intention satirique.

Champ lexical : ensemble des termes qui traitent d'un thème particulier.

Commentaire : parole du narrateur qui rompt momentanément la narration pour exprimer son point de vue personnel sur un personnage ou sur l'action.

Dénouement : fin d'un récit, moment où l'action se « dénoue ».

Description : énoncé qui nomme, précise les caractères et les qualités d'une personne, d'un objet ou d'un lieu ; qui crée un décor ou une atmosphère.

Dialogue : ensemble de répliques échangées entre deux ou plusieurs personnages.

Discours direct : paroles insérées dans un récit et rapportées telles qu'elles sont prononcées.

Dramatique : qui éveille des sentiments puissants (peur, surprise) par des procédés de dramatisation (ex. : le coup de théâtre).

Durée de l'histoire : période pendant laquelle se déroule l'action.

Épique (registre) : qui peint l'héroïsme avec des images fortes et exagérées.

Outils de lecture

Épique (écriture) : procédés d'expression de l'épopée, fondés sur l'amplification et l'accumulation.

Épopée : long récit d'exploits héroïques réalisés par des surhommes.

Fiction : création imaginaire. S'oppose à la réalité.

Figure de style : procédé d'expression qui permet d'évoquer une situation ou un personnage sous une forme très expressive. Ex. : antithèse, comparaison, métaphore.

Héros : personnage principal d'un roman; il domine l'action et accomplit des exploits.

Hyperbole : figure de style fondée sur l'exagération.

Intérêt dramatique : intérêt que peut éveiller l'action chez le lecteur.

Intrigue : enchaînement des faits dans un récit.

Métaphore : représentation d'un être, d'un objet ou d'un événement par un terme analogique.

Narrateur : dans le récit, celui qui raconte l'histoire.

Parodie : imitation d'un genre sérieux dont on transpose comiquement le sujet ou les procédés d'expression, souvent dans un but satirique.

Péripétie : événement imprévu, incident qui intervient dans le déroulement d'une action pour marquer un changement.

Portrait : description d'un personnage, peinture de ses traits physiques, de son caractère, de ses mouvements, de ses gestes, de sa manière de s'exprimer.

Préface : texte placé en tête d'un ouvrage, le présentant et le recommandant aux lecteurs.

Réalisme : qui montre la réalité sous une forme concrète, à partir de petits faits vrais, avec une précision souvent brutale.

Rebondissement : développement nouveau et imprévu dans l'action.

Régionalisme : terme emprunté au dialecte (langue particulière) d'une région.

Suspense : moment où l'action tient le lecteur dans l'attente angoissée de ce qui va se produire.

Bibliographie et filmographie

Principales œuvres de Louis Pergaud

De Goupil à Margot, histoires de bêtes, Le Mercure de France, 1910.
> ▶ Recueil de huit nouvelles rustiques où le héros est toujours un animal pris dans des situations dramatiques. Goupil est le héros de la première nouvelle et Margot le personnage tragique qui conclut le recueil. Récompensé par le prix Goncourt 1910.

La Revanche du corbeau, nouvelles histoires de bêtes, Le Mercure de France, 1911.
> ▶ Nouveau recueil de fiction animale avec des personnages très caractérisés (ex. : Grimpemal le putois, Manteauroux la belette, Fuseline la fouine, Mustelle la martre...).

Le Roman de Miraut, chien de chasse, Le Mercure de France, 1913.
> ▶ Roman dédié « à tous ceux qui aiment les chiens ».

Les Rustiques, nouvelles villageoises, Le Mercure de France, 1921.
> ▶ Nouvelles rurales où sont évoqués les paysans de Franche-Comté, à travers des scènes réalistes et savoureuses. Dans quelques nouvelles apparaissent les héros de *La Guerre des boutons*, notamment Camus, Lebrac et Grangibus.

Romans d'enfance et de jeunesse

L'Enfant, Jules Vallès, 1879.
> ▶ Roman autobiographique dédié « *À tous ceux qui crevèrent d'ennui au collège ou qu'on fit pleurer dans la famille, qui, pendant leur enfance, furent tyrannisés par leurs maîtres ou rossés par leurs parents.* » Premier tome d'une trilogie romanesque.

Claudine à l'école, Colette (sous la signature de Willy), 1900.
> ▶ Récit de l'enfance et de la scolarité campagnarde d'une fillette heureuse au début du XXe siècle.

Le Grand Meaulnes, Alain-Fournier, 1913.
> ▶ Histoire d'un amour éternel entre Augustin Meaulnes, adolescent ombrageux, et Yvonne de Galais, jeune fille pleine de grâce.

Bibliographie et filmographie

Sa Majesté des mouches, William Golding, 1954. Gallimard, 1983.

▶ Roman anglais traduit en français. Raconte les aventures cruelles d'un groupe de collégiens anglais échoués sur une île déserte après un accident d'avion.

Lebrac, trois mois de prison, Bertrand Rothé, Éditions du Seuil, 2009.

▶ Réécriture du roman de Louis Pergaud par un enseignant à l'IUT de Sarcelles, qui transpose l'action et les personnages dans notre monde actuel. Dans cette version, les garnements sont traités comme des délinquants et punis comme tels par la loi.

Films

La Guerre des gosses, film de Jacques Daroy, France, 1936. Avec Saturnin Fabre, Jean Murat, Mouloudji (âgé de 13 ans) et Charles Aznavour (âgé de 11 ans).

▶ Dans cette version, le conflit entre les deux bandes ennemies s'enrichit d'une intrigue romanesque avec les amours de l'institutrice et du maire.

La Guerre des boutons, film d'Yves Robert, France, 1961.

▶ Ce grand classique, qui a reçu le prix Jean-Vigo en 1962, est célèbre pour la phrase culte de Petit Gibus : « Si j'aurais su, j'aurais pas venu. » Avec Jacques Dufilho et Michel Galabru.

The War of the Buttons (La Guerre des boutons ça recommence), de John Roberts. Irlande, 1994.

▶ L'action ici se passe dans le sud-ouest de l'Irlande.

Sites internet

http://www.franche-comte.org/

▶ Site officiel du comité régional du tourisme de Franche-Comté. Permet de se représenter la campagne franc-comtoise où se déroule l'action de *La Guerre des boutons*.

Crédits photographiques

Photocomposition : CGI
Impression : Rotolito Lombarda (Italie)
Dépôt légal : Septembre 2010 – 304792
N° Projet : 11015777 – Avril 2011